Take a Break's

CROSSWORDS

Published by SevenOaks
20 Mortimer Street
London W1T 3JW

Puzzles and Text © 2012, 2013 H Bauer Publishing Limited
Design © 2012, 2013 Carlton Books Limited

A CIP catalogue for this book is available from
the British Library.

ISBN 978-1-78177-131-0

Printed and bound in Great Britain by CPI Group (UK) Ltd, Croydon CR0 4YY

The puzzles in this book previously appeared in *Take A Break's Crosswords* and
Take A Break's More Crosswords

CROSSWORDS

More than 300 wicked word puzzles

SEVENOAKS

INTRODUCTION

Welcome to this exciting collection of crossword puzzles.

The crossword needs little introduction – it is the world's favourite puzzle. We have lovingly put together this selection of the best crosswords – so dive in and exercise your word power. If you've never tried a crossword, it's always a good time to start – you'll soon be hooked! The following 'Cracking a Crossword' section provides you with all of the information you need to get started.

Whether you're a crossword king or new to the game, this book is certain to provide you with a hearty dose of puzzling fun – suitable for all the family.

ACROSS

1 Type of tree (8)
7 Roused (5)
8 Lawless person (9)
9 Colouring matter (3)
10 Wandering person (4)
11 Use tactically (6)
13 Short fast race (6)
14 Of a racial group (6)
17 Portuguese capital (6)
18 Female relative (4)
20 Engage in winter sports (3)
22 Copy (9)
23 People's spirit (5)
24 Decode (8)

DOWN

1 Destroy (5)
2 Meeting hall (7)
3 Rodents (4)
4 Elevated (6)
5 Hot alcoholic drink (5)
6 Common, normal (7)
7 Runner? (7)
12 Aristotle - - -, shipping magnate (7)
13 Hidden away (7)
15 Feed (7)
16 Of cattle (6)
17 Supple and athletic (5)
19 Choir singer (5)
21 Indonesian holiday isle (4)

PUZZLE 3

ACROSS
1 Horsefly (4)
3 African desert (8)
9 Young dog (5)
10 Be first, go in front (7)
11 Puff Daddy's style of music (3)
13 Small sausage (9)
14 Ceremonial (6)
16 Took notice of (6)
18 Second World War battle (2, 7)
20 Chafe (3)
22 Put on a list (7)
23 Three-wheeled cycle (5)
25 Assembled (8)
26 Prune with shears (4)

DOWN
1 Shrink in fear (5)
2 Tiverton's river (3)
4 Live-in home help (2, 4)
5 Windflower (7)
6 King of Macedon, - - - the Great (9)
7 Dublin's country (7)
8 Saga (4)
12 Indelible (9)
14 Ian - - -, James Bond author (7)
15 One of the deadly sins (7)
17 Go back on (a promise) (6)
19 After deductions (4)
21 High-pitched sound (5)
24 Not well (3)

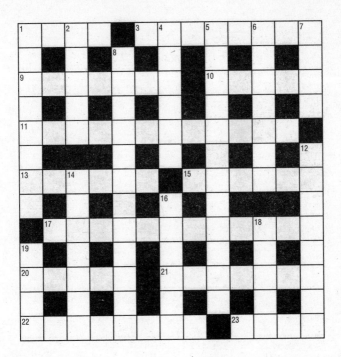

ACROSS

1 Certain (4)
3 Small bushy-tailed monkey (8)
9 Aviation pioneer, - - - Wright (7)
10 Savour (5)
11 Nursery school (12)
13 Anti-aircraft fire (3-3)
15 Pale coloured (6)
17 Sister's husband (7-2-3)
20 Snapshot (5)
21 Supervise (7)
22 Wound cover (8)
23 Jumps on one leg (4)

DOWN

1 Racing vehicle (5, 3)
2 Split (5)
4 Get even for (6)
5 Happened (12)
6 Mentally accuse (7)
7 Dinosaur (1-3)
8 Arguments (12)
12 Unblemished (8)
14 Sing-along entertainment (7)
16 Good reputation (6)
18 Rope for catching cattle (5)
19 Slang name for a potato (4)

PUZZLE 5

ACROSS

1 Lazy person (8)
5 Round roof (4)
9 Prestigious car, - - - Martin (5)
10 Fortune-teller's cards (5)
12 Nellie - - -, soprano (5)
13 Raffle, lottery (4)
15 Enid - - -, author (6)
18 Draw back in pain (6)
20 List of dishes to be served (4)
23 Sugary (5)
24 Arctic duck (5)
27 Of the ears (5)
28 Disney film, - - - White (4)
29 Easily bent (8)

DOWN

1 Thin piece of wood (4)
2 Former Soviet Union (inits) (4)
3 Metal framework (5)
4 Ceremony (6)
6 Riches, wealth (8)
7 Odourless gas (6)
8 Prison resident (6)
11 Scottish racecourse (3)
14 Out-of-doors (8)
16 Ruler's decree (6)
17 Estimate the worth (6)
19 Cattle enclosure (6)
21 Born as (3)
22 Take a break (5)
25 Mute (4)
26 Speed contest (4)

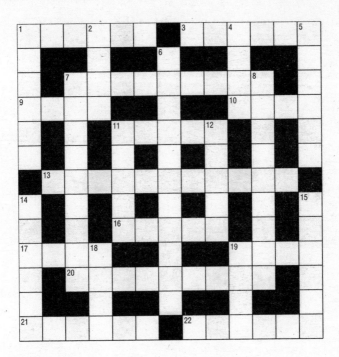

ACROSS

1 Sea journey (6)
3 Disengage and separate (6)
7 Wedlock (9)
9 Mother's mother? (4)
10 Grown-up kid (4)
11 Berkshire racecourse (5)
13 Rich sauce (11)
16 Conductor's wand (5)
17 Heavy defeat (4)
19 Insect larva (4)
20 Manly (9)
21 Comment (6)
22 Formal neckwear (3, 3)

DOWN

1 Like A - - -, Madonna song (6)
2 Ex-footballer, - - - Shearer (4)
4 Strong flavour (4)
5 John - - -, film director (6)
6 Interpret wrongly (11)
7 Magnificent tomb (9)
8 English county (9)
11 Improvisation (2, 3)
12 Mark - - -, pen-name of Samuel Clemens (5)
14 Kill unlawfully (6)
15 Scold (6)
18 Bye-bye! (2-2)
19 Chew (4)

PUZZLE 7

ACROSS

7 Fanny By - - -, TV serial (8)
8 Trolleybus (4)
9 Pay attention (6)
10 Slim long-haired hound (6)
11 Gentleman's attendant (5)
12 Layer of material (7)
15 Bring back to former condition (7)
17 Vinnie - - -, tough-guy actor (5)
20 Point of view (6)
22 Desire for a drink (6)
23 Amount carried (4)
24 Suitable to marry (8)

DOWN

1 Authenticate (8)
2 Noel Coward comedy, - - - Spirit (6)
3 Extreme suffering (5)
4 Secret procedure (7)
5 Stain on character (6)
6 Festival (4)
13 Practical tools (8)
14 Crisp salted biscuit (7)
16 Up-to-date (6)
18 Source (6)
19 Wood dye (5)
21 Go away! (4)

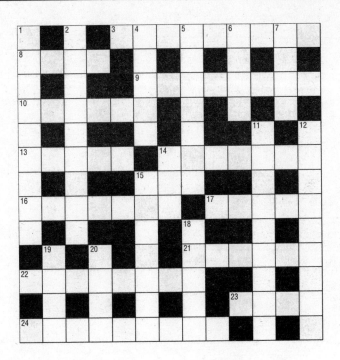

ACROSS

3 Charge currently made (5, 4)
8 Press clothing (4)
9 Infantryman (8)
10 Shock (6)
13 Short-lived fashion (5)
14 Woman's hairstyle (7)
15 Object to play with (3)
16 Concentrated (7)
17 Likewise (5)
21 Offa's kingdom (6)
22 Courgette (8)
23 GI Jane star, - - - Moore (4)
24 Second-largest lake in England (9)

DOWN

1 Edible nut (9)
2 Napoleon's surname (9)
4 British-based charity (5)
5 Small bunch of flowers (7)
6 Gymnastic exercise (4)
7 Next (4)
11 Barriers (9)
12 Love of fires (9)
14 Edgar Allan - - -, American author (3)
15 Russian emperor's wife (7)
18 Happy look (5)
19 Fling with great force (4)
20 Pretends (4)

PUZZLE 9

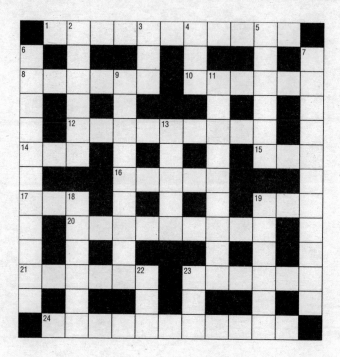

ACROSS

1 South Coast resort (6, 5)
8 Accumulate (6)
10 Treasurer (6)
12 Summer fruit (9)
14 Piece of turf (3)
15 Cushion (3)
16 Norwegian (5)
17 The briny (3)
19 Lumberjack's tool (3)
20 Cut short (9)
21 Diminish (6)
23 Holiday on a ship (6)
24 Escorted (11)

DOWN

2 Belgian ferry port (6)
3 Paddle (3)
4 Steal from (3)
5 Foot part (6)
6 Panto characters (4, 7)
7 Fashion leader (11)
9 Strange (behaviour) (9)
11 Spoon bender (3, 6)
13 Main artery (5)
18 Bitter, sharp (6)
19 Hold in high esteem (6)
22 Tree prone to Dutch disease (3)
23 US spy group (1, 1, 1)

ACROSS

1 Wooden hut (3, 5)
7 Difficult question (5)
8 Period of three months (9)
9 Family (3)
10 Centre of US space missions (4)
11 Heart disorder (6)
13 Arduous, testing (6)
14 Budgie food (6)
17 Group of eggs (6)
18 Manufactured (4)
20 Purchase (3)
22 Harmony (9)
23 Mistake (5)
24 Personal quality (8)

DOWN

1 British airport (5)
2 English fishing port (7)
3 Knighted actor, - - - Guinness (4)
4 Determined (6)
5 Japanese city (5)
6 Resolve (differences) (4, 3)
7 N American grasslands (7)
12 Remote, aloof (7)
13 Stemless glass (7)
15 Comfortable shoes (7)
16 Burn slightly (6)
17 Wales (5)
19 Surplus (5)
21 Bring up (4)

PUZZLE 11

ACROSS
1 Snoop (3)
5 Unit of current (3)
7 Move easily and smoothly (5)
9 Good, genuine (5)
10 Seek to influence (5)
11 Hint (5)
12 Research intensively (5)
15 Bruce Lee film, - - - the Dragon (5)
18 American tennis player (5, 6)
19 Allowed by law (5)
22 Slow-moving creature (5)
24 Vote (5)
25 Dutch cheese (5)
26 Muslim's religion (5)
28 The X Factor judge, - - - Cowell (5)
29 Plant holder (3)
30 Eccentric person (3)

DOWN
1 Vigour (3)
2 Country bumpkin (5)
3 Type of quartz (5)
4 Noisy fight (5)
5 Scope (5)
6 Foot the bill (3)
8 Part of Martin Luther King's speech (1, 4, 1, 5)
13 Get away from (5)
14 Russian spirit (5)
16 Of the nose (5)
17 Live (5)
20 Pig's noise (5)
21 Dog's lead (5)
22 Allotted amount of time (5)
23 Man-made fibre (5)
25 Hole (3)
27 Rug (3)

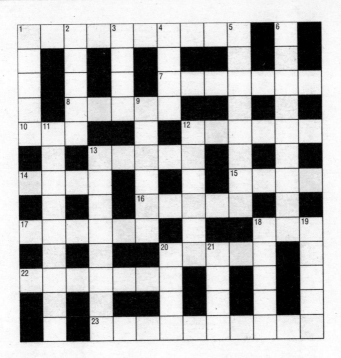

ACROSS

1 Exposed to attack (10)
7 Irish county (7)
8 Root vegetable (5)
10 Civil award (1, 1, 1)
12 Fuss (6)
13 French city (5)
14 Foundation (4)
15 Horizontal mine entrance (4)
16 Of the same value (5)
17 Council house occupant (6)
18 Group, class (3)
20 Headwear (5)
22 Unit for measuring sound (7)
23 Swampy region of southern Florida (10)

DOWN

1 John - - -, snooker pundit (5)
2 Slack, not tight (5)
3 Fish-eating eagle (4)
4 Assistant, helper (4)
5 Latest (8)
6 End of hostilities (5-4)
9 Pleasant to the ear (6)
11 Innocent (9)
12 Perplex, bewilder (6)
13 Make licit (8)
18 Sober (5)
19 Houston's state (5)
20 Indistinct image (4)
21 Support bar (4)

PUZZLE 13

ACROSS

1 Young pop music fan (11)
9 Side by side (7)
10 Mentally deranged (5)
11 Irish house of parliament (4)
12 Puts in order (8)
14 Twist (5)
15 Football competition (1, 1, 3)
20 Morning bugle call to waken soldiers (8)
22 Coniferous tree (4)
24 Armchairs and sofa (5)
25 Famous London jewellers (7)
26 Entrance to heaven (6, 5)

DOWN

2 Prior (7)
3 Biblical boat builder (4)
4 Shirt fastener (6)
5 Strange (8)
6 Perform, play out (5)
7 Nick - - -, British golfer (5)
8 Romany (5)
13 Mechanic (8)
16 Use (7)
17 Force open by levering (5)
18 Courageous (6)
19 Underground railway system (5)
21 Express (an opinion) (5)
23 Killer whale (4)

ACROSS

7 Tennis competition (5, 3)
8 Tale with supernatural characters (4)
9 Provided (4, 2)
10 Peer with half-closed eyes (6)
11 French city (5)
12 Hostile (7)
15 Sarcastic, cutting (7)
17 Even (5)
20 Bump (6)
22 Former Spanish currency (6)
23 Sixty minutes (4)
24 Beekeeper (8)

DOWN

1 Famous lover (8)
2 Conundrum (6)
3 Tea cake (5)
4 Instalment (7)
5 Protected (from disease) (6)
6 Shock into silence (4)
13 Most charming (8)
14 Motorcycle seat for a passenger (7)
16 Ringed planet (6)
18 Make certain (6)
19 Small shoot (5)
21 Musical instrument (4)

PUZZLE 15

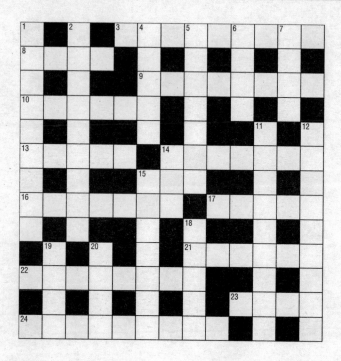

ACROSS
3 Baltic republic (9)
8 Reputation (4)
9 Tiny particles (8)
10 Twin-speaker sound (6)
13 Helicopter blade (5)
14 Read (7)
15 For each (3)
16 Tidiest (7)
17 Gaze (5)
21 Capital of Tasmania (6)
22 Noisy uproar (8)
23 Common sense (4)
24 Whit Sunday (9)

DOWN
1 Children (9)
2 Wheel-shaped cheese (9)
4 Gold bar (5)
5 Paul McCartney's ex-wife, - - - Mills (7)
6 Sussex river (4)
7 Mountain goat (4)
11 Moving staircase (9)
12 Publicise (9)
14 Teacher's favourite (3)
15 Telepathic (7)
18 Cutlets of meat (5)
19 Titled lady (4)
20 Long straight cut (4)

ACROSS

1 Inspect accounts (5)
4 Tycoon (5)
10 Well-filled out (5)
11 Uncle Sam's country (7)
12 Oxford college (3, 5)
13 Vatican leader (4)
15 Rough estimate (4, 2, 5)
19 Sheep pen (4)
20 Young bird (8)
23 Archaic (7)
24 Top of the head (5)
25 Church council (5)
26 Judge's hammer (5)

DOWN

2 Common (5)
3 Irregular (8)
5 Working cattle (4)
6 Set of clothes worn by soldiers etc. (7)
7 US TV celebrity, - - - Winfrey (5)
8 Fairground attraction (4, 2, 5)
9 Harbour (5)
14 Ocean In northern Europe (5, 3)
16 Unfortunate (7)
17 Edible entrails (5)
18 Open-mouthed (5)
21 Spitting - - -, exact likeness (5)
22 Note (4)

PUZZLE 17

ACROSS
1 Likely (8)
7 Robber (5)
8 Game bird (9)
9 Genetic fingerprints (1, 1, 1)
10 Disabled (4)
11 Period of ten years (6)
13 Richard Attenborough film (6)
14 Sacred (6)
17 Hidden gunman (6)
18 Oasis guitarist, - - - Gallagher (4)
20 Heavens above! (3)
22 Geometric shape (9)
23 Devoid (5)
24 Colourless gas (8)

DOWN
1 Scholar (5)
2 Rower (7)
3 Quality (4)
4 Boarder (6)
5 Oscar - - -, playwright (5)
6 Polite and friendly (7)
7 Israeli city (3, 4)
12 Careful with money (7)
13 Shine (7)
15 Household chore (7)
16 Heirloom (6)
17 Slender girl (5)
19 Citrus fruit (5)
21 Expensive (4)

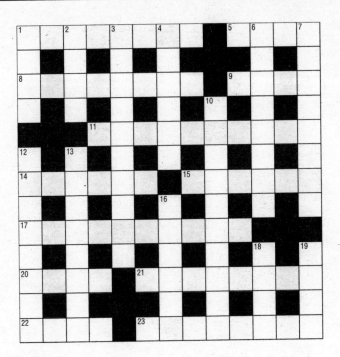

ACROSS

1 Adversary (8)
5 Aberdeen airport (4)
8 Elegant, artistic (8)
9 All ears (4)
11 Soviet gymnast (4, 6)
14 Spread widely (6)
15 Small pastry (6)
17 Cut (10)
20 Large brass musical instrument (4)
21 Stick out (8)
22 Appointment (4)
23 Terminate gradually (8)

DOWN

1 Sworn statement (4)
2 Bygone times (4)
3 Embroidery (10)
4 Chewy sweet containing nuts and fruit (6)
6 Cartoon grizzly! (4, 4)
7 Voting age (8)
10 Disney film (10)
12 Placed apart (8)
13 Blunt criticism (8)
16 Carbohydrate (6)
18 Martial art (4)
19 Went (4)

PUZZLE 19

ACROSS

1 Make a fist (6)
4 Globe (6)
9 Coronation Street, eg (4, 5)
10 Dynamite (1, 1, 1)
11 High tennis shot (3)
12 Not synthetic (7)
14 Astound (5)
16 Bedtime drink? (5)
17 Confines (7)
19 University stunt (3)
22 Stiff bristle of grass (3)
23 Wait expectantly (6, 3)
24 Unwavering, consistent (6)
25 Item of crockery (6)

DOWN

1 Milk container (6)
2 Overjoyed (8)
3 Earth used to make bricks (4)
5 Game bird with bright plumage (8)
6 National airline of Israel (2, 2)
7 Grant authority to (6)
8 Ethical (5)
13 Achieved (8)
15 European sea (8)
16 Travelling show (6)
17 Table of contents (5)
18 Older (6)
20 Triumph and delight (4)
21 Bob Hoskins film, - - - Lisa (4)

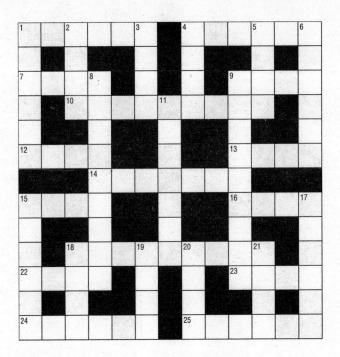

ACROSS

1 Male relative (6)
4 Former US president (6)
7 Planet fourth from the sun (4)
9 Irish county (4)
10 Enlisted (9)
12 Fume, rage (4)
13 Type of fuel (4)
14 Nourish (7)
15 Large cork (4)
16 Name word (4)
18 German city (9)
22 Edible seafish (4)
23 Sign of tiredness (4)
24 Grieve (6)
25 Alcoholic drink (6)

DOWN

1 Numeral (6)
2 Sound of a happy cat (4)
3 Low dam (4)
4 Indian queen (4)
5 Pleased (4)
6 Strip of pasta (6)
8 Tanzania National Park (9)
9 Influenced by greed (9)
11 Arrogant person (7)
15 Dry measure of eight gallons (6)
17 Subtle difference (6)
18 Read quickly (4)
19 Cluster of grass (4)
20 Blast of wind (4)
21 Ram down (concrete) (4)

PUZZLE 21

ACROSS

1 Computer floppy (4)
4 Ulrika Jonsson's country of birth (6)
8 Peace lover (8)
9 Heroic tale (4)
10 Piece of meat (5)
11 Language rules (7)
13 Steal (6)
15 Living creature (6)
17 Extremely thirsty (7)
19 Culinary plants (5)
22 Long, high or triple (4)
23 Joyful (8)
24 Setting agent in ripe fruit (6)
25 State, aver (4)

DOWN

2 Not fitting (5)
3 Weather conditions (7)
4 Slender (4)
5 On the outside (8)
6 Famous racecourse (5)
7 Large lizard (6)
12 Television news and information service (8)
14 Break, opening (6)
16 Cold drink (4, 3)
18 Small wood (5)
20 Stringed instrument (5)
21 Change direction (4)

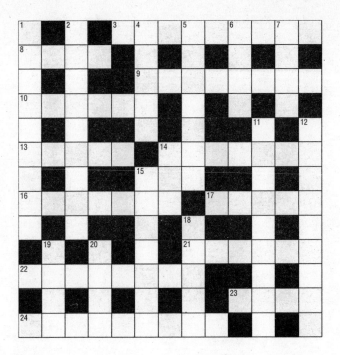

ACROSS
3 Thrift (9)
8 Fleshy stone-fruit (4)
9 Poisonous (8)
10 Make different (6)
13 Rafael - - -, Spanish tennis player (5)
14 Win back (7)
15 Mate, buddy (3)
16 Approximately (7)
17 Church instrument (5)
21 Lowest part (6)
22 Month of the year (8)
23 Scorch, char (4)
24 Geordie territory! (9)

DOWN
1 Middle of an earthquake (9)
2 Thorough, complete (3-3-3)
4 Amazon, eg (5)
5 Well-bred (7)
6 Mass (4)
7 Garden basket (4)
11 Variety of pea (9)
12 Alteration (9)
14 Beam of light (3)
15 Pacify (7)
18 Catastrophic situation (5)
19 Man of the hour! (4)
20 Tiny stones (4)

PUZZLE **23**

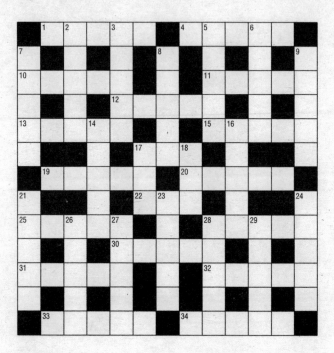

ACROSS

1 Knight's spear (5)
4 Catnapped (5)
10 Sloping edge (5)
11 Implement, tool (7)
12 Dark grey fur (8)
13 Fictitious story (4)
15 Tolerant (5-6)
19 Horse-breeding establishment (4)
20 Ocean (8)
23 Soft suede leather (7)
24 Pretend (5)
25 Call off (5)
26 Greek god of the underworld (5)

DOWN

2 Blacksmith's block (5)
3 Immense in size (8)
5 Submit to authority (4)
6 Capture, trap (7)
7 Hydrogen weapon (1-4)
8 Coin collector (11)
9 Armada (5)
14 Illegal (8)
16 Plant with edible stalks (7)
17 Children's charity (inits) (5)
18 Aroma (5)
21 Contaminate (5)
22 Gloomy looking (weather) (4)

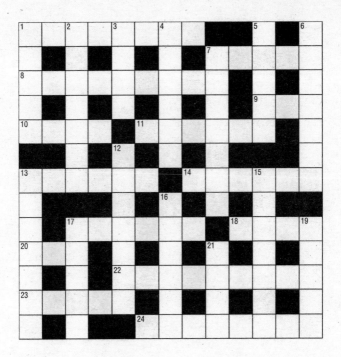

ACROSS

1 Item of furniture with a door (8)
7 The - - - Of Dibley, TV sitcom (5)
8 Enchant (9)
9 Cap, top (3)
10 Shells, etc (4)
11 Courage (6)
13 Singing cage bird (6)
14 Set alight (6)
17 TV show, - - - Hill (6)
18 Circle (4)
20 Winter ailment (3)
22 Second World War bomber (9)
23 Crest (5)
24 Very tiny amount (8)

DOWN

1 Punctuation mark (5)
2 Mail delivery person (7)
3 Town crier's shout (4)
4 Attacker (6)
5 Climb (5)
6 Make (7)
7 Dizziness (7)
12 Foot lever (7)
13 Corroborate (7)
15 Utterly stupid (7)
16 Meeting programme (6)
17 Lead the way (5)
19 Canyon (5)
21 Spellbound (4)

PUZZLE 25

ACROSS
1 Assumed name (5)
3 Modernised (7)
6 Indian language (7)
8 My Own Private - - -, film (5)
10 Greek fable writer (5)
11 Chinese river (7)
14 Eat greedily (6)
15 Send to another country (6)
17 Amplify (7)
20 Football crowd song (5)
21 Upright (5)
22 American city (7)
23 Item of furniture (7)
24 Red hair dye (5)

DOWN
1 Show approval (7)
2 Soak with water (5)
3 Incorporate (5)
4 Condescend (5)
5 Hum (5)
7 Capital of Tennessee (9)
9 Spaceman (9)
12 Vertex (4)
13 Tailless amphibian (4)
16 Oberon's wife (7)
17 Make improvements (5)
18 Assesses (5)
19 Type of anaesthetic (5)
20 Splutter! (5)

ACROSS
1 Top of a building (4)
4 Transformed (7)
9 Fluffy mat (3)
10 Skiing slope (5)
11 Bronze medal position (5)
12 Ernie - - -, South African golfer (3)
13 Ladder treads (5)
15 Capital of Costa Rica (3, 4)
17 Light jacket (6)
19 Scottish outlaw (3, 3)
23 Breed of cat (7)
26 In poor taste (5)
29 Mother (3)
30 Blusher (5)
31 Computer letter (1-4)
32 Open grassland (3)
33 Professional entertainer (7)
34 Speech defect (4)

DOWN
2 Film legend, - - - Welles (5)
3 Small fragrant flower (7)
4 Andre - - -, tennis player (6)
5 Mythical giant (5)
6 Safari animal? (5)
7 Unsteady (7)
8 Stimulus (4)
14 Vase (3)
16 Poke roughly (3)
17 Germany's neighbour (7)
18 Peculiar (3)
20 Porridge ingredient (7)
21 Acorn tree (3)
22 Shirley - - -, child star (6)
24 Fully grown (5)
25 Betting odds (5)
27 Grossly stupid (5)
28 Egg part (4)

PUZZLE **27**

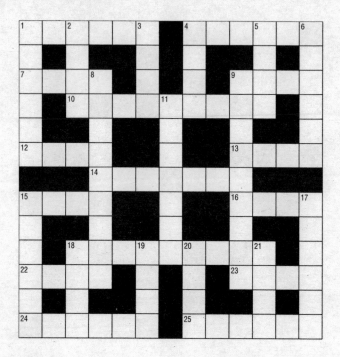

ACROSS
1 Hired assassin (3, 3)
4 Allot (6)
7 Two-masted ship (4)
9 Cut (4)
10 East European republic (9)
12 Large drainage channel (4)
13 Ache (4)
14 Coiling shoot (7)
15 Dart (4)
16 Bark (4)
18 Octopus arms (9)
22 Lion's den (4)
23 Stupid fellow (4)
24 Smart (6)
25 Tidily (6)

DOWN
1 Crossbred (6)
2 Prune (4)
3 Hub of a wheel (4)
4 Choir voice (4)
5 Scottish island (4)
6 Small piece of cloth (6)
8 Book of place names (9)
9 Pop group (6, 3)
11 Salty lake (4, 3)
15 Horse about (6)
17 Food cupboard (6)
18 Roof slate (4)
19 Norse god (4)
20 Invent (a new word) (4)
21 Easily influenced (4)

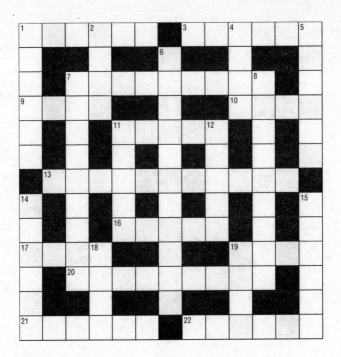

ACROSS

1 Fashion designer, - - - Rhodes (6)
3 Inuit (6)
7 Certain, sure (9)
9 Axe (4)
10 Wooded valley (4)
11 Beneath (5)
13 American female singer (6, 5)
16 Ravine (5)
17 Untidy person (4)
19 Dispose of for money (4)
20 Paris cathedral (5, 4)
21 Make illegal (6)
22 Bumper bottle (6)

DOWN

1 Mineral used as a gemstone (6)
2 Let fall (4)
4 Good-natured (4)
5 Terrible trial (6)
6 Reigning champion (11)
7 Mate, fellow (9)
8 Playwright, - - - Williams (9)
11 Fetch (5)
12 Exhausted (5)
14 Fidel - - -, Cuban dictator (6)
15 Not often (6)
18 Seethe with rage (4)
19 Self-satisfied (4)

PUZZLE 29

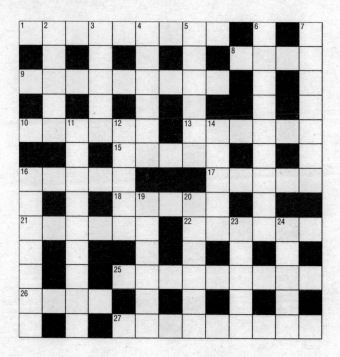

ACROSS

1 Extensive list (9)
8 Recreation area (4)
9 Chicken leg (9)
10 Martin - - -, comedy actor (6)
13 Charge with a crime (6)
15 Sierra - - -, Commonwealth country (5)
16 Priest's title (5)
17 Liveliness (5)
18 Kind, sort (5)
21 Casualty, sufferer (6)
22 Curved (6)
25 Concealed (9)
26 Throw (4)
27 Isolate (9)

DOWN

2 Spring month (5)
3 Office paperwork (5)
4 Dull-witted (6)
5 Waif (6)
6 Domineering woman (9)
7 Bowling pin (7)
11 Tunnel to assist traffic flow (9)
12 Lyrical poem (5)
14 At no time (5)
16 Sweet red pepper (7)
19 Judge's robe fur (6)
20 Forest worker (6)
23 Keep hold (5)
24 Put on pressure (5)

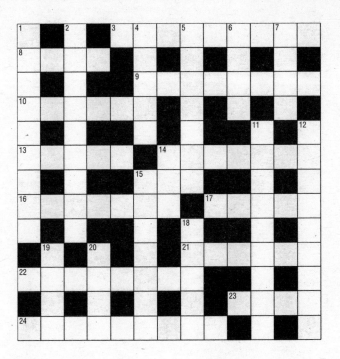

ACROSS

3 Depot (9)
8 Angler's bait (4)
9 Protective clothing (8)
10 Razor (6)
13 Devise (a plan) (5)
14 Show to be truthful (4, 3)
15 Large fish (3)
16 Ridicule, contempt (7)
17 Line of waiting people (5)
21 Nil (6)
22 Native American Indian tribe (8)
23 Second Greek letter (4)
24 Initial advantage (4, 5)

DOWN

1 Profanity (9)
2 One of Robin Hood's merry men (5, 4)
4 Fruit of the oak tree (5)
5 Chose (7)
6 Actor, - - - Sharif (4)
7 River mud (4)
11 Person from another country (9)
12 US tram (9)
14 Young man (3)
15 Short hairstyle (4, 3)
18 Scoff (5)
19 Cornish resort (4)
20 Female servant (4)

PUZZLE 31

ACROSS

1 Light-headed, giddy (5)
4 A Fish Called - - -, film (5)
10 Overwhelm (5)
11 Put on a list (7)
12 Scrooge's first name (8)
13 Cheese wrapped in wax (4)
15 Patron saint of travellers (11)
19 Distinctive air (4)
20 Term at university (8)
23 Capital of Libya (7)
24 Displayed (5)
25 Small person (5)
26 Power (5)

DOWN

2 Senseless (5)
3 Large cylindrical airship (8)
5 Grew older (4)
6 Diminish (7)
7 Cricket trophy (5)
8 Bank transaction (6, 5)
9 Burglar's tool (5)
14 Social activity after a day on the piste (5, 3)
16 Shock (7)
17 Appetising (5)
18 Fetch, convey (5)
21 Faith, loyalty (5)
22 Weaving machine (4)

PUZZLE 32

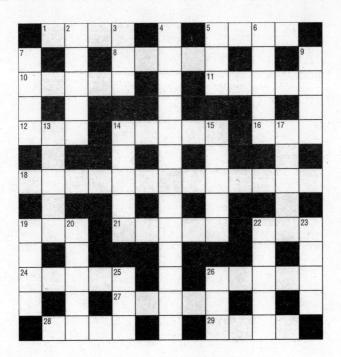

ACROSS

1 Play an instrument in the street (4)
5 Cosmetic powder (4)
8 Old anaesthetic (5)
10 Song of lament (5)
11 Not yet old (5)
12 Cricketer's leg-protector (3)
14 Braid of hair (5)
16 Withered old witch (3)
18 Sausage and batter dish (4-2-3-4)
19 Comedy great, - - - Dawson (3)
21 Shed feathers (5)
22 Shoemaker's tool (3)
24 Intense excitement (5)
26 Council tax (5)
27 Jean - - -, ex-racing driver (5)
28 Be aware of (4)
29 Wharf, pier (4)

DOWN

2 Capsize (5)
3 Lock opener (3)
4 Leonardo da Vinci painting (3, 4, 6)
5 Attempt (3)
6 Chuckle (5)
7 Trickle (4)
9 Eager, excited (4)
13 Do penance (5)
14 Refracting glass (5)
15 Midlands river (5)
17 Let, permit (5)
19 Elevator (4)
20 Lucky number! (5)
22 Caper (5)
23 One of the deadly sins (4)
25 Inexperienced (3)
26 Relieve (of) (3)

PUZZLE 33

ACROSS

1 Process of forming a total (8)
7 Contagious glandular disease (5)
8 Hesitant (9)
9 African antelope (3)
10 Prison room (4)
11 Natural blue dye (6)
13 Indian port (6)
14 Fasten, affix (6)
17 Give up a job (6)
18 Cook in the oven (4)
20 Neckwear (3)
22 Forward, pushy (9)
23 Authorised (5)
24 Most remote (8)

DOWN

1 Ancient Mexican? (5)
2 Hung loosely (7)
3 Species of duck (4)
4 The East (6)
5 Spanish friend? (5)
6 Liberal prime minister (7)
7 Intervene (7)
12 Hearing distance (7)
13 Twelve times a year? (7)
15 Greed (7)
16 Thriller writer, Dame - - - Christie (6)
17 Respond (5)
19 Wield (5)
21 Household dirt (4)

ACROSS

1 Dive (5)
3 Pouring with rain (7)
6 Understanding (7)
8 Reckon, calculate (5)
10 Move like a hunter (5)
11 War and Peace author (7)
14 Ceremonial (6)
15 Royal seal (6)
17 Began (7)
20 Male duck (5)
21 Choose by voting (5)
22 Skin crease (7)
23 Garnishing herb (7)
24 Nippy, speedy (5)

DOWN

1 Rail-supporting block (7)
2 Fragrant flower part (5)
3 Secret appointment (5)
4 Surpass (5)
5 Plucky (5)
7 Lying flat (9)
9 Home of West Ham
  United FC (5, 4)
12 Eject (4)
13 Blue-black fruit (4)
16 As a result of (7)
17 Sheer (5)
18 Entire (5)
19 Soft and fluffy (5)
20 Condescend (5)

PUZZLE 35

ACROSS

1 Martial art (5)
3 Fleeced (7)
6 Thrown out (7)
8 Precise (5)
10 Copy, imitate (5)
11 Tidal mouth of a large river (7)
14 Surly, grumpy (6)
15 No matter who (6)
17 Defame (7)
20 Research deeply (5)
21 Kitchen utensil (5)
22 Windpipe (7)
23 Small toy (7)
24 Thick woollen cloth (5)

DOWN

1 Stay silent (4, 3)
2 Of the eyes (5)
3 Beg (5)
4 Build (5)
5 Short song (5)
7 Yorkshire-based soap opera (9)
9 Iranian leader (9)
12 Join in material (4)
13 Simple (4)
16 Shade of green (7)
17 Officer in charge of ship's equipment (5)
18 Funeral peal (5)
19 Smart (5)
20 Handed out playing cards (5)

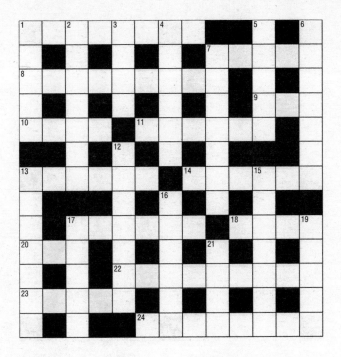

ACROSS

1 Stern (8)
7 Suitable place in life (5)
8 Maryland port (9)
9 Which person? (3)
10 Yarn (4)
11 Clear (doubts) (6)
13 Money order (6)
14 Become motionless (6)
17 Billiards shot (6)
18 Edge of a pavement (4)
20 Aviator, - - - Johnson (3)
22 Chinese philosopher (9)
23 Ethnic group (5)
24 Aromatic herb (8)

DOWN

1 Automaton (5)
2 Biblical sea (7)
3 Horse's constraint (4)
4 Bliss (6)
5 Black look (5)
6 Agree (7)
7 Isle of Wight town (7)
12 Metal-melting chamber (7)
13 Card game played with two packs (7)
15 Early part of the night (7)
16 Country, - - - -Herzegovina (6)
17 Doubter (5)
19 Bathroom sink (5)
21 Cat noise (4)

PUZZLE 37

ACROSS

1 Shockingly vivid (5)
4 Small but tasteful (5)
10 Entertain (5)
11 Optimistic (7)
12 Fixed, unchanging (8)
13 Unwell (4)
15 Unenthusiastic (4-7)
19 Aeroplane part (4)
20 Teaches (8)
23 Carry out (7)
24 Animals of a specific region (5)
25 Intelligence (5)
26 Card hand of the same suit (5)

DOWN

2 Reversal of political policy (1-4)
3 Recognise (8)
5 Simple game (1-3)
6 Football rule (7)
7 Cattle-breeding farm (5)
8 Mad Max Beyond - - -, film (11)
9 Accidental success (5)
14 Elegant, stylish (8)
16 Grand National venue (7)
17 Sweeping blow (5)
18 Indian tea (5)
21 Tie up (5)
22 Office chief (4)

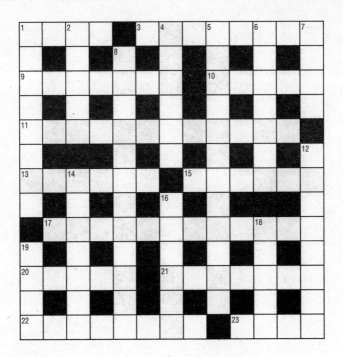

ACROSS
1 Grape plant (4)
3 Over the moon (8)
9 Spread out from a centre (7)
10 Nobleman (5)
11 Tasty dish (4, 2, 3, 3)
13 Hit hard (6)
15 Pungent vegetable (6)
17 John Steinbeck novel (2, 4, 3, 3)
20 Odour (5)
21 Sooner (7)
22 Tense uncertainty (8)
23 US divorce town (4)

DOWN
1 Truth (8)
2 Lowest point (5)
4 Bring into being (6)
5 Mealtime decorum (5, 7)
6 Bedlam (7)
7 Rabbit fur (4)
8 Scottish television personality (5, 7)
12 Summary of a film (8)
14 Roof timbers (7)
16 Niche (6)
18 American state, capital Augusta (5)
19 Goddess of nature (4)

PUZZLE 39

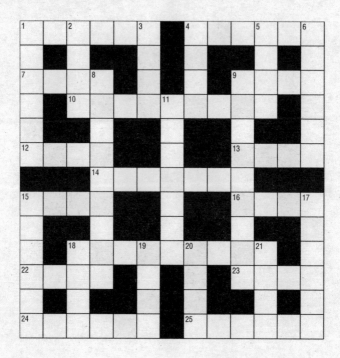

ACROSS

1 Dance? (6)
4 Entertainer, - - - Sweeney (6)
7 Layer of paint (4)
9 Jest (4)
10 Circus performer (4, 5)
12 Harry Potter actress, - - - Watson (4)
13 Crack (4)
14 Possible murder location in Cluedo (7)
15 Exhaled (4)
16 Cry out (4)
18 At one's disposal (9)
22 Large weighty book (4)
23 Unable to walk properly (4)
24 Praying - - -, carnivorous insect (6)
25 Very thin (6)

DOWN

1 Belt fastener (6)
2 Patron saint of Norway (4)
3 Highland Gaelic (4)
4 Castro's country (4)
5 Composer, - - - Novello (4)
6 Free from obligation (6)
8 Tsunami, eg (5, 4)
9 Mick Jagger's ex-wife (5, 4)
11 Endless (7)
15 Deepest part (6)
17 Abandoned (6)
18 So be it! (4)
19 Flower (4)
20 European mountain range (4)
21 Make money (4)

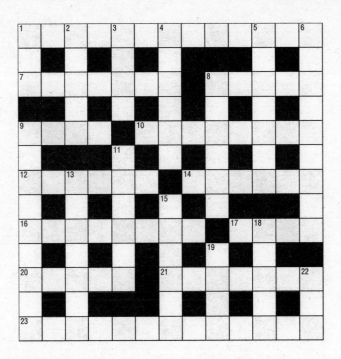

ACROSS

1 Bond girl (6, 7)
7 Smoked Italian sausage (7)
8 Slide (5)
9 London park (4)
10 Police officer (8)
12 Chinese temple (6)
14 Gift, aptitude (6)
16 Daddy-longlegs (5, 3)
17 Change course (4)
20 Lash of a whip (5)
21 Sports arena (7)
23 Port official (7, 6)

DOWN

1 Unexploded bomb (1, 1, 1)
2 Ploughman's, eg (5)
3 Emblem (4)
4 Astonished (6)
5 Teach (7)
6 Eyewitness (9)
8 Fine brandy (6)
9 Playground game (9)
11 Stefan - - -, former
  Wimbledon winner (6)
13 Ritzy style (7)
15 Nearer (6)
18 Throw out (5)
19 Pumice (4)
22 Spoil, ruin (3)

PUZZLE 41

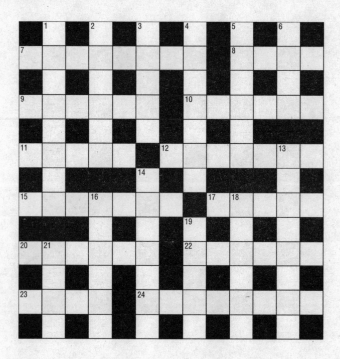

ACROSS
7 Dusk, in Scotland (8)
8 Implore (4)
9 Informal (6)
10 Chinese exercise (3, 3)
11 Fatigued (5)
12 Falkland Islands town (7)
15 Profuse, plentiful (7)
17 Utter (5)
20 Uproar (6)
22 Small (6)
23 Defect (4)
24 Produce (8)

DOWN
1 Star of The Godfather
  movies (2, 6)
2 Danish king of England (6)
3 Comedian, - - - Connolly (5)
4 Disturb (7)
5 Choice (6)
6 Type of window (4)
13 Grow, increase (8)
14 Search through (7)
16 Spouse's parents (2-4)
18 Strong protest (6)
19 James - - -, singer (5)
21 Jazz singer, - - -
   Fitzgerald (4)

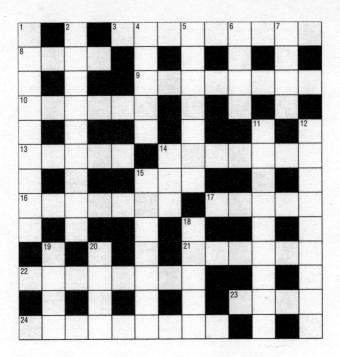

ACROSS

3 Profanity (9)
8 Piquancy (4)
9 Covered by clouds (8)
10 Polite and morally acceptable (6)
13 Man-made fibre (5)
14 Warning sound at sea (7)
15 Child's bed (3)
16 Authorise (7)
17 Ginger, eg (5)
21 Holiday destination (6)
22 Battery terminal (8)
23 Surrender (4)
24 Ken Dodd's birthplace (6, 3)

DOWN

1 Card game (4, 5)
2 Safeguard against infection (9)
4 Clear soup (5)
5 Thin cigar (7)
6 Notch (4)
7 Throw (4)
11 Checked, watched (9)
12 Restless (9)
14 Enemy (3)
15 Become clear (7)
18 Salad plant (5)
19 Elton - - -, pop star (4)
20 Indication (4)

PUZZLE 43

ACROSS
1 Children (11)
8 Maintenance (6)
10 Feeling of ill will (6)
12 Domineering (9)
14 Also (3)
15 Tide movement (3)
16 Dither (5)
17 Be in debt (3)
19 Precursor of reggae (3)
20 Chewing gum flavour (9)
21 Followed orders (6)
23 Slum area (6)
24 Merged (11)

DOWN
2 Igloo dweller (6)
3 Sixth sense? (1, 1, 1)
4 Canine (3)
5 Walk with unsteady steps (6)
6 Electricity connection point (8, 3)
7 Beano (11)
9 In another place (9)
11 Renovate (9)
13 Young eel (5)
18 High respect (6)
19 Stone effigy (6)
22 Excavate (3)
23 School sports hall (3)

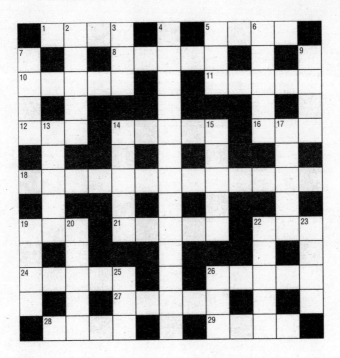

ACROSS

1 Kelly Osbourne's brother (4)
5 Door in a fence (4)
8 Zest (5)
10 Small fragment of bread (5)
11 Not asleep (5)
12 Go bad, decay (3)
14 Spaghetti, etc (5)
16 Appropriate (3)
18 Mozart opera (3, 5, 5)
19 Labour politician, - - - Browne (3)
21 Playing card (5)
22 Cry noisily (3)
24 Dog lead (5)
26 Tennis player, - - - Ivanisevic (5)
27 Gradually wear away (5)
28 Sullen (4)
29 Ram down (concrete) (4)

DOWN

2 Mature person (5)
3 Soviet secret police (1, 1, 1)
4 Killing (13)
5 Indian state (3)
6 Coronet (5)
7 Disfigure (4)
9 Top of a feeding bottle (4)
13 Yellow-orange colour (5)
14 Piece of timber (5)
15 Michael Caine film (5)
17 Paved area (5)
19 Small valley (4)
20 Garden mollusc (5)
22 Rugby formation (5)
23 Ship's bed (4)
25 Garment's edge (3)
26 Fetch (3)

PUZZLE 45

ACROSS
1 Moral crime (3)
5 Nudge (3)
7 Corroded (5)
9 Scatterbrained (5)
10 Bring together (5)
11 Keyboard instrument (5)
12 Personal attendant (5)
15 Extremely poor (5)
18 American state (5, 6)
19 Thin waxed spill (5)
22 African country (5)
24 Iron forge block (5)
25 Old Testament son of Isaac (5)
26 Uncanny (5)
28 Savoury Indian dish (5)
29 Juniper-flavoured spirit (3)
30 Clasp affectionately (3)

DOWN
1 Dip in the middle (3)
2 Rafael - - -, Spanish tennis player (5)
3 Underground room of a church (5)
4 Romantic poet (5)
5 Actress, - - - Goodyear (5)
6 Effigy burnt on Bonfire Night (3)
8 Northern European countries (11)
13 Major artery (5)
14 Flee to marry (5)
16 Rub out (5)
17 Father (5)
20 Hickory nut (5)
21 Jewish holy man (5)
22 Calvin - - -, fashion designer (5)
23 Singer, - - - Jones (5)
25 Dance (3)
27 Hen's deposit (3)

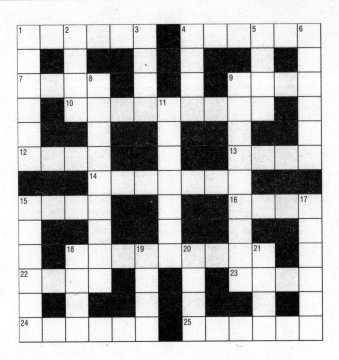

ACROSS

1 Descend vertically with a rope (6)
4 Steve - - -, radio presenter (6)
7 Radio tuner (4)
9 Labyrinth (4)
10 Fanciful plan (4, 5)
12 Floating platform (4)
13 Active (4)
14 Briskly (music) (7)
15 Drowsy (4)
16 Breathing organ (4)
18 Agreement (9)
22 At a distance (4)
23 Dull paint finish (4)
24 Garden flower (6)
25 Cheap and flashy (6)

DOWN

1 Burning desire (6)
2 Change for something else (4)
3 Monty Python film, - · - Of Brian (4)
4 Small dam (4)
5 Unit of weight (4)
6 Idea, opinion (6)
8 Film actress (3, 6)
9 Taj Mahal, eg (9)
11 Protection (7)
15 Aussie cricket legend, - - - Bradman (6)
17 Aristocracy (6)
18 Money (4)
19 Epic story (4)
20 Profit (4)
21 Stated (4)

PUZZLE 47

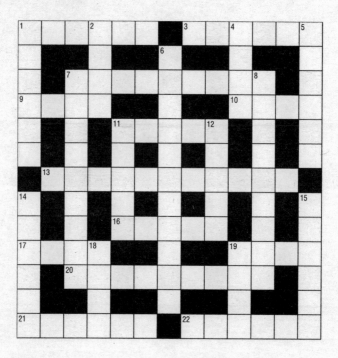

ACROSS

1 Woven container (6)
3 Variety of apple (6)
7 Threadbare (4-5)
9 Seize (4)
10 Yellow part of an egg (4)
11 Start (5)
13 Aerial sport (4-7)
16 Corrie character, - - - Bishop (5)
17 Stare, gape at (4)
19 Will beneficiary (4)
20 Light mid-morning snack (9)
21 Breathe in (6)
22 Kevin - - -, football manager (6)

DOWN

1 Paid for (6)
2 Handle (4)
4 Quarry (4)
5 Serviette (6)
6 National animal of India (6, 5)
7 Maul (9)
8 Proposes for office (9)
11 Musical instrument (5)
12 Slade lead singer, - - - Holder (5)
14 Ghost actress, - - - Goldberg (6)
15 Sikh's headwear (6)
18 Isle of Napoleon's exile (4)
19 In this place (4)

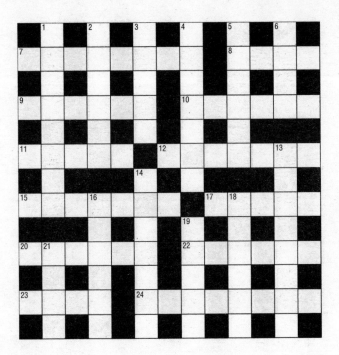

ACROSS

7 London prison (8)
8 Close tightly (4)
9 Higher ranking (6)
10 Kind of Swiss wooden house (6)
11 Enemy of Dr Who (5)
12 Small bird (7)
15 Tell (a story) (7)
17 Sweet topping (5)
20 Constabulary (6)
22 Church meeting room (6)
23 Spanish artist (4)
24 Monopoly property (4, 4)

DOWN

1 Brown sugar (8)
2 Realm, dominion (6)
3 Cornish city (5)
4 Titter (7)
5 Abscond (6)
6 Large hole in a cliff (4)
13 Lacking knowledge (8)
14 Effort (7)
16 Partially dried grape (6)
18 Valuable (6)
19 Tusk material (5)
21 Milky-white gem (4)

ACROSS

3 Got in touch with (9)
8 TV personality, - - - Edmonds (4)
9 Of sound (8)
10 Unruffled (6)
13 Football club, - - - Villa (5)
14 Samson's betrayer (7)
15 Have food (3)
16 Caught fire (7)
17 Make a bad job (5)
21 Small racing vehicle (2-4)
22 Spanish girl (8)
23 Former Secretary-General of the UN, - - - Annan (4)
24 Constituent part (9)

DOWN

1 Daughter of Tsar Nicholas II (9)
2 In rebellion (9)
4 D-Day beach (5)
5 Old-time dance (3-4)
6 Homely (4)
7 Author, - - - Blyton (4)
11 Russell Crowe film (9)
12 Tribe leader (9)
14 Worthless (3)
15 Aquatic mammal (3, 4)
18 Once more (5)
19 Novel's main character (4)
20 Coil (4)

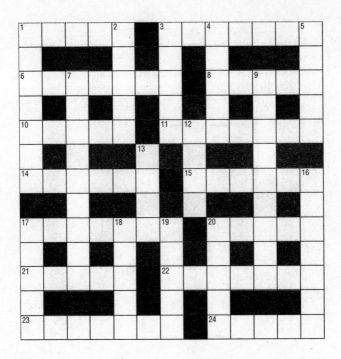

ACROSS

1 Smooth and shiny (5)
3 Coax, cajole (7)
6 South American country (7)
8 Cry of approval (5)
10 Make fun of (5)
11 Somewhat old (7)
14 Cower in fear (6)
15 Receive, welcome (6)
17 Cleaver (7)
20 Young dog (5)
21 Peak on a cap (5)
22 Artist (7)
23 Completely (7)
24 Bronze medal position (5)

DOWN

1 Cynic, doubter (7)
2 Small anchor (5)
3 More rotten (5)
4 Fix firmly (5)
5 Very dark wood (5)
7 Like-minded (9)
9 Contract (9)
12 Borrowed sum (4)
13 Comedy actor, - - - Wilder (4)
16 Narrowed to a point (7)
17 Crave for (5)
18 Danger (5)
19 Respond (5)
20 Card game (5)

PUZZLE 51

ACROSS

1 Spirit made from the blue agave (7)
5 Top of the milk (5)
8 Military shop (inits) (5)
9 Ratify (7)
10 Storage box (7)
11 Classical music show (5)
12 Largest city in Switzerland (6)
14 Former name for Iran (6)
17 Fruit of the oak (5)
19 Praise publicly (7)
22 Difficult (7)
23 Send money for goods (5)
24 Outbreak (5)
25 Discover (7)

DOWN

1 Phonetic T (5)
2 Twenty-five cents (7)
3 Colloquial saying (5)
4 Emphasis, stress (6)
5 Comfort (7)
6 Expulsion from one's country (5)
7 Kenyan holiday resort (7)
12 Extremely enthusiastic (7)
13 Excuse (7)
15 Speak hesitantly (7)
16 Capital of the Bahamas (6)
18 Last Greek letter (5)
20 Arc (5)
21 Game played between two sides (5)

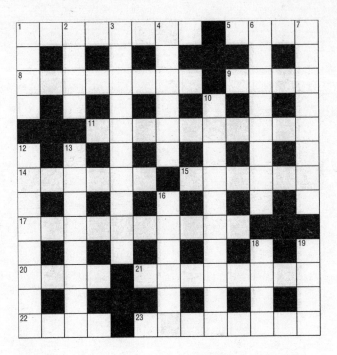

ACROSS

1 Style of Indian cookery (8)
5 Prod with a stick (4)
8 Tranquillity (8)
9 Sneak a look (4)
11 Sea mammal (5, 5)
14 Afternoon nap (6)
15 Well known (6)
17 Put out (a fire) (10)
20 Shrub (4)
21 Murder (8)
22 Pull hard (4)
23 Guard (8)

DOWN

1 Side tooth of an elephant (4)
2 Average (4)
3 All-powerful (10)
4 Come back (6)
6 Telephonist (8)
7 Strong coffee (8)
10 Item of clothing (10)
12 Gathering of school pupils (8)
13 Throw overboard (8)
16 Sudden enthusiasm (6)
18 Celine - - -, Canadian singer (4)
19 Bell sound (4)

PUZZLE 53

ACROSS

1 Fair-haired woman (6)
4 Prize draw (6)
9 Oppress by fear (9)
10 Musical note (3)
11 In arrears (3)
12 Ratify (7)
14 Carmen composer (5)
16 General truth (5)
17 Template (7)
19 Beast of burden (3)
22 Brick-carrier (3)
23 Mixture of dried petals and spices (3-6)
24 Enhance (6)
25 Phrase (6)

DOWN

1 Package (6)
2 Conforming to established views (8)
3 Actress, - - - Bryan (4)
5 Friendly (8)
6 Give nourishment to (4)
7 Hope for (6)
8 Popular style (5)
13 Sentimental in love (8)
15 Courgette (8)
16 Insufficient (6)
17 Early conqueror of parts of England (5)
18 Beethoven's first name (6)
20 Rider's goad (4)
21 Vicinity (4)

ACROSS

1 Female parent (6)
4 Day nursery (6)
7 Common sense (4)
9 Originated (4)
10 Crisp biscuit (6, 3)
12 Board game (4)
13 Headquarters (4)
14 Tool (7)
15 Billy - - -, comic novel (4)
16 Israel's national airline (2, 2)
18 Birmingham railway station (3, 6)
22 Murder (4)
23 Previous name for the Republic of Ireland (4)
24 Liam - - -, Schindler's List actor (6)
25 Buy back (6)

DOWN

1 Reference book (6)
2 Garden basket (4)
3 Wagner operas (4)
4 Cleaner (4)
5 Sure thing (4)
6 Curly-leaved salad plant (6)
8 Actress, - - - Weaver (9)
9 Flying insect (9)
11 Famous (7)
15 Instruction period (6)
17 London theatre (6)
18 Part of the neck (4)
19 Front of the lower leg (4)
20 Bring up (4)
21 Current (4)

PUZZLE 55

ACROSS

7 Alcoholic drink before a meal (8)
8 Gigantic (4)
9 Caribbean witchcraft (6)
10 Yasser - - -, late PLO chairman (6)
11 Christie novel, - - - on the Nile (5)
12 Man devoted to the pursuit of pleasure (7)
15 Draw (towards) (7)
17 Cabaret show (5)
20 Energy, activity (6)
22 Saucepan stand (6)
23 Abominable Snowman (4)
24 Trespass (8)

DOWN

1 Adversary (8)
2 Payment into an account (6)
3 Bend forward and downward (5)
4 Congenial (7)
5 Large bird cage (6)
6 Major continent (4)
13 Riches, wealth (8)
14 Run away (7)
16 Raw recruit (6)
18 Electric lamp inventor (6)
19 Part of a gun (5)
21 Mountain goat (4)

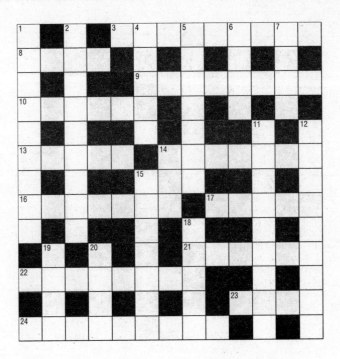

ACROSS

3   Life story (9)
8   Become less distinct (4)
9   Sumptuous (8)
10 Hire payment (6)
13 Wonderful (5)
14 Perfumed toilet water (7)
15 Enjoyment (3)
16 Not one or the other (7)
17 High-pitched sound (5)
21 Wrist or ankle injury (6)
22 Potent (8)
23 Merriment (4)
24 Food served with mint sauce
    (5, 4)

DOWN

1   Original inhabitant of
    Australia (9)
2   Cage pet (6, 3)
4   Suggest (5)
5   Old Spanish vessel (7)
6   Choir voice (4)
7   Round of a competition (4)
11 Pleasant (9)
12 Answers (9)
14 Mongrel dog (3)
15 Afraid (7)
18 Religion of Muslims (5)
19 Vagrant (4)
20 Tidings (4)

PUZZLE **57**

ACROSS

1 Great Manchester town (5)
3 Ham it up! (7)
6 Old children's toy (4, 3)
8 Ill-treat violently (5)
10 Bruce Lee film, - - - the Dragon (5)
11 Wild ferret (7)
14 Electricity generating machine (6)
15 Croatia's capital (6)
17 Resentment (7)
20 Slope (5)
21 Meat (5)
22 Weigh the same (7)
23 Coach (7)
24 Beatles song, - - - Lane (5)

DOWN

1 Area of London (4, 3)
2 Third-longest African river (5)
3 Confess (3, 2)
4 Electronic letter (1-4)
5 Larceny (5)
7 Not supportable (9)
9 Not sure (9)
12 Seep out (4)
13 Cymbal struck at dinner time (4)
16 Artillery piece (7)
17 Out of condition (5)
18 Pale with shock (5)
19 Cinder (5)
20 Old name for Shropshire (5)

ACROSS

1 Immature (8)
7 Small earrings (5)
8 Usual state (9)
9 Piece of turf (3)
10 Guitarist, - - - Marvin (4)
11 Reduce in status (6)
13 Shameless (6)
14 Monty - - -, TV sketch show (6)
17 Scottish loch (6)
18 Filth (4)
20 Colorant (3)
22 Violent political extremist (9)
23 Spherical body (5)
24 Jumpy (8)

DOWN

1 Old Testament character (5)
2 Open porch (7)
3 In apple-pie order (4)
4 Linger - with intent? (6)
5 Masquerade (5)
6 Paddy - - -, former Lib Dem leader (7)
7 Word meaning the same as another (7)
12 White ant-like insect (7)
13 Wound dressing (7)
15 American escapologist (7)
16 Foul-weather coat (6)
17 Yellow fruit (5)
19 Sailing vessel (5)
21 Strong sweet wine (4)

PUZZLE **59**

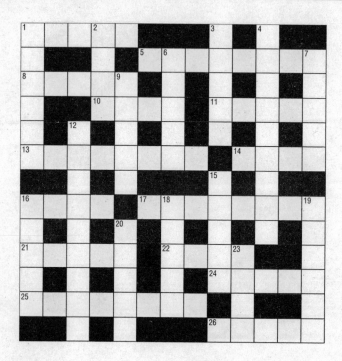

ACROSS
1 Lift up (5)
5 A to Z (8)
8 Red-hot (5)
10 Fosbury - - -, high-jumping style (4)
11 Take hold of (5)
13 Make-up item (8)
14 At this instant (4)
16 Town crier's shout (4)
17 Every twelve months (8)
21 Digging tool (5)
22 Former name of Thailand (4)
24 Desmond - - -, TV presenter (5)
25 Timetable (8)
26 Bertie - - -, Irish PM (5)

DOWN
1 Pop group's tour worker (6)
2 Use the internet (4)
3 Singled out (5)
4 Clearly (9)
6 Temporary drop in standards (5)
7 Pay for (5)
9 Spanish warrior (2, 3)
12 Thought communication (9)
15 Wall painting (5)
16 Fertile desert spot (5)
18 Of the nose (5)
19 Tower of London warder (6)
20 Supermodel, - - - Klum (5)
23 Legend (4)

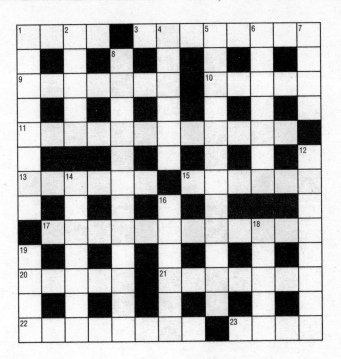

ACROSS

1 Mountain lion (4)
3 Postpones (8)
9 Austrian composer (7)
10 African antelope (5)
11 Overly emotional (12)
13 40th US president (6)
15 Popular 'whodunit' board game (6)
17 Fred Astaire's dancing partner (6, 6)
20 Extreme pain (5)
21 Miser (7)
22 Grotesque imitation (8)
23 Closed (4)

DOWN

1 Date stamp on a letter (8)
2 Ethical (5)
4 Dishearten, daunt (6)
5 Ronnie Barker sitcom (4, 3, 5)
6 Understand (7)
7 Froth (4)
8 Scottish song (4, 4, 4)
12 Loudest (8)
14 American state (7)
16 German drinking toast (6)
18 Notable period of time (5)
19 Trade centre (4)

PUZZLE 61

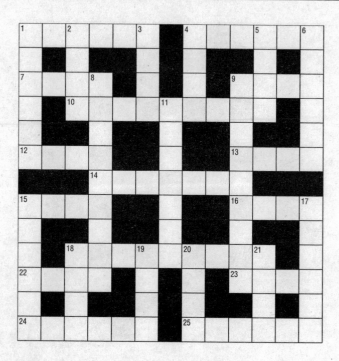

ACROSS
1. Manservant (6)
4. Foreman, boss (6)
7. Violent, stormy (4)
9. Actors in a film (4)
10. Missing British nobleman (4, 5)
12. Liability (4)
13. Manage (4)
14. Belated (7)
15. Close to (4)
16. Prefer, wish (4)
18. American automobile manufacturer (9)
22. Saintly aura (4)
23. Punctuation mark (4)
24. Small beetle (6)
25. Beau (6)

DOWN
1. Well-known name (6)
2. Chime (4)
3. Highway (4)
4. Religious teacher (4)
5. Open pie (4)
6. Take a back seat? (6)
8. Role played by Jon Pertwee (6, 3)
9. Called off (9)
11. Novice (7)
15. Brother's child (6)
17. One of two alternatives (6)
18. Hint (4)
19. Bride's face cover (4)
20. Remnants, - - - and ends (4)
21. Sour (4)

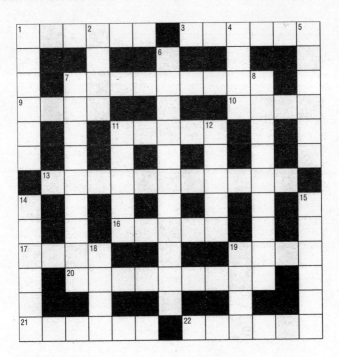

ACROSS

1 Farm implement (6)
3 Bank employee (6)
7 Succulent vegetable (9)
9 Speak as if drunk (4)
10 Wooden skirting board (4)
11 Move furtively (5)
13 Bomb used to attack submarines (5, 6)
16 Cook in the oven (5)
17 Rotate quickly (4)
19 Delicate tool, - - - saw (4)
20 Finished (9)
21 Photographic device (6)
22 Scottish city (6)

DOWN

1 Chase, follow (6)
2 Former Soviet Union (inits) (4)
4 High in volume (4)
5 Improve (6)
6 Steady, reliable (11)
7 Genuine, bona fide (9)
8 Protect (9)
11 Indian guitar (5)
12 Bring into force (5)
14 Of the countryside (6)
15 Lounge furniture (6)
18 Short letter (4)
19 Bracken (4)

PUZZLE 63

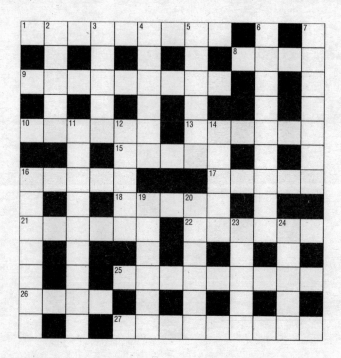

ACROSS

1. Country, capital Port Louis (9)
8. Fixed period (4)
9. Variety of broccoli (9)
10. Deadly (6)
13. From side to side (6)
15. One of the deadly sins (5)
16. Toss (5)
17. Similar (5)
18. Zodiac sign (5)
21. Colourless gas (6)
22. Gloucester's river (6)
25. Walt Disney film (9)
26. Cry out (4)
27. Enrich the soil (9)

DOWN

2. Lessen (5)
3. Fish of the carp family (5)
4. Excite (6)
5. Oust (6)
6. Space rock (9)
7. Insurmountable difficulty (7)
11. Revolving platform (9)
12. Nile dam (5)
14. Pursue (5)
16. Cigarette's contents (7)
19. Purify (6)
20. Accompany (6)
23. Frank (5)
24. Destroys (5)

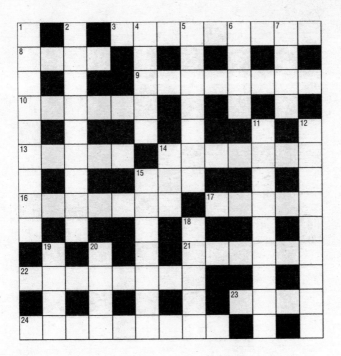

ACROSS

3 BBC hospital drama series (5, 4)
8 Fall into water (4)
9 Edible flatfish (8)
10 Virgin goddess of wisdom (6)
13 Fabric from flax (5)
14 Long pointed flag (7)
15 Farm animal (3)
16 Tidiest (7)
17 Unused playing card (5)
21 Balkan republic (6)
22 Chinese art (4, 4)
23 Sussex river (4)
24 Complex (9)

DOWN

1 Very bad (9)
2 Red food colouring (9)
4 British-based charity (5)
5 Illicit goods (7)
6 Roadwork indicator (4)
7 Dinosaur (1-3)
11 Martial art (3, 4, 2)
12 Right side of a ship (9)
14 Hole in the ground (3)
15 Telepathic (7)
18 Penniless (5)
19 Enthusiastic (4)
20 Type of gelatine (4)

PUZZLE 65

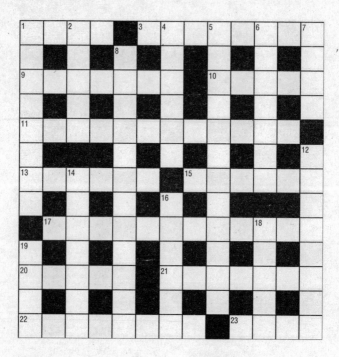

ACROSS
1 Obscene (4)
3 Free oneself (3, 5)
9 Children's card game (3, 4)
10 Communion table (5)
11 Legendary horror actor (5, 7)
13 Gift left in a will (6)
15 Dog's home (6)
17 Shakespeare's wife (4, 8)
20 Crowd of people (5)
21 Japanese art of flower arranging (7)
22 Bookie's sign language (8)
23 Golf legend, - - - Ballesteros (4)

DOWN
1 Soccer (8)
2 Beneath (5)
4 Captivate (6)
5 Brother of actor Emilio Estevez (7, 5)
6 Gloria - - -, singer (7)
7 Unusual (4)
8 EastEnders actress (3, 2, 7)
12 Exercise caution (4, 4)
14 Non-specific (7)
16 Insane person (6)
18 Interlace (5)
19 I beg your pardon! (4)

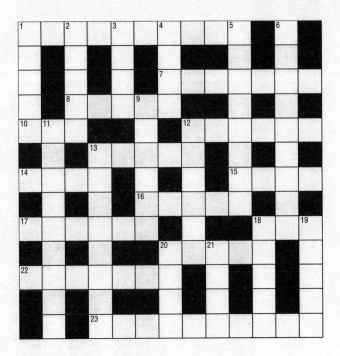

ACROSS

1   Country in the Indian Ocean (10)
7   Prolonged applause (7)
8   End prematurely (5)
10 Dashed (3)
12 Obtain (data) from a computer (6)
13 Not true (5)
14 TV talent show, - - - Academy (4)
15 Require (4)
16 Holy person (5)
17 Fireplace (6)
18 Public transport vehicle (3)
20 Lionel - - -, dancer (5)
22 Boat race meeting (7)
23 Bald-headed actor (3, 7)

DOWN

1   John - - -, former Prime Minister (5)
2   Backless sofa (5)
3   Dole cheque (4)
4   Study hard (4)
5   Secretive (8)
6   Clothes collected by a bride for marriage (9)
9   Enjoy very much (6)
11 Consternation (9)
12 Antenna (6)
13 Shortest month (8)
18 Bear? (5)
19 Comb, hunt (5)
20 Point on a hook (4)
21 Well ventilated (4)

PUZZLE 67

ACROSS
1 Small flute (4)
4 Shining (7)
9 Computer screen (1, 1, 1)
10 Adder, eg (5)
11 Gatekeeper's house (5)
12 Plunder (3)
13 Wash (5)
15 Comfortable shoes (7)
17 Prove to be false (6)
19 Greg - - -, Australian golfer (6)
23 Farewell (7)
26 One of the Seven Dwarfs (5)
29 Bruce Willis film, - - - Hard (3)
30 Butter-making vessel (5)
31 Egyptian resort (5)
32 Zero (3)
33 Feat (7)
34 Working cattle (4)

DOWN
2 Not suitable (5)
3 Himalayan mountain (7)
4 Broken stones and bricks (6)
5 Fourth letter of the Greek alphabet (5)
6 Tennis star, - - - Agassi (5)
7 Disloyalty (7)
8 Wildlife charity (inits) (4)
14 Chopper (3)
16 Distant (3)
17 Process and use again (7)
18 Employ (3)
20 Shakespeare tragedy (7)
21 Unit of electric current (3)
22 Rat or mouse, eg (6)
24 Supply (5)
25 Drummer, - - - Starr (5)
27 Elfin creature (5)
28 Fantastic story (4)

PUZZLE **68**

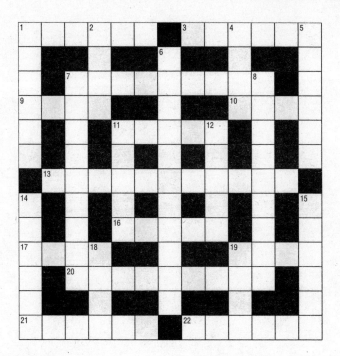

ACROSS
1 Senior nurse (6)
3 Ruud - - -, football manager (6)
7 Manpower (9)
9 Junk E-mail (4)
10 Snake's noise (4)
11 Constructed (5)
13 Former Heartbeat actor (4, 7)
16 Bet (5)
17 Defeat (4)
19 Misaligned (4)
20 Fine china (9)
21 Engaged man (6)
22 Defer indefinitely (6)

DOWN
1 Omitted (6)
2 Space in a house (4)
4 Scottish lake (4)
5 Riddle (6)
6 Variety of parrot (7, 4)
7 After-dinner task (7-2)
8 Bed cover (9)
11 Under (5)
12 Placido Domingo, eg (5)
14 Import duty (6)
15 Winnie-the-Pooh's donkey friend (6)
18 Ripped (4)
19 Assistant (4)

PUZZLE 69

ACROSS
1 Aromatic flavouring (5)
3 Unrest (7)
6 Male fowl (7)
8 Arctic snow house (5)
10 Handsome (5)
11 Portable lamp (7)
14 Joanna - - -, actress (6)
15 Fully informed (2, 4)
17 Downhill journey (7)
20 Vital body organ (5)
21 Claude - - -, French painter (5)
22 Put in order (7)
23 Wound dressing (7)
24 Live (5)

DOWN
1 Continental sweet pastry (7)
2 Way in (5)
3 Uncultivated (5)
4 Sovereign's rule (5)
5 Scottish golf course (5)
7 Controversial US footballer turned actor (1, 1, 7)
9 Paint Your Wagon star (3, 6)
12 Saudi? (4)
13 Song of praise (4)
16 Rushing stream (7)
17 Disband (troops) (5)
18 Supplementary amount (5)
19 Commerce (5)
20 Big (5)

ACROSS

1 Aversion (8)
7 Capital of Bulgaria (5)
8 Barcelona's region (9)
9 Scrap of cloth (3)
10 Of the Isle of Man (4)
11 Theatrical straight man (6)
13 Australian 'bear' (6)
14 Blueprint (6)
17 Yasser - - -, former PLO chairman (6)
18 Child's toy (2-2)
20 High explosive (1, 1, 1)
22 Travelling (2, 3, 4)
23 Electronic letter (1-4)
24 Witty reply (8)

DOWN

1 Doctor's stand-in (5)
2 Word opposite in meaning (7)
3 Saintly circle (4)
4 Degrees in a right angle (6)
5 Blazing (5)
6 Wise purchase (7)
7 Siberian dog (7)
12 Sun umbrella (7)
13 Climate (7)
15 Smooth over (a problem) (4, 3)
16 Vibrate noisily (6)
17 Book of maps (5)
19 Variety of daisy (5)
21 Greek B (4)

PUZZLE 71

ACROSS

1 Virtuous knight (7)
5 Convent (5)
8 Fragrance (5)
9 Hidden danger (7)
10 Regional accent (7)
11 Malevolent spirit (5)
12 Speaker's platform (6)
14 Common people (6)
17 Flavour (5)
19 Curtly - - -, West Indies cricketer (7)
22 Downfall (7)
23 Fourpenny piece (5)
24 Allowed by law (5)
25 Raffle (7)

DOWN

1 Watch over, protect (5)
2 Large spotted cat (7)
3 Strain to lift (5)
4 Assistant (6)
5 Caribbean island (7)
6 Party (5)
7 Christmas cake (4, 3)
12 Pathetic (7)
13 Uneven (7)
15 Couple (7)
16 Edith - - -, executed British nurse (6)
18 Swindle (5)
20 Intolerant person (5)
21 Way in (5)

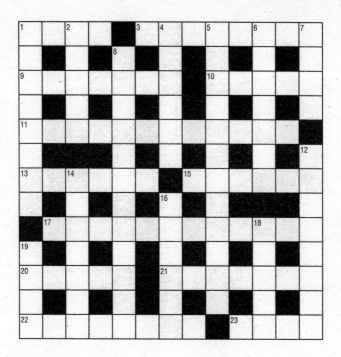

ACROSS

1 Fibre used for canvas making (4)
3 Bread actress (4, 4)
9 Simenon's famous French detective (7)
10 Spirit (5)
11 Person in their eighties (12)
13 Make certain (6)
15 Kim - - -, British spy (6)
17 Former Russian president (5, 7)
20 Distance downwards (5)
21 Responds (7)
22 Henry VIII's flagship (4, 4)
23 Spandau Jail's last prisoner (4)

DOWN

1 Celebration (8)
2 Oliver - - -, Dickens' novel (5)
4 Scope (6)
5 However, yet (12)
6 Weirdo? (7)
7 From Bangkok? (4)
8 Rab C. Nesbitt star (6, 6)
12 Athletes who use a beam, eg (8)
14 Plug, bung (7)
16 Alternative route (6)
18 Location (5)
19 Waxed Dutch cheese (4)

PUZZLE 73

ACROSS
1 University qualification (6)
4 Novelist, - - - du Maurier (6)
7 Implore (4)
9 And (4)
10 UK coin manufacturer (5, 4)
12 Side tooth of an elephant (4)
13 Knighted actor, - - - Guinness (4)
14 Braggart (4-3)
15 Money (4)
16 Wildlife charity (inits) (4)
18 Come out level (5, 4)
22 Inactive (4)
23 Part of the ear (4)
24 Lace hole (6)
25 Two tens (6)

DOWN
1 Banish (6)
2 Set of cogs (4)
3 Jazz singer, - - - Fitzgerald (4)
4 Consider (4)
5 Otter's home (4)
6 Sensual (6)
8 Cricketing county (9)
9 Pushing Daisies star (4, 5)
11 Shetland town (7)
15 Singer, - - - Dion (6)
17 Bread shop (6)
18 Sad colour (4)
19 Stand next to (4)
20 Compass point (4)
21 Midday (4)

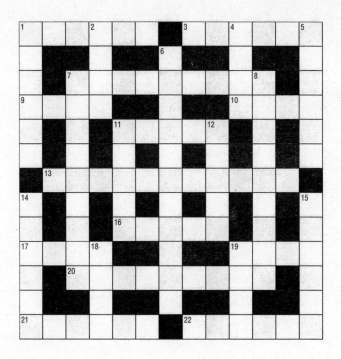

ACROSS

1 Metal plating (6)
3 Kathy Bates film (6)
7 Superman's chief enemy (3, 6)
9 Escalate (4)
10 Fray (4)
11 Happen (5)
13 Car security device (11)
16 Beatles member, - - - Starr (5)
17 Plant stalk (4)
19 First male child (4)
20 Answered (9)
21 Belmarsh, eg (6)
22 Old Testament book (6)

DOWN

1 Willie - - -, jockey (6)
2 Above (4)
4 Display (4)
5 Once every twelve months (6)
6 Electricity connection point (8, 3)
7 Grass cutter (4, 5)
8 Withdrew (9)
11 Particular smell (5)
12 Safari animal? (5)
14 Senior clergyman (6)
15 Pester (6)
18 Disorder (4)
19 Man of the hour! (4)

PUZZLE 75

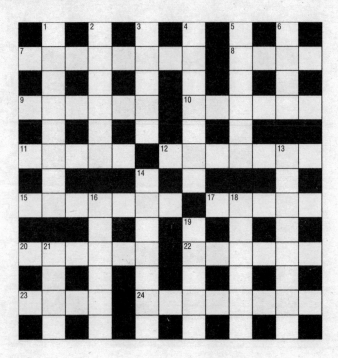

ACROSS

7 Doggedness (8)
8 Forehead (4)
9 Base beneath a statue (6)
10 Every seven days (6)
11 Small earrings (5)
12 Greedy person (7)
15 Crime writer (1, 1, 5)
17 Intended (5)
20 Extension to a building (6)
22 Spicy Italian sausage (6)
23 Former UN chief, - - - Annan (4)
24 Agreeable (8)

DOWN

1 Weakened (8)
2 Achieved (6)
3 Supple (5)
4 Isle of Man parliament (7)
5 Oppose, protest (6)
6 Domestic hen (4)
13 Decorative item (8)
14 Proof of payment (7)
16 Enid Blyton character,
   - - - Jane (6)
18 Join the armed forces (6)
19 Wedding official (5)
21 Recess, corner (4)

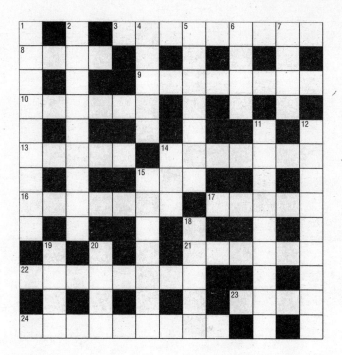

ACROSS

3 Former Argentinian president (4, 5)
8 Silent, speechless (4)
9 Queue of traffic (8)
10 Italian resort (6)
13 Backless shoes (5)
14 Thaw out (7)
15 Family vehicle (3)
16 Coached (7)
17 Behind time (5)
21 Art of growing dwarf trees (6)
22 South African desert (8)
23 Unmarried woman (4)
24 Naval officer (9)

DOWN

1 Spontaneous (9)
2 Arouse (9)
4 Release (5)
5 Not one or the other (7)
6 German river (4)
7 Long ago (4)
11 Romance (9)
12 Small, tiny (4-5)
14 Male parent (3)
15 Positive (7)
18 Put up with, tolerate (5)
19 Western alliance (inits) (4)
20 Cordial (4)

PUZZLE 77

ACROSS

1 Act as arbitrator (7)
5 Dress (5)
8 Normal (5)
9 Ratify (7)
10 Lockjaw (7)
11 Wales (5)
12 Curly-leaved salad plant (6)
14 Office worker (6)
17 Dozed (5)
19 Laurence - - -, great actor (7)
22 Moral (conduct) (7)
23 Assumed name (5)
24 Mike - - -, American boxer (5)
25 Lattice frame (7)

DOWN

1 Climb onto (5)
2 Frightened (7)
3 Exhausted (3, 2)
4 Pardon, forgive (6)
5 Fussy (7)
6 Narcotic (5)
7 Orange-coloured fruit (7)
12 Simplest (7)
13 Papal city (7)
15 First (7)
16 Drinking vessel (6)
18 Distinctive character (5)
20 Angry (5)
21 Romantic flowers (5)

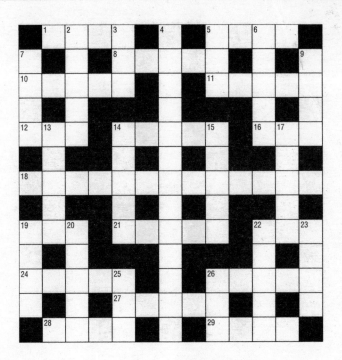

ACROSS

1 Reserve (4)
5 Nocturnal flying insect (4)
8 Chosen few (5)
10 Muscle cord (5)
11 Cereal (5)
12 Small viper (3)
14 Leader of the Argonauts (5)
16 Gently mop up (3)
18 Out Of Africa star (6, 7)
19 Entertainer, - - - O'Connor (3)
21 Conversion chart, - - - reckoner (5)
22 Scottish politicians (1, 1, 1)
24 Bread roll with a hole (5)
26 Quick-witted (5)
27 Greek O (5)
28 Infuse (4)
29 Cheese-making fluid (4)

DOWN

2 Confess (3, 2)
3 Location of the Royal Botanic Gardens (3)
4 It Ain't Half Hot Mum actor (7, 6)
5 Cat's cry (3)
6 Scots border river (5)
7 Major continent (4)
9 Pencil remnant (4)
13 Light doughy cake (5)
14 One of twelve decision makers? (5)
15 Slade lead singer, - - - Holder (5)
17 Cook's pinafore (5)
19 Outstanding bill (4)
20 Alan - - -, businessman (5)
22 Fixed look (5)
23 Brad - - -, US film star (4)
25 Not tall (3)
26 Cutting tool (3)

PUZZLE 79

ACROSS
1 Expire (3)
5 Hoard (3)
7 Harbour (5)
9 Comment (5)
10 Move (train) from one place to another (5)
11 Distress light (5)
12 Money order (5)
15 Shabby (5)
18 Telepathic (11)
19 Former Welsh county (5)
22 Desolate, bare (5)
24 Proportion (5)
25 Toadstools etc. (5)
26 Steve - - -, sports presenter (5)
28 Hindu recluse (5)
29 Politician's 'No' vote (3)
30 Pull hard (3)

DOWN
1 Twosome (3)
2 Ms Perón musical (5)
3 Robbery (5)
4 Beginning (5)
5 Plague (5)
6 Fetched (3)
8 Russian naval base (11)
13 Boxing film starring Sylvester Stallone (5)
14 Fire, light (5)
16 Separately (5)
17 Private teacher (5)
20 Find attractive (5)
21 Wander aimlessly (5)
22 Word of apology (5)
23 Examination of accounts (5)
25 Avid supporter (3)
27 Floor covering (3)

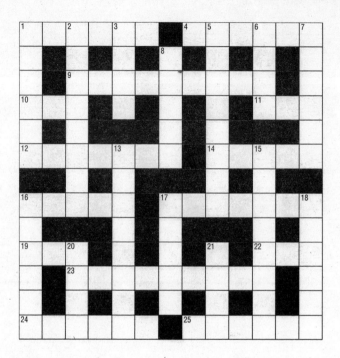

ACROSS

1 Duffel coat fastener (6)
4 Appoint a vicar (6)
9 Dot-dash method of communication (5, 4)
10 Breed (3)
11 Spider's mesh (3)
12 Afraid (7)
14 Open-mouthed (5)
16 Pair of pheasants (5)
17 Clumsy (7)
19 River flowing between England and Wales (3)
22 Australian bird (3)
23 Roman amphitheatre (9)
24 Sleepy (6)
25 Day nursery (6)

DOWN

1 Table of charges (6)
2 Horse-riding competition (8)
3 Linger furtively (4)
5 Luggage frame for the top of a vehicle (4, 4)
6 Again (4)
7 Win by cheating (6)
8 Postcards From The Edge actress, - - - Streep (5)
13 Brown spots on the skin (8)
15 Impractical (8)
16 Well-known name (6)
17 Entertain (5)
18 Times by two (6)
20 Sound rebound (4)
21 Juicy fruit (4)

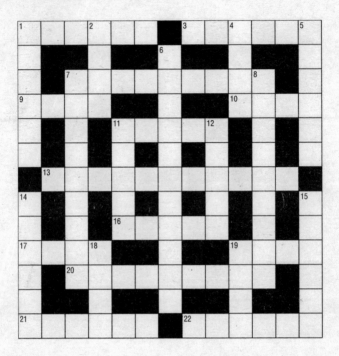

ACROSS

1 Item of crockery (6)
3 Fix, attach (6)
7 Minder (9)
9 Hitch (4)
10 Garden of England (4)
11 Deserve (5)
13 Enhancement (11)
16 Game similar to bingo (5)
17 Upper Thames (4)
19 Nuisance (4)
20 Inspired with love (9)
21 Unruly mob (6)
22 European sea (6)

DOWN

1 Quarter-year period (6)
2 Type of shoe (4)
4 One of the Channel islands (4)
5 In a tidy manner (6)
6 Trouble (11)
7 Double saucepan (4-5)
8 Exploded (9)
11 Wall painting (5)
12 Musical speed (5)
14 Dilly-dally (6)
15 Measuring system (6)
18 Cold shoulder (4)
19 Fruit's skin (4)

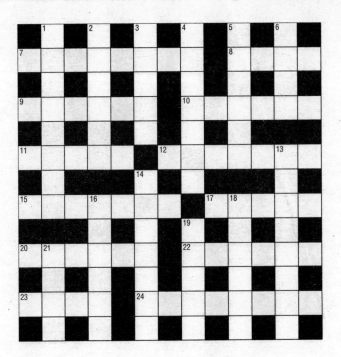

ACROSS

7 Isle of Napoleon's death (2, 6)
8 John - - -, former Home Secretary (4)
9 Hard-winged insect (6)
10 Make moist (6)
11 Anger (5)
12 Famous London jewellers (7)
15 Irritated (7)
17 Promotional description (5)
20 Although (6)
22 Impose a fee (6)
23 Article (4)
24 Alan Titchmarsh, eg (8)

DOWN

1 Legendary dragon slayer (2, 6)
2 Group of seven (6)
3 County town of East Sussex (5)
4 Of the heart (7)
5 Wallace and - - -, animated duo (6)
6 Southern Ireland (4)
13 Type of tea (4, 4)
14 Reserve fund (4, 3)
16 Envisaged in sleep (6)
18 Head, chief (6)
19 Fruit of the oak (5)
21 Behind schedule (4)

PUZZLE 83

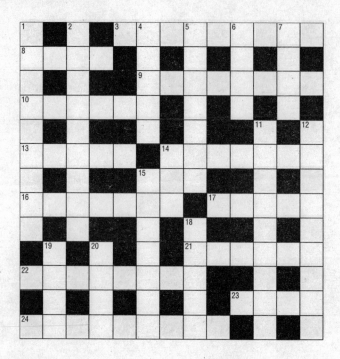

ACROSS
3 Random (9)
8 Piece of steak (4)
9 Commendable (8)
10 Cover with bandages (6)
13 Goodbye Mr - - -, film (5)
14 For that reason (7)
15 Blue (3)
16 This evening (7)
17 Scandinavian language (5)
21 Japanese martial art (6)
22 Early settlers (8)
23 Bolt (4)
24 Pouched mammal (9)

DOWN
1 Take to court (9)
2 Easily irritated (9)
4 Tenpin bowling lane (5)
5 Troubled (7)
6 Great enthusiasm (4)
7 Anthem, - - - Britannia (4)
11 Politically motivated soldier (9)
12 Cultivated (9)
14 Halloween animal (3)
15 Overhaul (5-2)
18 Spaghetti, etc (5)
19 Travel document (4)
20 Burden, responsibility (4)

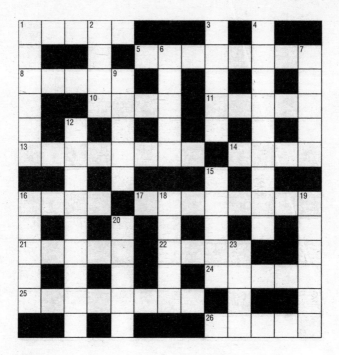

ACROSS

1 Accumulate (5)
5 Furious (8)
8 Smooth (5)
10 Not severe (4)
11 Diving apparatus (5)
13 Spanish omelette (8)
14 Trim (4)
16 Long cod (4)
17 Atom, eg (8)
21 Muttered remark (5)
22 Link, union (4)
24 Drench thoroughly (5)
25 Mirth (8)
26 Sceptic (5)

DOWN

1 Buoyant (6)
2 Appear (4)
3 Farmyard birds (5)
4 Guarantee (9)
6 Rafael - - -, Spanish tennis player (5)
7 Curtain (5)
9 Restrict (5)
12 Moral rule (9)
15 Place in an upright position (5)
16 Disinclined (5)
18 Range (5)
19 Of a racial group (6)
20 Uncanny (5)
23 Squirrel's nest (4)

PUZZLE 85

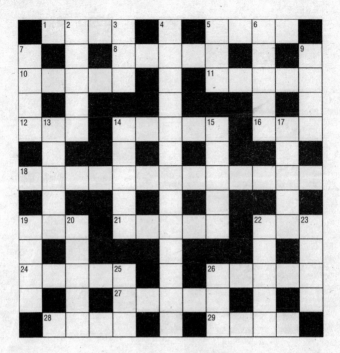

ACROSS
1 Socially acceptable (4)
5 Moral obligation (4)
8 Layer of rock (5)
10 All (5)
11 Black - - -, spider (5)
12 Teacher's favourite (3)
14 Shifty, slippery (5)
16 Sweet potato (3)
18 Dedication (13)
19 Enclosure for pigs (3)
21 Railway freight truck (5)
22 Implore (3)
24 Shaped container (for jellies) (5)
26 Proprietor (5)
27 Sacred table (5)
28 Unsightly (4)
29 Public school (4)

DOWN
2 Open to view (5)
3 British cathedral (3)
4 Michael Caine film (9, 4)
5 Morning moisture (3)
6 Hot alcoholic drink (5)
7 Large seaweed (4)
9 Move in water (4)
13 Upright (5)
14 The Taming Of The - - -, film (5)
15 Desire greatly (5)
17 Idolise (5)
19 Uniform (4)
20 Immature (5)
22 Game of chance (5)
23 Mentor (4)
25 The light hours (3)
26 Mineral (3)

ACROSS

1 Tightly stretched (4)
3 Brought up, raised (8)
9 Good, genuine (5)
10 Sun umbrella (7)
11 Immerse (3)
13 Soldier of fortune (9)
14 Squeeze firmly together (6)
16 Ban (6)
18 Relaxed, unhurried (9)
20 Drag with a car (3)
22 First (7)
23 Flinch with pain (5)
25 Infinite time (8)
26 Aid illegally (4)

DOWN

1 Barely warm (5)
2 Welsh river (3)
4 Referee (6)
5 Submarine's missile (7)
6 British comedian (4, 5)
7 Held back (7)
8 Medicinal ointment (4)
12 Steep drop (9)
14 Meet head-on (7)
15 Warning (7)
17 Extreme enthusiast (6)
19 Sign of tiredness (4)
21 Cereal (5)
24 Main point (of a story) (3)

PUZZLE 87

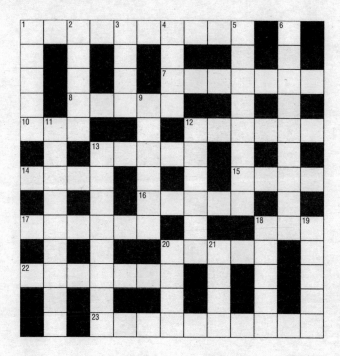

ACROSS
1 Paraquat, eg (10)
7 Addictive narcotic drug (7)
8 Earthenware pot (5)
10 Bowler, eg (3)
12 Damaged (6)
13 Bisect (5)
14 Coke? (4)
15 Highland Gaelic (4)
16 Hillock (5)
17 Capital of England (6)
18 Say further (3)
20 Entice, lure (5)
22 Quandary (7)
23 Austrian shorts (10)

DOWN
1 Fail to pay a debt (5)
2 Expel from property (5)
3 Metric weight (4)
4 Good fortune (4)
5 Put in a logical way (8)
6 Handicapped (9)
9 Pillar (6)
11 Say sorry (9)
12 Lead astray (6)
13 Aggressive advertising (4, 4)
18 One of The Three Musketeers (5)
19 Sketched (5)
20 Cassette (4)
21 Legend (4)

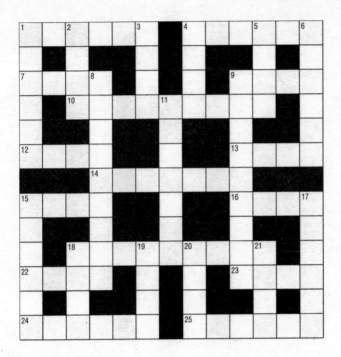

ACROSS

1 Post-flight ailment (3, 3)
4 Most senior (6)
7 Ballast ingredient (4)
9 House star, - - - Epps (4)
10 Feeder river (9)
12 Wander about (4)
13 Satan's domain (4)
14 Childbirth nurse (7)
15 Brass instrument (4)
16 Satirical sketch (4)
18 Soft blue cheese (9)
22 Practise, as a boxer (4)
23 Feeling (4)
24 Detective (6)
25 Astute, intelligent (6)

DOWN

1 Opaque variety of quartz (6)
2 Dye (4)
3 Insincere (4)
4 Evict (4)
5 US television award (4)
6 Excite (6)
8 Military band leader (4, 5)
9 Group of musicians (9)
11 Uninformed (7)
15 Dissertation (6)
17 Herald's coat (6)
18 All night party? (4)
19 Salt Lake City's state (4)
20 Ado (4)
21 Melody (4)

PUZZLE **89**

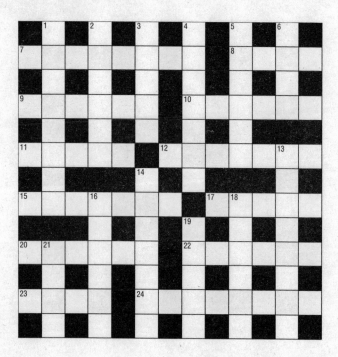

ACROSS

7 Correctly (8)
8 Luxurious fabric (4)
9 Tusked seal (6)
10 Harrowing ordeal (6)
11 Christmas cracker saying (5)
12 Mud-clearing boat (7)
15 Stem the flow (7)
17 Joint of mutton (5)
20 Hunt for food (6)
22 London borough (6)
23 Admirer (4)
24 Passageway (8)

DOWN

1 Escape from prison (5, 3)
2 Strong alcoholic drink (6)
3 Get up (5)
4 Unexplained happening (7)
5 Lee Harvey - - -, alleged
   killer of President
   Kennedy (6)
6 Run-down area of housing (4)
13 Evita? (3, 5)
14 High-pitched scream (7)
16 Planet (6)
18 Carry out (crime) (6)
19 Contempt, derision (5)
21 Follow orders (4)

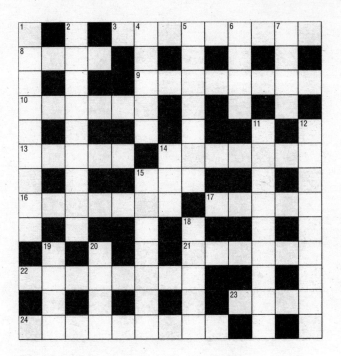

ACROSS

3 Italian explorer (5, 4)
8 Closed hand (4)
9 Deserter (8)
10 Continent of the northern hemisphere (6)
13 Spread out (5)
14 Military force (7)
15 Dry (of wine) (3)
16 Tramp (7)
17 Sudden terror (5)
21 Oblige (6)
22 Journalist (8)
23 Rotate quickly (4)
24 Small airport (9)

DOWN

1 Insulting (9)
2 Study of the stars (9)
4 Ancient Mexican? (5)
5 Serious (7)
6 Strike with the beak (4)
7 Cake of bread (4)
11 Emergency water outlet (9)
12 Manly (9)
14 Converged (3)
15 Brandy glass (7)
18 Rugby players' huddle (5)
19 Nothing more than (4)
20 Extinct flightless bird (4)

PUZZLE **91**

ACROSS

1 Suggest (5)
4 Michael Caine film (5)
10 Narrow inlet of the sea (5)
11 Closest (7)
12 D-Day codename (8)
13 Rub with a cloth (4)
15 Child's allowance (6, 5)
19 Quick look, peek (4)
20 Very attractive (8)
23 Cul-de-sac (4, 3)
24 Alliance (5)
25 Theatre play (5)
26 Economic downturn (5)

DOWN

2 Elk (5)
3 Feminine (8)
5 Jump (4)
6 Put on a list (7)
7 Under way (5)
8 Failure to appreciate (11)
9 Unreasonably expensive (5)
14 Typical Englishman (4, 4)
16 The great outdoors (4, 3)
17 English porcelain (5)
18 Footballer's representative (5)
21 Traditional saying (5)
22 Large quantity of paper (4)

ACROSS

1 Lie, deceive (11)
9 Cough mixture (7)
10 Boisterous comedy (5)
11 Persian king (4)
12 Emotional sensitivities (8)
14 Bagpipe sound (5)
15 Take delight in (5)
20 Style of speech (8)
22 Tie up (4)
24 Grace, elegance (5)
25 Nurture (7)
26 Social meeting (3-8)

DOWN

2 Search roughly (7)
3 Prohibit (4)
4 Slice of bacon (6)
5 Sleeve fastener (4, 4)
6 Capital of Italy's Piedmont region (5)
7 Velvety cloth (5)
8 Robbery (5)
13 Quarrel (8)
16 Hole (7)
17 Dozed (5)
18 Alcoholic drink (6)
19 American state (5)
21 Simple, innocent (5)
23 Head sculpture (4)

PUZZLE 93

ACROSS

1 Fruit (4)
4 Extravagant (6)
8 Strainer (8)
9 Rubber-soled shoe (4)
10 Species (5)
11 Triangle, eg (7)
13 Granny flat, eg (6)
15 Wig (6)
17 Football club boss (7)
19 Monica - - -, tennis player (5)
22 Scottish town (4)
23 Cross (8)
24 Mediterranean country (6)
25 Nutritious bean (4)

DOWN

2 Roused (5)
3 Displaced person (7)
4 Woman (4)
5 Aromatic wine (8)
6 Oversentimental (5)
7 Inflict (6)
12 Mechanical sensing device (8)
14 Close to hand (6)
16 Having no purpose (7)
18 Irritate (5)
20 Written piece (5)
21 Epsom horse race (4)

ACROSS

1 Lowest deck of a ship (5)
3 Rising actress (7)
6 Trumpeted welcome (7)
8 Therefore (5)
10 Legendary maiden (5)
11 Scent (7)
14 Banner (6)
15 Austrian composer (6)
17 Practical and careful (7)
20 Quarrel (5)
21 Nothing! (5)
22 Short excerpt (7)
23 Collected in quantity (7)
24 Source (5)

DOWN

1 Transgression (7)
2 Pinkish-orange (5)
3 Farm animal (5)
4 Dislike strongly (5)
5 Topic (5)
7 Idiot, fool (9)
9 Nerve pain (9)
12 US television award (4)
13 Later (4)
16 Support for a temporary table (7)
17 Italian foodstuff (5)
18 Distinctive character (5)
19 Ladder rung (5)
20 Large lorry (5)

PUZZLE 95

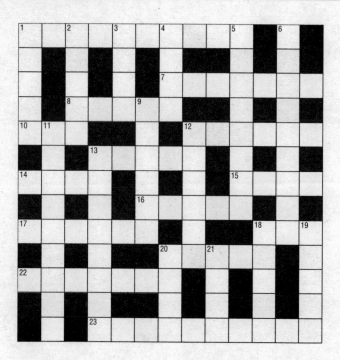

ACROSS
1 Vicar of Dibley star (4, 6)
7 Old horse-drawn carriage (7)
8 Slender girl (5)
10 Tawdry articles (3)
12 Shake, tremble (6)
13 Wales (5)
14 Coupling (4)
15 Lose water (4)
16 Fairly big (5)
17 Prairie wolf (6)
18 Plead (3)
20 Stretchy fabric (5)
22 Queen of the fairies (7)
23 Bicycle part (10)

DOWN
1 Direct - - -, bank transaction (5)
2 German sausage (5)
3 Not succeed (4)
4 Engrave with acid (4)
5 Disgusting (8)
6 Seafront walk (9)
9 Small spot (6)
11 Say sorry (9)
12 Object of hunt (6)
13 Whitehall monument (8)
18 British film and TV award (5)
19 Estimate (5)
20 Rendered pig fat (4)
21 Arrive, turn up (4)

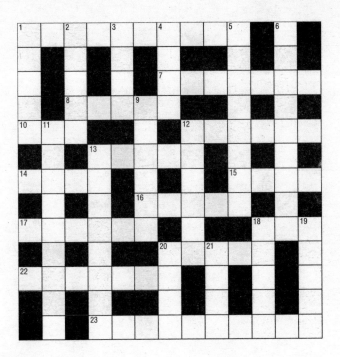

ACROSS

1 Shrove Tuesday (7, 3)
7 Stalemate (7)
8 Loose (5)
10 Scottish river (3)
12 Animal dung (6)
13 On two occasions (5)
14 Nicolas - - -, Leaving Las Vegas actor (4)
15 Inert gas (4)
16 Fork's tine (5)
17 Do as asked (6)
18 Asian country, - - - Lanka (3)
20 Recurring system (5)
22 Easily bent (7)
23 Former Anglo-Saxon kingdom (4, 6)

DOWN

1 Turning pin (5)
2 Loud (5)
3 Operatic song (4)
4 Viking, - - - the Red (4)
5 Strong desire (8)
6 Storage lake (9)
9 Lively and cheerful (6)
11 Iranian leader (9)
12 Sweet sound (6)
13 Pattern (8)
18 South Korean capital (5)
19 Balearic island (5)
20 Definite winner (4)
21 Abel's brother (4)

ACROSS

1 Shopping area (4)
4 Type of biscuit (4, 3)
9 Wonder (3)
10 Kofi - - -, former UN chief (5)
11 Young canine (5)
12 Dedicated poem (3)
13 Devoted (5)
15 Gettysburg - - -, Lincoln's speech (7)
17 Queen's title (6)
19 Domestic fowl (6)
23 Shine and sparkle (7)
26 Shade tree (5)
29 Bustling activity (3)
30 Unsophisticated (5)
31 Small coin (5)
32 Dove's call (3)
33 Winnie the Pooh author (1, 1, 5)
34 Hunter's quarry (4)

DOWN

2 Vex (5)
3 Fleece oil (7)
4 Expose (6)
5 Roman love-god (5)
6 Conical tent (5)
7 Popular bedding plant (7)
8 Drop (4)
14 Matador's shout (3)
16 Director, - - - Howard (3)
17 Circular building with a dome (7)
18 Pub (3)
20 Alcoholic drink (7)
21 Farmhouse cooker (3)
22 Medium's meeting (6)
24 Linguistic phrase (5)
25 Death peal (5)
27 Closely packed (5)
28 North Wales resort (4)

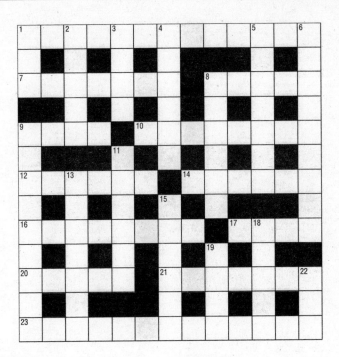

ACROSS

1 Dressmaking appliance (6, 7)
7 Eyeglass (7)
8 Fertile spot in the desert (5)
9 Gaping (4)
10 Exercise caution (4, 4)
12 Strike repeatedly (6)
14 Utensil for boiling water (6)
16 Clive - - -, witty TV presenter (8)
17 Narcotic (4)
20 Evade work (5)
21 Pouring with rain (7)
23 Tiny European principality (13)

DOWN

1 American uncle? (3)
2 A Fish Called - - -, film (5)
3 Fever Pitch author, - - - Hornby (4)
4 Swiss breakfast food (6)
5 Moment (7)
6 Chocolate gift after Lent (6, 3)
8 Gas forming part of the air (6)
9 Evaluation (9)
11 Actor, - - - Clooney (6)
13 Childbirth nurse (7)
15 Liquid container (6)
18 Increase (5)
19 Supreme Greek god (4)
22 Weapon (3)

PUZZLE **99**

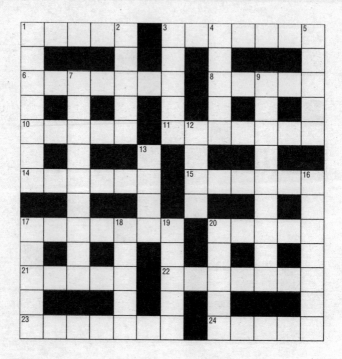

ACROSS
1 Pry into (5)
3 Methodically arranged (7)
6 Agitated state (7)
8 Large lorry (5)
10 Burning (5)
11 Cure-all (7)
14 Loose garment (6)
15 Compressed coil (6)
17 Cut of beef (7)
20 Longest river in France (5)
21 Awake (5)
22 Open porch (7)
23 Leon - - -, Russian rebel (7)
24 'Laughing' animal (5)

DOWN
1 Hindrance (7)
2 Demonstrate (5)
3 Lowest deck of a ship (5)
4 Sketched (5)
5 House plant (5)
7 Strengthen (9)
9 Planner (9)
12 As well (4)
13 Life-saving charity (inits) (4)
16 Che - - -, revolutionary (7)
17 Scarcely sufficient (5)
18 Scott's companion (5)
19 Labourer (5)
20 Conifer (5)

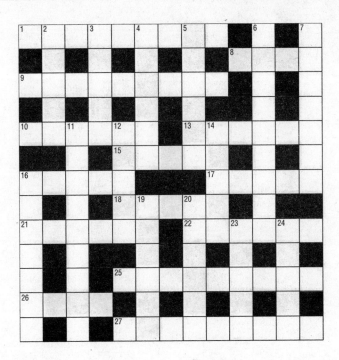

ACROSS

1 Alpine plant (9)
8 Postman's bag (4)
9 Uncomfortable (3, 2, 4)
10 Chinese fruit with juicy pulp (6)
13 Large collection of foreign colonies (6)
15 Retail outlet (5)
16 Qualified pilot's badge (5)
17 Skivvy (5)
18 First of The Three Musketeers (5)
21 Cheerio! (3-3)
22 London theatre (6)
25 Supposed thought-communication (9)
26 Grass (4)
27 Gunpowder ingredient (9)

DOWN

2 Dawdle (5)
3 Reluctant (5)
4 Lace hole (6)
5 Relative (6)
6 Nominee (9)
7 Musical instrument (7)
11 Hundredeth Anniversary (9)
12 Short written work (5)
14 Untidy (5)
16 Internet address (7)
19 Mother - - -, Nobel prize winner (6)
20 Most senior (6)
23 Pursue (5)
24 Escort (5)

PUZZLE 101

ACROSS
1 Light timber (5)
3 EastEnders borough (7)
6 Water storage tank (7)
8 Sporty car (5)
10 Actor, - - - Eastwood (5)
11 May birthstone (7)
14 Four score (6)
15 Thin rope (6)
17 Chinese game (3, 4)
20 Cite (5)
21 Measurement (5)
22 Welsh city (7)
23 Highest singing voice (7)
24 Commonwealth country (5)

DOWN
1 Pedalled transport (7)
2 Accomplished (5)
3 Cringe (5)
4 Financial profit (5)
5 Anticipate with terror (5)
7 Catapult (9)
9 Agreed by all (9)
12 Consider thoughtfully (4)
13 Song of praise (4)
16 West Indian state (7)
17 Acute glandular disease (5)
18 Greek O (5)
19 Fervour (5)
20 Duck's sound (5)

ACROSS
1 Child's toy (7)
5 Grab (5)
8 As fresh as a - - -, simile (5)
9 Pale green gemstone (7)
10 Permit (7)
11 Australian 'bear' (5)
12 Reckless (6)
14 Painter (6)
17 Battle (5)
19 Roy - - -, singer (7)
22 Recount (7)
23 Hymn, - - - With Me (5)
24 Raising agent (5)
25 As a result of (7)

DOWN
1 Move in a furtive manner (5)
2 Not included (7)
3 Appointment to meet secretly (5)
4 Two-edged sword (6)
5 Peter Crouch, eg (7)
6 Asian republic (5)
7 Withdraw (7)
12 Welsh woman's name (7)
13 Allure (7)
15 Create feelings in another (7)
16 Humble (6)
18 Irish police force (5)
20 Indifferent (5)
21 Very poor (5)

PUZZLE 103

ACROSS

1 Planet's path (5)
3 Under (7)
6 Money management (7)
8 Go up (5)
10 Rough (5)
11 Life jacket (3, 4)
14 William - - -, Corrie star (6)
15 Use (6)
17 Portuguese tourist area (7)
20 Playground attraction (5)
21 Scientist, Sir - - - Newton (5)
22 French country house (7)
23 Intellectual person (7)
24 Culprit's feeling of remorse (5)

DOWN

1 An - - - And A Gentleman, Richard Gere film (7)
2 Slight tint (5)
3 Silvery fish (5)
4 Wall recess (5)
5 Monk's robe (5)
7 Nerve pain (9)
9 Beatles No 1 (1, 4, 4)
12 Grew older (4)
13 Lorry fuel (4)
16 Curdled milk dessert (7)
17 Nimble (5)
18 Pleated frilling (5)
19 Rodrigo Diaz de Vivar? (2, 3)
20 Jargon (5)

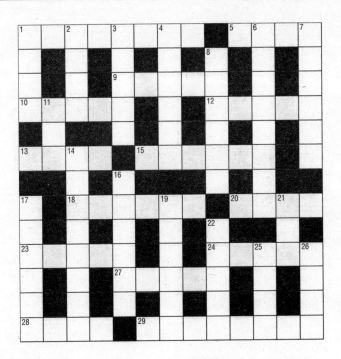

ACROSS

1 Roald - - -, Norwegian explorer (8)
5 Type of gas (4)
9 Love (5)
10 Lorry (5)
12 Moved stealthily (5)
13 Aberdeen airport (4)
15 Italian city (6)
18 Irritable (6)
20 Firm, rigid (4)
23 Claude - - -, French painter (5)
24 Barrier of shrubs (5)
27 Cropped up (5)
28 Wait (4)
29 Seven-sided shape (8)

DOWN

1 Border against (4)
2 Official language of Pakistan (4)
3 Capital of Bangladesh (5)
4 Adapt over a long period (6)
6 And so on (2, 6)
7 Smartly (6)
8 Area around the North Pole (6)
11 The X-Factor finalist, - - - Quinn (3)
14 Ladies' man? (8)
16 Small domestic fowl (6)
17 College grounds (6)
19 Prisoner's early release (6)
21 Drilling platform (3)
22 Breast (5)
25 Medicinal substance (4)
26 Restaurant critic, - - - Ronay (4)

PUZZLE 105

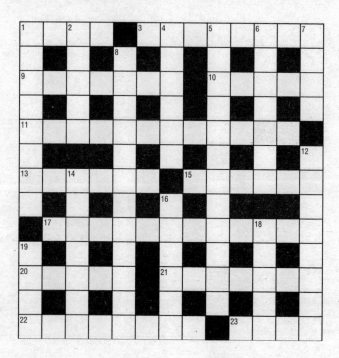

ACROSS
1. Suspend (4)
3. Day of the week (8)
9. Surface layer of earth (7)
10. Ship's rear (5)
11. Former Masterchef presenter (4, 8)
13. Paris tower (6)
15. Intermediate (6)
17. Exciting! (12)
20. Johanna Spyri's alpine novel (5)
21. Railway car (7)
22. Washed (8)
23. Town on the Isle of Wight (4)

DOWN
1. Guesthouse manager (8)
2. Chilly (5)
4. Not solid (6)
5. Revived (12)
6. Action films featuring cop John McClane (3, 4)
7. Pull suddenly (4)
8. Church gathering (12)
12. Fish, rice and egg dish (8)
14. Secretive (7)
16. Pure, virginal (6)
18. Insinuate (5)
19. Elegant (4)

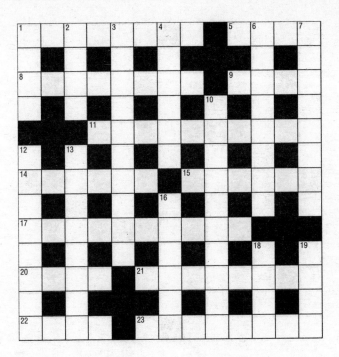

ACROSS

1 Garden pest (8)
5 Type of melon (4)
8 Likely to occur at any moment (8)
9 Perfumed powder (4)
11 Base (10)
14 Cooking instruction (6)
15 American showman (6)
17 Dashboard instrument (10)
20 Long walk (4)
21 Card game for one person (8)
22 Stringed toy (2-2)
23 Capable of being achieved (8)

DOWN

1 Profit (4)
2 Television award (4)
3 Idiot! (10)
4 Covering for inside of garments (6)
6 Slope (8)
7 Friendly title (8)
10 Ambulance crew (10)
12 Immediately (8)
13 Small kitchen (8)
16 Water-craft (6)
18 Blind-persons' charity (inits) (4)
19 Small lake (4)

PUZZLE 107

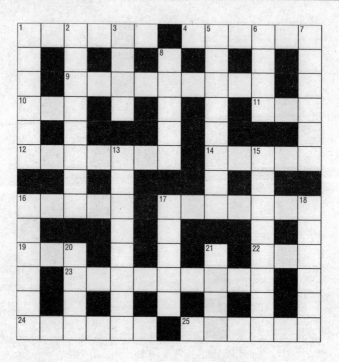

ACROSS
1 Cotton trousers (6)
4 Post-flight tiredness (3, 3)
9 Grandeur (9)
10 Also (3)
11 Love me, love my - - -; proverb (3)
12 One hundred years (7)
14 Saying, maxim (5)
16 Disorder, confusion (5)
17 Estimated (7)
19 Alien craft (1, 1, 1)
22 Male offspring (3)
23 Preserves (9)
24 Bingo's highest number (6)
25 Crude dwelling (6)

DOWN
1 Reviewer (6)
2 Habitual sleeplessness (8)
3 Leer (4)
5 Stretch (8)
6 Cooking fat (4)
7 Flock of geese (6)
8 Togetherness (5)
13 Not damaged (8)
15 Hired killer (8)
16 Voucher (6)
17 Circumference (5)
18 Ass (6)
20 Premonition (4)
21 Near (4)

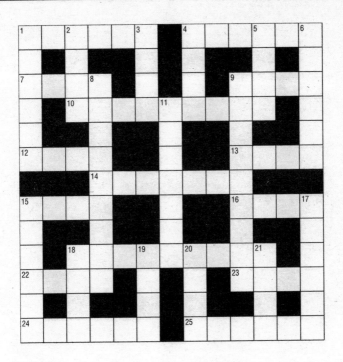

ACROSS

1 Exertion (6)
4 Phrase (6)
7 Public highway (4)
9 Church alcove (4)
10 Encumbrance (9)
12 Channel (4)
13 Football legend, - - - Cantona (4)
14 Applause (7)
15 A distance away (4)
16 Gymnastics position (4)
18 Flashy pendant (9)
22 Chopped (4)
23 Slender-bodied pond creature (4)
24 Blood vessel (6)
25 Rehearsal (3, 3)

DOWN

1 Cloth used to wrap a dead body (6)
2 Actual (4)
3 Anaesthetise (4)
4 Biblical king of Israel (4)
5 Popular children's game (1-3)
6 Irish language (6)
8 Twisted (9)
9 Concentration (9)
11 First letter of a name (7)
15 Spanish fleet (6)
17 Young cat (6)
18 Encounter (4)
19 Person or country on same side (4)
20 Praise, glorify (4)
21 Close (4)

PUZZLE 109

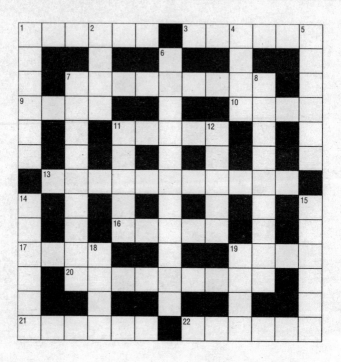

ACROSS
1 Previously (6)
3 Pail (6)
7 Scottish crime writer (3, 6)
9 Cash register (4)
10 Hit very hard (4)
11 Onion-like vegetables (5)
13 Fear of open spaces (11)
16 British singer, - - - Springfield (5)
17 Anthem, - - - Britannia (4)
19 Sole (4)
20 Outgoing person (9)
21 Religious address (6)
22 Buoyant (6)

DOWN
1 Friendly teasing (6)
2 Milky gemstone (4)
4 Cradle (4)
5 Roof material (6)
6 Child's toy gun (5, 6)
7 Unable to be read (9)
8 Inattentive (9)
11 Shockingly vivid (5)
12 Ostentatious (5)
14 Against (6)
15 Timber decay (3-3)
18 Test (4)
19 Relating to the mouth (4)

ACROSS

1 Fit of sulking (4)
4 Road accident (4-2)
8 Large social event (8)
9 Electric cable (4)
10 Make invalid (5)
11 John, Paul, Ringo and George (7)
13 Prompt (6)
15 University city (6)
17 Custard cream, eg (7)
19 Sharp blade (5)
22 Bell sound (4)
23 Chicago's state (8)
24 Joined together (6)
25 Fibber (4)

DOWN

2 Reversal of political policy (1-4)
3 As pretty as a - - -; simile (7)
4 Formal, proper (4)
5 One of Arthur's knights (8)
6 Out of condition (5)
7 Thin layer of wood (6)
12 Song writer (8)
14 Prepared (6)
16 Face cloth (7)
18 Punctuation mark (5)
20 Seance board (5)
21 Slipped (4)

PUZZLE 111

ACROSS
1 Dress (5)
3 Artist, - - - van Gogh (7)
6 Get in touch (7)
8 Range (5)
10 Sharp point (5)
11 Allegiance (7)
14 On dry land (6)
15 Go on a journey (6)
17 Gains (7)
20 Scent (5)
21 Welsh dog (5)
22 Treachery (7)
23 Junior (7)
24 US golfer, - - - Woods (5)

DOWN
1 Plant with bell-shaped flowers (7)
2 Rascal (5)
3 All-important (5)
4 Objectionable (5)
5 Very small (5)
7 Nearby resident (9)
9 Unaware, forgetful (9)
12 Porridge grains (4)
13 Constituency (4)
16 Student (7)
17 Fussy (5)
18 Cake topping (5)
19 Indian guitar (5)
20 Prevent (5)

ACROSS

1 Reggae star (3, 6)
8 Asian desert (4)
9 Determine beforehand (9)
10 Car lock-up (6)
13 Actress, - - - King (6)
15 Farewell (in French) (5)
16 Harbour platform (5)
17 Cold, chilly (5)
18 Toadstools etc. (5)
21 Splinter (6)
22 Dethrone (6)
25 Military unit (9)
26 Wreck (4)
27 Area of knowledge (9)

DOWN

2 Largest city in Nebraska (5)
3 Strong coffee (5)
4 Wheeled (6)
5 Attract by exciting hope or desire (6)
6 Hotel doorman (9)
7 Ramshackle (7)
11 Level-headed (9)
12 Indiscreet remark (5)
14 Garden flower (5)
16 Cowboy film (7)
19 Suave (6)
20 Rainwater trough (6)
23 Fissure (5)
24 Love (5)

PUZZLE 113

ACROSS
1 Ireland? (7, 4)
9 Former Welsh county (5)
10 Course (5)
11 Debtor's note (1, 1, 1)
12 Coronet (5)
13 Navigation aid (7)
15 Small box for valuables (6)
17 Ruffling of the surface (6)
20 Dare (7)
23 More than one (5)
25 Part of a referee's whistle (3)
26 Stay as a boarder (5)
27 Soldier's jacket (5)
28 German composer (11)

DOWN
2 Sicilian secret society (5)
3 Emit (7)
4 Large grasshopper (6)
5 Home of Glasgow Rangers (5)
6 Former US First Lady, - - - Bush (5)
7 Executed British nurse (5, 6)
8 Main decoration (11)
14 Restaurant gratuity (3)
16 Sports strip (3)
18 Prisoners (7)
19 Judith - - -, quiz show millionaire (6)
21 Gentle poke (5)
22 Capsize (5)
24 Execute illegally (5)

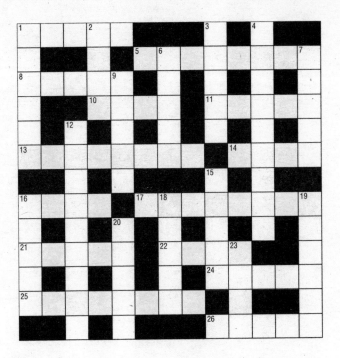

ACROSS

1 Gallantry award (5)
5 Tanning room (8)
8 Rain mixed with snow (5)
10 Cylinder (4)
11 Circular disc (5)
13 West Indian island (8)
14 Earth's satellite (4)
16 Principal (4)
17 Queen's Scottish home (8)
21 Hero (5)
22 Thomas - - -, Rule Britannia composer (4)
24 Early British settler (5)
25 Shocked (8)
26 Enter into an alliance (5)

DOWN

1 Lucky toy or animal (6)
2 Encourage a wrongdoing (4)
3 Islamic religious ruling (5)
4 Item of furniture (9)
6 Musical drama (5)
7 Large fleshy fruit (5)
9 Spring bloom (5)
12 Self-appointed crime-fighter (9)
15 Signs (5)
16 Typically masculine (5)
18 Degrade (5)
19 Loll about (6)
20 Small fish (5)
23 Deserve (4)

PUZZLE 115

ACROSS
1 Aroma (5)
3 Downwind (7)
6 Put back (7)
8 Horrible (5)
10 Michael Caine film (5)
11 Standpipe (7)
14 Fatal (6)
15 State without proof (6)
17 Writer, - - - Kipling (7)
20 Units of DNA (5)
21 Approximately (5)
22 Rotate (7)
23 Ghost (7)
24 Wanderer (5)

DOWN
1 Lackey (7)
2 Landlord's document (5)
3 Aquatic blood-sucking worm (5)
4 South African antelope (5)
5 Town famous for its china (5)
7 Poisonous snake (4, 5)
9 Brotherly (9)
12 Fifty-two weeks (4)
13 Disfigurement (4)
16 London area (4, 3)
17 Summarise (5)
18 Modify (5)
19 Wheat used to make pasta (5)
20 Rugby player, - - - Henson (5)

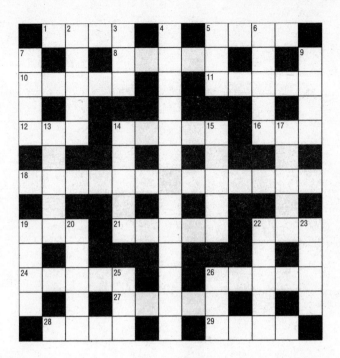

ACROSS

1 Unsightly body fat (4)
5 Manufacture (4)
8 Get up (5)
10 Former boxer, - - - Cooper (5)
11 Freshwater fish (5)
12 Negative vote (3)
14 Lesser (5)
16 Normally (3)
18 Jack's Corrie wife (4, 9)
19 Not even (3)
21 Native of Havana (5)
22 For what reason? (3)
24 Church law (5)
26 Edge, border (5)
27 Corpulent (5)
28 Chinese dog (4)
29 Strong wind (4)

DOWN

2 Island in the Bristol Channel (5)
3 Reddish-brown horse (3)
4 Office storage cupboard (6, 7)
5 Converged (3)
6 Martial art using sticks (5)
7 Part of the face (4)
9 Casual conversation (4)
13 In front (5)
14 Doctor (5)
15 Tree producing red berries (5)
17 Retrieve (5)
19 Cry of pain! (4)
20 Dame Judi - - -, award-winning actress (5)
22 Spin around (5)
23 Bond, tie (4)
25 At this moment (3)
26 Implore (3)

PUZZLE 117

ACROSS
1 Frozen hazard for ships (7)
5 Denim trousers (5)
8 Cunning (5)
9 Eye make-up (7)
10 Premier division soccer club (7)
11 Shelf (5)
12 Soup ingredient? (6)
14 Foolish behaviour (6)
17 Sheriff's men (5)
19 President Lincoln's first name (7)
22 Lift up (7)
23 Cold meal (5)
24 Wife of Spain's King Juan Carlos (5)
25 Silvery paper (7)

DOWN
1 Fireplace (5)
2 Distinguished (7)
3 Expel (5)
4 Sign of the zodiac (6)
5 Pushed against (7)
6 Honorary prize (5)
7 Majestic (7)
12 Exercise harsh power over (7)
13 Art of Japanese flower arrangement (7)
15 Shakespeare tragedy (7)
16 Natural ability (6)
18 Quiver of arrows (5)
20 Natural glue (5)
21 Heidi Klum, eg (5)

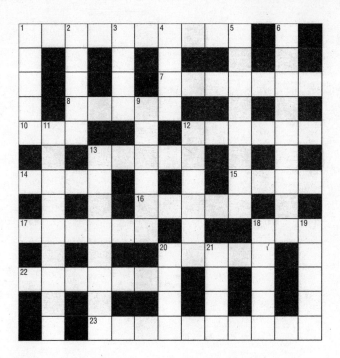

ACROSS

1 Indecision (10)
7 Hard-shelled creature (7)
8 Worship (5)
10 Extremely cold (3)
12 Lump of gold (6)
13 Pigs (5)
14 Garden tool (4)
15 Hindu form of relaxation (4)
16 Peter - - -, snooker player (5)
17 Write an addition to (6)
18 Part of a circle (3)
20 Somerset city (5)
22 Stir up (7)
23 US vice president (4, 6)

DOWN

1 Caribbean country (5)
2 Spread out (5)
3 Group of three (4)
4 Landlord's shout! (4)
5 Mistress of Charles II (4, 4)
6 Courier (9)
9 Spoiled (6)
11 NE region of France (9)
12 Sewing aid (6)
13 Picked (8)
18 Nile dam (5)
19 Vindaloo, eg (5)
20 Frail, feeble (4)
21 Verdant, leafy (4)

PUZZLE 119

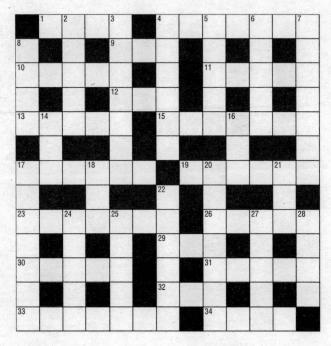

ACROSS
1 Appalling (4)
4 German state (7)
9 Computer monitor (1, 1, 1)
10 Higher (than) (5)
11 Practical judgement (5)
12 Arrange in a dishonest fashion (3)
13 Perhaps (5)
15 Handbill (7)
17 Respectful, urbane (6)
19 Mission (6)
23 Capital of Libya (7)
26 Yellow-brown pigment (5)
29 Took a chair (3)
30 Specific (5)
31 Come clean (3, 2)
32 Wildebeest (3)
33 Black syrup (7)
34 Keep away from (4)

DOWN
2 Tusk material (5)
3 Highest mountain (7)
4 Raid (6)
5 Mental view (5)
6 Of the kidneys (5)
7 Put on guard (7)
8 Aromatic ointment (4)
14 In the past (3)
16 A long way (3)
17 Doctor's client (7)
18 Little devil (3)
20 Wanton (7)
21 And not (3)
22 Face (6)
24 Foolish (5)
25 Spirit measure (5)
27 Indian religion (5)
28 See at a distance (4)

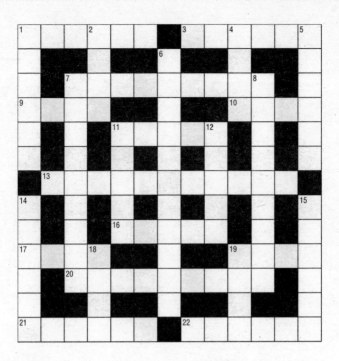

ACROSS

1 Routine (6)
3 Lottery (6)
7 Explosive mixture (9)
9 Overabundance (4)
10 What is owed (4)
11 Alarm (5)
13 England striker (5, 6)
16 Neat and attractive (5)
17 Tree shoot (4)
19 Cunning (4)
20 Cultured bloke! (9)
21 Sheep's coat of wool (6)
22 Rut (6)

DOWN

1 Unmarried (6)
2 Ticket seller (4)
4 Nourish (4)
5 Sensual (6)
6 Flaring firework (5, 6)
7 Small rodent (6, 3)
8 Discount (9)
11 Trusty horse (5)
12 Song, - - - And Ivory (5)
14 Delay (3, 3)
15 No matter who (6)
18 Actor, - - - Hackman (4)
19 Capital of the Algarve (4)

PUZZLE 121

ACROSS

1 Distance downwards (5)
3 Body organ (7)
6 Traffic goods illegally (7)
8 Evident, obvious (5)
10 Active (5)
11 Originated (7)
14 Glittering decoration (6)
15 Single person's accommodation (6)
17 Strut (7)
20 Waterproof jacket (5)
21 Fireside tool (5)
22 Fragment (7)
23 General pardon (7)
24 Tooth (5)

DOWN

1 Far off (7)
2 William - - -, politician (5)
3 Pay out (money) (5)
4 Happen (5)
5 Biblical king (5)
7 UK's flag (5, 4)
9 Listen in (9)
12 Small island off the coast of Italy (4)
13 Adhesive (4)
16 Informer (7)
17 Brown tint seen in old photographs (5)
18 Microbes (5)
19 Out of practice (5)
20 Refracting glass (5)

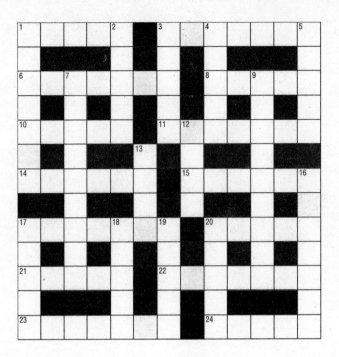

ACROSS

1 Furious (5)
3 Had a hunch (7)
6 Indian language (7)
8 Currently in force (5)
10 Fortune-telling cards (5)
11 Fidelity (7)
14 Vehicle fuel (6)
15 Nevertheless (6)
17 Indicator (7)
20 Pretend (5)
21 Tough cotton fabric (5)
22 Funeral procession (7)
23 Do the washing (7)
24 Less (5)

DOWN

1 Generally supposed (7)
2 Money order (5)
3 Interrogate (5)
4 Delegate (5)
5 Risky (5)
7 Inhabitant of Oslo? (9)
9 Pure, irreproachable (4-5)
12 Elliptical (4)
13 Run away (4)
16 New York baseballers (7)
17 Foot lever (5)
18 Shy, cautious (5)
19 Happen again (5)
20 Roman court (5)

PUZZLE **123**

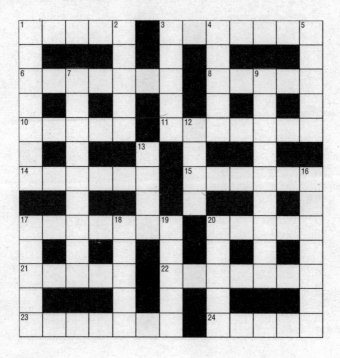

ACROSS
1 Sharp fall (5)
3 After-dinner drink (7)
6 Violent person (7)
8 Frank, indiscreet (5)
10 Separately (5)
11 Precisely (7)
14 Persuade (6)
15 Disputes (6)
17 Eventually (2, 3, 2)
20 Sumptuous meal (5)
21 Book or record voucher (5)
22 Without purpose (7)
23 Stable equipment (7)
24 Boisterous (5)

DOWN
1 Veneer (7)
2 Publish (5)
3 Fencing thrust (5)
4 Permitted amount (5)
5 Irritated (5)
7 Brief image of the past (9)
9 Group of attendants (9)
12 Photograph of insides (1-3)
13 Cigar end (4)
16 Make content (7)
17 Bunch (5)
18 Idiot (5)
19 The Winding Stair poet (5)
20 Bone in the leg (5)

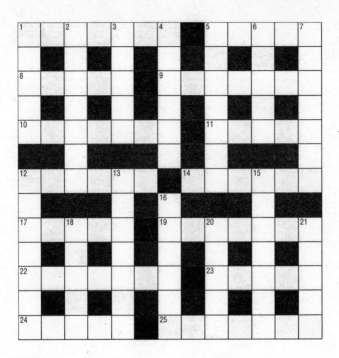

ACROSS

1 Public applause (7)
5 Stop (5)
8 Reside (5)
9 Autobiographical record (7)
10 Lengthens (7)
11 Greek island (5)
12 Improve in quality (6)
14 Small private room (6)
17 Beauty parlour (5)
19 Formal speech (7)
22 Anglo-Saxon (7)
23 Heartbeat (5)
24 Mother-of-pearl (5)
25 Playhouse (7)

DOWN

1 Conductor, - - - Previn (5)
2 Inventor (7)
3 Weary (3, 2)
4 Flowering plant (6)
5 Funny (7)
6 Similar (5)
7 Simplest (7)
12 Oriental (7)
13 Have trust in (7)
15 Cooking pot (7)
16 Tall cylindrical headgear (3, 3)
18 Sound judgement (5)
20 Extensive (5)
21 Female relative (5)

PUZZLE 125

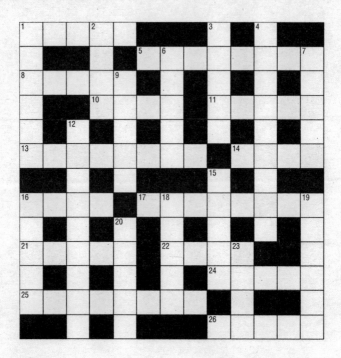

ACROSS
1 Chaos, pandemonium (5)
5 Tree-cutting tool (5, 3)
8 Compensate (5)
10 Detect by touching (4)
11 Personal strength (5)
13 Jack the Ripper, eg (8)
14 Part of the leg (4)
16 Pay attention (4)
17 Recent arrival (8)
21 Baby grand, eg (5)
22 Knock down (4)
24 First public appearance (5)
25 Person in place (8)
26 Pessimist (5)

DOWN
1 New York district (6)
2 King of Norway (4)
3 Short space of time? (5)
4 Study of heavenly bodies (9)
6 Divide into two pieces (5)
7 In which place? (5)
9 Islamic country (5)
12 Self-employed (9)
15 Tell off (5)
16 African animal (5)
18 Pixie-like (5)
19 Rural (6)
20 Oversentimental (5)
23 Impose (tax) (4)

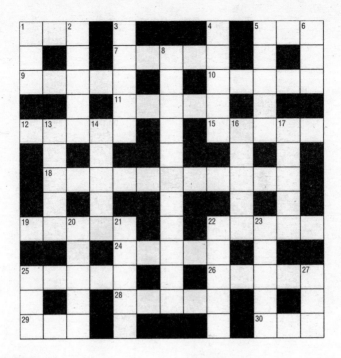

ACROSS

1 In what way? (3)
5 Marshy area of land (3)
7 Of people (5)
9 Ground meat (5)
10 Flowed back (5)
11 Animals in general (5)
12 Burial place (5)
15 Massage (5)
18 Tell the difference (11)
19 Raise, bring up (5)
22 Unit of gas (5)
24 Waken (5)
25 Wheel part (5)
26 Coarse (5)
28 Germaine - - -, feminist (5)
29 Misery (3)
30 Container (3)

DOWN

1 Amateur radio operator (3)
2 Breezy (5)
3 Stealing (5)
4 Telltale (5)
5 Tale of Aesop (5)
6 It's as good as a wink! (3)
8 French theatre (6, 5)
13 Aircraft locating device (5)
14 Imitation jewellery (5)
16 Cry of a horse (5)
17 Loathe, detest (5)
20 Eat away (5)
21 Leftovers (5)
22 John - - -, Chelsea captain (5)
23 Explode (5)
25 Cutting tool (3)
27 Top of a cooker (3)

PUZZLE 127

ACROSS
1 Nickname of Queen Elizabeth I (4)
3 Unbalanced (8)
9 Pastoral (5)
10 Sunshade (7)
11 Cloth turnover (3)
13 Evidence given in court (9)
14 Apparition (6)
16 Mingled (6)
18 Broad avenue (9)
20 Confer knighthood (3)
22 Deadly poison (7)
23 Black and white 'bear' (5)
25 Octopus arm (8)
26 Scottish resort (4)

DOWN
1 Liner's bunk (5)
2 Teacher's title (3)
4 Resist (6)
5 Remain alive (7)
6 Knocked out of place (9)
7 Postponed (7)
8 Coin aperture (4)
12 Sherlock Holmes' housekeeper (3, 6)
14 Brightly-coloured (7)
15 World's smallest continent (7)
17 French mime artist, - - - Marceau (6)
19 Hoodwink (4)
21 Muscle (5)
24 Essential point (3)

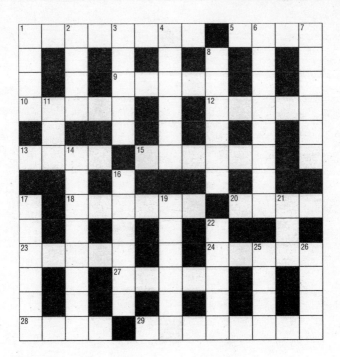

ACROSS

1 Sorrow, anguish (8)
5 Sad (4)
9 Single-file Cuban dance (5)
10 Bless (5)
12 Humorous (5)
13 Illicit gains (4)
15 Kay - - -, The Chase writer (6)
18 Underground passage (6)
20 Period of prosperity (4)
23 Court decision maker (5)
24 Rash (5)
27 Spooky (5)
28 Chime (4)
29 Telescope part (8)

DOWN

1 Powdery dirt (4)
2 Gassy water (4)
3 Rugged (5)
4 Ice-cream dessert (6)
6 Blood Diamond actor,
   - - - DiCaprio (8)
7 Hungarian language (6)
8 Type of pancake (6)
11 Chop down (3)
14 Despite plans (5, 3)
16 In the genes (6)
17 Purpose (6)
19 Vigour, vitality (6)
21 Not in (3)
22 Farm animal (5)
25 Secure (4)
26 Christmas (4)

PUZZLE 129

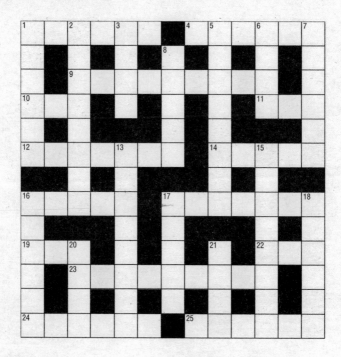

ACROSS
1 Decanter (6)
4 Time-honoured (3-3)
9 Restricted in outlook (9)
10 Indian state (3)
11 Evergreen tree with red berries (3)
12 Turned (7)
14 Sweet on a stick (5)
16 Strange (5)
17 Type of cheese (7)
19 Climbing plant (3)
22 Acquire (3)
23 South American country (9)
24 Rat or mouse, eg (6)
25 Rowan Atkinson TV character (2, 4)

DOWN
1 Puma (6)
2 Witty reply (8)
3 Cultivate (4)
5 Creator of the English clown (8)
6 Slippery with grease (4)
7 Sleepy (6)
8 Bitter (5)
13 Aromatic herb (8)
15 Contest in law (8)
16 Shake, tremble (6)
17 View (5)
18 General idea (6)
20 Enclosed ground adjoining a building (4)
21 Christian - - -, fashion designer (4)

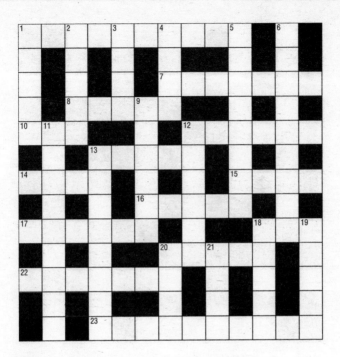

ACROSS

1 Hand out (10)
7 Official permit (7)
8 Respond (5)
10 Untruth (3)
12 Extol (6)
13 Hoard, collect (5)
14 Husks of cereal grain (4)
15 Pincered creature (4)
16 Secret hiding place (5)
17 Revenue (6)
18 Physical training room (3)
20 Ship's officer (5)
22 Weather noise (7)
23 Terms Of - - -, Oscar-winning film (10)

DOWN

1 Wicked person (5)
2 Coastline (5)
3 List of duties (4)
4 Sliding metal bar for fastening a door etc. (4)
5 Style (8)
6 Vital (9)
9 Possibility (6)
11 Former Pakistan cricketer (5, 4)
12 Of the mind (6)
13 Proclaim (8)
18 Garden ornament (5)
19 Get up on (a horse) (5)
20 Soft French cheese (4)
21 Acidic, sharp (4)

PUZZLE 131

ACROSS
1 Not quite dry (4)
4 Scold (6)
8 Feeling persecuted (8)
9 Funeral pile (4)
10 Wild, uncultivated (5)
11 US city (7)
13 Not immediately obvious (6)
15 Removed (6)
17 Sprinter, - - - Christie (7)
19 Social gathering (5)
22 Mask (4)
23 Aimed at (8)
24 Inferior in quality (6)
25 Soap bubbles (4)

DOWN
2 Knowing (5)
3 Poor countryman (7)
4 Helpful benefit (4)
5 Bought back (8)
6 Candle (5)
7 Turn up (6)
12 Concealed (8)
14 Combines (6)
16 Mozart's middle name (7)
18 Disgusting dirt (5)
20 Rung of a ladder (5)
21 Cry of a donkey (4)

ACROSS

1 South Bank Show presenter (6, 5)
9 Layman (7)
10 Trample (5)
11 Rise upwards (4)
12 Capital of Bosnia-Herzegovina (8)
14 Fail to fulfil an obligation (5)
15 Intense (5)
20 Test of a performer's suitability (8)
22 Summon by electronic bleeper (4)
24 Bread ingredient (5)
25 Patron (7)
26 Doubt (11)

DOWN

2 Proceed from a source (7)
3 Deviate suddenly (4)
4 William's conquest (8)
6 Hand warmer (5)
7 Garden flower (5)
8 Reel (5)
13 Without punishment (4-4)
16 Passage of goods (7)
17 Military shop (inits) (5)
18 West Country county (6)
19 Small fruit (5)
21 Drench thoroughly (5)
23 Cornflake Girl singer, - - - Amos (4)

PUZZLE 133

ACROSS
1 After-dinner drink (5, 6)
9 Empire (5)
10 Nativity (5)
11 Retired person (1, 1, 1)
12 Suspect? (5)
13 Head pupil (7)
15 Strongly built (6)
17 Detachment of guards (6)
20 Fail to complete (7)
23 For a specific purpose (2, 3)
25 Highest point (3)
26 Speak slowly (5)
27 Medicine (5)
28 It'll Be Alright On The Night presenter (5, 6)

DOWN
2 Polar explorer, - - - Amundsen (5)
3 Breed of dog (7)
4 Carpenter? (6)
5 Thread (5)
6 Eagle's nest (5)
7 Wedding attendants (11)
8 Badminton item (11)
14 In good physical shape (3)
16 Managed, supervised (3)
18 Multi-socket plug (7)
19 Confine to camp (6)
21 Not asleep (5)
22 New - - -, Indian capital (5)
24 For this reason (5)

ACROSS

7 Flowering plant (8)
8 Anger (4)
9 Lawsuit (6)
10 Composer, - - - Elgar (6)
11 Brooch with a head carved on it (5)
12 Small antelope (7)
15 Temporary substitute (7)
17 Slap, blow (5)
20 Queen Victoria's husband (6)
22 Sickly looking (6)
23 Dark green stone (4)
24 Fitness routine (8)

DOWN

1 Optician's sight-checker (3, 5)
2 Flatfish (6)
3 Jeffrey Archer novel, First - - - Equals (5)
4 Patella (7)
5 Search (the internet) (6)
6 Aspersion (4)
13 Hockey-like game (8)
14 Author of the first gospel (7)
16 Like better (6)
18 Spite (6)
19 Basildon's county (5)
21 Oasis singer, - - - Gallagher (4)

PUZZLE 135

ACROSS
1 Group of baboons (5)
3 Battle carriage (7)
6 Slimmer (7)
8 Assists (5)
10 Legendary maiden (5)
11 Old (7)
14 Short thick weapon (6)
15 American leopard (6)
17 Modified (7)
20 Messy (5)
21 Mix together (5)
22 Leonardo - - -, artist (2, 5)
23 Tight (7)
24 Call up (5)

DOWN
1 Ill-fated passenger liner (7)
2 Nip (5)
3 Swear (5)
4 Tiny insect (5)
5 Flavoursome (5)
7 Nearest (9)
9 Missing nobleman (4, 5)
12 Continuous strip of film (4)
13 Indication (4)
16 Scottish region (7)
17 Long-playing record (5)
18 English dynasty (5)
19 Puff - - -, rap star (5)
20 Motion picture (5)

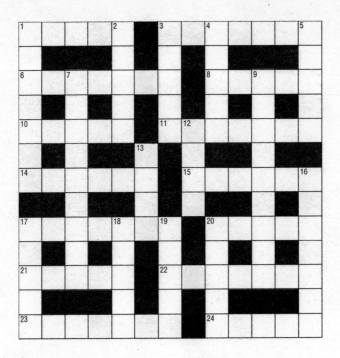

ACROSS

1 Meat (5)
3 Grapple (7)
6 Explosive material (7)
8 Wild West show (5)
10 Lawful (5)
11 Irish county (7)
14 Annually (6)
15 Soak up (a liquid) (6)
17 Reckoned (7)
20 Backbone (5)
21 All possible (5)
22 Bed frill (7)
23 Home of the Russian government (7)
24 Car-driving competition (5)

DOWN

1 Power of the mind (7)
2 Raise on a winch (5)
3 Ruin (5)
4 Put one's name down (5)
5 Flee to wed (5)
7 Oblong (9)
9 Unusually cruel (9)
12 Baghdad's country (4)
13 Farm building (4)
16 Where beer is fermented (7)
17 Odd, queer (5)
18 Regal (5)
19 Couch, sofa (5)
20 Pertaining to the sun (5)

PUZZLE 137

ACROSS
1 Child's plaything (3)
5 Hoard (3)
7 Medicinal plants (5)
9 Imaginary flat surface (5)
10 Ted - - -, former PM (5)
11 Astound, surprise (5)
12 Distinctive pattern (5)
15 Cowboy show (5)
18 Milky dessert (4, 7)
19 Harbour platform (5)
22 Convey (5)
24 Tall and awkward (5)
25 Spanish island (5)
26 Gorge (5)
28 Rest on bended legs (5)
29 Born as (3)
30 Came upon (3)

DOWN
1 Ram (3)
2 Fermenting agent (5)
3 Quiver of arrows (5)
4 Courtroom official (5)
5 Listened to (5)
6 Serious crime (1, 1, 1)
8 Support (11)
13 US TV celebrity, - - - Winfrey (5)
14 Become liable for (5)
16 Seance board (5)
17 Novelist, - - - Wallace (5)
20 Sprightly (5)
21 Snow drop? (5)
22 Recurring series (5)
23 Kingdom (5)
25 Public house (3)
27 Thin rug (3)

ACROSS

1 Dark blue colour (4)
3 Alan Titchmarsh, eg (8)
9 Mix ingredients (5)
10 Stated without proof (7)
11 Cricket 'out' (1, 1, 1)
13 Lively (9)
14 Bellowed (6)
16 Amble (6)
18 One of Robin Hood's merry men (5, 4)
20 Novel (3)
22 Perform, carry out (7)
23 Object (5)
25 Pleasing, elegant (8)
26 Revolved rapidly (4)

DOWN

1 Peace Prize founder (5)
2 Wrangle (3)
4 Rouse (6)
5 Turkish - - -, sweet (7)
6 Bedtime clothing (9)
7 Political reformer (7)
8 Work-shy (4)
12 Tiredness (9)
14 Ponder (7)
15 On the way (2, 5)
17 Writing desk (6)
19 Eartha - - -, singer (4)
21 Terry - - -, TV and radio presenter (5)
24 Naughty child (3)

PUZZLE 139

ACROSS
1 Greek mathematician (10)
7 Noel - - -, Deal Or No Deal host (7)
8 Foreign body (5)
10 Request (3)
12 Violent destruction (6)
13 Configuration (5)
14 Scottish isle (4)
15 Film, Eyes - - - Shut (4)
16 Evenly balanced (5)
17 Refunded (6)
18 Cause pain (slang) (3)
20 Light wood (5)
22 Medicated tablet that soothes sore throats (7)
23 Happening (10)

DOWN
1 Shopping complex (5)
2 Modify slightly (5)
3 Averse (4)
4 Sign of things to come (4)
5 White bird (5, 3)
6 Day of the week (9)
9 Happy (6)
11 Depository (9)
12 Gorgon (6)
13 Capital of Bosnia-Herzegovina (8)
18 Rugby player, - - - Hastings (5)
19 Brief interruption (5)
20 Boyfriend (4)
21 Gloomy look (4)

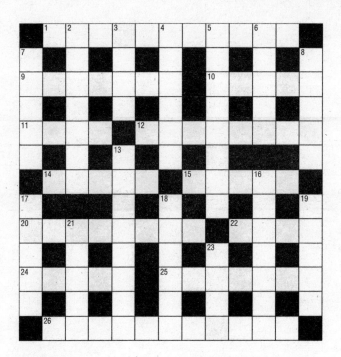

ACROSS

1 Singer, eg (11)
9 Entrance (7)
10 Large eel (5)
11 Cigarette end (4)
12 Corn chip (8)
14 Justify (5)
15 Chief ballerina (5)
20 Inoculate (8)
22 American TV show, - - - McBeal (4)
24 Champagne glass (5)
25 Instalment of a TV series (7)
26 Fantastic! (11)

DOWN

2 Nourish (7)
3 Jealousy (4)
4 Candle ingredient (6)
5 Not grown up (8)
6 Join a club (5)
7 Type of violet (5)
8 Bob - - -, US singer and poet (5)
13 Early settlers (8)
16 Ukraine's neighbour (7)
17 Very short time (5)
18 Appearance (6)
19 Old Welsh county (5)
21 Pale purple (5)
23 Greek flaky pastry (4)

PUZZLE **141**

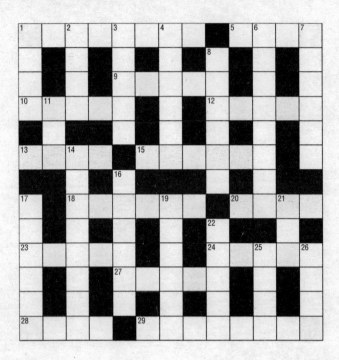

ACROSS

1 Spotted fabric (5, 3)
5 Job, mission (4)
9 Force out (5)
10 Germaine - - -, feminist (5)
12 Breathing apparatus of fish (5)
13 Child's toy (2-2)
15 Scottish football club (6)
18 Radio presenter, - - - Hunniford (6)
20 Talking bird (4)
23 Barbecue food (5)
24 Vacant (5)
27 Garden vegetables (5)
28 Grow weary (4)
29 Souvenir, reminder (8)

DOWN

1 High-pitched sound (4)
2 New Testament book (4)
3 Turn away (5)
4 Go against (6)
6 Island off the coast of Wales (8)
7 Old German emperor (6)
8 Live Earth organiser (2, 4)
11 River, - - - Grande (3)
14 Boo Boo's buddy (4, 4)
16 Quirk of character (6)
17 Ornamental leg chain (6)
19 Obstruct (6)
21 Brazil or pecan? (3)
22 Greek fable writer (5)
25 Leaning tower city (4)
26 American university (4)

ACROSS

1 John - - -, musician (5)
3 German POW camp (7)
6 Exterior face (7)
8 Japanese rice dish (5)
10 Artist's tripod (5)
11 Obtain (7)
14 Sensual (6)
15 Certify (6)
17 Unable to sit still (7)
20 Uncanny (5)
21 Large spoon (5)
22 Advice, guidance (7)
23 Environment (7)
24 Interior paintwork and furnishing (5)

DOWN

1 Indecent (7)
2 Little (5)
3 Move slowly (5)
4 Cowboy's noose (5)
5 Old African country (5)
7 Retorted (9)
9 Memorabilia (9)
12 Loud deep hoarse sound (4)
13 Improvised jazz singing (4)
16 Young child (7)
17 Dirt (5)
18 Expel (5)
19 Britannia, eg (5)
20 Harm, hurt (5)

PUZZLE 143

ACROSS

1 Traffic barricade (9)
8 Trim (4)
9 North Wales coastal town (6, 3)
10 European country (6)
13 Foil, frustrate (6)
15 Goodbye (5)
16 Unadorned (5)
17 Shabby (5)
18 For a specific purpose (2, 3)
21 Answerable (6)
22 Opportunity (6)
25 Tasty (9)
26 Rear appendage (4)
27 Heed (9)

DOWN

2 Smell (5)
3 Search for underground water (5)
4 Yearned (6)
5 Virginal (6)
6 New York borough (9)
7 Extended (7)
11 Second World War battle (2, 7)
12 Panama, eg (5)
14 Rabbit house (5)
16 Quiver, vibrate (7)
19 Leave (6)
20 Eight lines of verse (6)
23 Make suitable for a purpose (5)
24 Musical instrument (5)

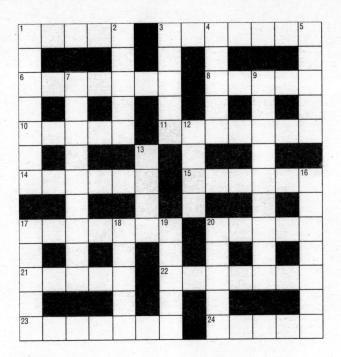

ACROSS

1 Skyscraper (5)
3 Vital (7)
6 Bitterness (7)
8 Sugar pincers (5)
10 Live (5)
11 Everywhere (3, 4)
14 Island of French Polynesia (6)
15 RAF aeroplane (6)
17 Plug, bung (7)
20 Small sailing boat (5)
21 Warm jacket (5)
22 Simon - - -, Coronation Street actor (7)
23 Home of Liverpool FC (7)
24 Fire from a gun (5)

DOWN

1 Tease excessively (7)
2 Bird's perch (5)
3 About (date) (5)
4 To such time as (5)
5 Beaten contestant (5)
7 Person next door (9)
9 Tomorrow - - -, Bond film (5, 4)
12 Roman goddess of the moon (4)
13 Construction area (4)
16 No longer valid (7)
17 Colour of old photos (5)
18 Distinct stage (5)
19 Inflexible (5)
20 Levels (5)

PUZZLE 145

ACROSS

1 Area made wet to test drivers' skills (7)
5 Grass border along a road (5)
8 Polish film director, - - - Polanski (5)
9 Hard-shelled creature (7)
10 Row of houses (7)
11 Cub scout leader (5)
12 Military greeting (6)
14 Disfigure (6)
17 Firearm (5)
19 Utterly stupid (7)
22 August birthstone (7)
23 Sky blue (5)
24 Crest of land (5)
25 Fictitious reason (7)

DOWN

1 Support, prop (5)
2 Unethical (7)
3 Endangered animal (5)
4 Count (6)
5 Small community (7)
6 Course traversed (5)
7 Cry out (7)
12 Decorating tool (7)
13 Foot pedal (7)
15 Thrust forward (7)
16 Circus tent (3, 3)
18 Sacked (5)
20 Visual representation (5)
21 Act dishonestly (5)

ACROSS

1 Symbol (5)
3 Distinguished musician (7)
6 Tympanic membrane (7)
8 Army blouse (5)
10 Perceptive (5)
11 Multi-socket device (7)
14 First born (6)
15 Pillar (6)
17 Floral wreath (7)
20 Exhausted (3, 2)
21 Be appropriate (5)
22 Examine critically (7)
23 Ambassador's residence (7)
24 Correspond, agree (5)

DOWN

1 Immature (7)
2 Scandinavian language (5)
3 Deadly snake (5)
4 More (5)
5 Hollywood film award (5)
7 Circular journey (5, 4)
9 Innocent (3, 6)
12 Highwayman, - - - Turpin (4)
13 Prince William's former
    school (4)
16 Convent (7)
17 Shred (cheese) (5)
18 Very deep pit (5)
19 Personal log (5)
20 Separated (5)

PUZZLE 147

ACROSS
1 Support (4)
4 Place where bees are kept (6)
8 Christened (8)
9 Large gap (4)
10 In the lead (5)
11 Trials (7)
13 Beat grain (6)
15 Moist and sticky (6)
17 Oscillate (7)
19 Leaving (5)
22 Officers' dining hall (4)
23 European capital (8)
24 In the genes (6)
25 Put out of sight (4)

DOWN
2 Contact (5)
3 Thick soup (7)
4 Recess in a church (4)
5 Roundabout (8)
6 Inferior specimen (5)
7 Skiing event (6)
12 Old roof mender (8)
14 Arthur - - -, thriller writer (6)
16 Scrap, do away with (7)
18 Natural glue (5)
20 Nude (5)
21 Happy (4)

ACROSS

1 Traffic congestion (8)
7 Browse idly (5)
8 Sulkiness (9)
9 Expected score (3)
10 English racecourse (4)
11 Claim, accuse (6)
13 Respect (6)
14 Metal clip (6)
17 Humiliating failure (6)
18 Boxing match (4)
20 Alien craft (1, 1, 1)
22 Scottish mountain range (9)
23 Climb (5)
24 Hit repeatedly (8)

DOWN

1 Aquarium fish (5)
2 Intervening period (7)
3 Sit lazily (4)
4 Wax burning stick (6)
5 Sporty car (5)
6 Absurd pretence (7)
7 Keepsake (7)
12 Place in order (7)
13 Extreme pain (7)
15 Approval of a will (7)
16 Untidy writing (6)
17 Venture into new territory (5)
19 Cathy - - -, actress (5)
21 Potato? (4)

PUZZLE 149

ACROSS
1 Drop of liquid (4)
3 Overshadowed (8)
9 Explosive material (7)
10 Closely fitting (5)
11 Elderly internet user (6, 6)
13 Old Testament book (6)
15 Engine part (6)
17 Impolite (12)
20 Mammal related to the camel (5)
21 Flamboyant style (7)
22 Small slender dagger (8)
23 Greek god of love (4)

DOWN
1 Without charge (8)
2 Of the ears (5)
4 Wrinkle (6)
5 Sporadic (12)
6 Section of an orange (7)
7 Tax on goods (4)
8 Credit agreement (4, 8)
12 Teeth? (8)
14 Art of paper-folding (7)
16 Miss Piggy, eg (6)
18 Take place (5)
19 Unfortunately (4)

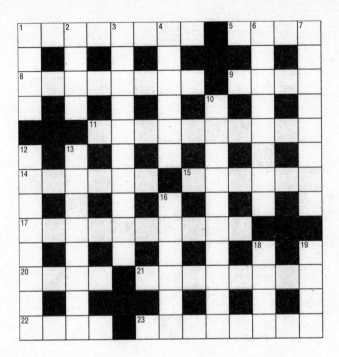

ACROSS
1 Large rally of Scouts (8)
5 Deficient in strength (4)
8 Evita? (3, 5)
9 Common British amphibian (4)
11 Learn and understand (10)
14 Girl's name (6)
15 Prosper, flourish (6)
17 Pull off, perform (10)
20 Identical partner (4)
21 Figure of speech (8)
22 Fast-flowing Highland river (4)
23 Formal ritual (8)

DOWN
1 Young kangaroo (4)
2 Castle's water-filled trench (4)
3 Magic password! (4, 6)
4 Strange, bizarre (6)
6 Obsessive love for oneself (8)
7 Fish and rice dish (8)
10 Deadly - - -, poisonous plant (10)
12 Lost continent (8)
13 Rehearse (8)
16 Sheepskin (6)
18 Frighten away birds (4)
19 Helen of - - -, legendary beauty (4)

PUZZLE 151

ACROSS

1 Gain possession of (6)
4 Major road (6)
9 Breed of dog (9)
10 Insulate (pipes) (3)
11 Scottish racecourse (3)
12 Swivelled (7)
14 Fortuitous (5)
16 Examination of accounts (5)
17 Carry on business (7)
19 Summit (3)
22 Garden plot (3)
23 Lifeless (9)
24 Centre of a nut (6)
25 Robinson - - -, novel (6)

DOWN

1 Inn's stableman (6)
2 Aimed at (8)
3 Jot, trace (4)
5 Soldiers' bugle call (8)
6 Book of the Old Testament (4)
7 Per annum (6)
8 Bright, intense (5)
13 Smarten up (8)
15 Barristers' rooms (8)
16 Ambush (6)
17 Planet's path (5)
18 Put up with (6)
20 Bridge support (4)
21 Lion's den (4)

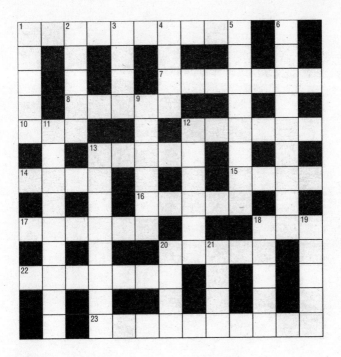

ACROSS

1 Coastal warning beacon (10)
7 Place of safety (7)
8 Spanish queen (5)
10 Headwear (3)
12 Times by two (6)
13 Inspector played by John Thaw (5)
14 Rome arsonist? (4)
15 Melody (4)
16 Eagle's nest (5)
17 Decorative fringed tuft (6)
18 Dry (of wine) (3)
20 Push aside (5)
22 Contrary (7)
23 Australian TV presenter (4, 6)

DOWN

1 Execute illegally (5)
2 Patrick Swayze film (5)
3 Grass (4)
4 Type of whale (4)
5 Assess (8)
6 Working for oneself (9)
9 Jewish state (6)
11 Scientist, - - - Fleming (9)
12 Scarcity (6)
13 French 'Mr' (8)
18 Guide a vehicle (5)
19 Insensitive (5)
20 Slave (4)
21 Arm bone (4)

ACROSS

1 Bring under control (4)
4 Simple song (6)
8 Exact (2, 3, 3)
9 Petty hoodlum (4)
10 Support for a broken arm (5)
11 Provide assistance (4, 3)
13 Discover (6)
15 Aircraft without an engine (6)
17 Left empty (7)
19 Of the kidneys (5)
22 State of agitation (4)
23 Fund-raising TV programme (8)
24 Racket sport (6)
25 Chopped (4)

DOWN

2 Cancel (5)
3 Improve (7)
4 Predict (4)
5 Lack of vitality (8)
6 Shock, dismay (5)
7 Make certain (6)
12 Michael - - -, cricketer (8)
14 Empower, facilitate (6)
16 Refreshing drink (4, 3)
18 Plentiful (5)
20 Love intensely (5)
21 Addition sign (4)

ACROSS

1 Mongol ruler (7, 4)
9 Subjugate by cruelty (7)
10 Muggy (5)
11 Twofold (4)
12 Nurse, - - - Nightingale (8)
14 Detect a smell (5)
15 Monastery head (5)
20 Rebellion (8)
22 Acquire, obtain (4)
24 The same (5)
25 Read thoroughly (7)
26 Thick beef steak (11)

DOWN

2 Give details of (7)
3 Expanded (4)
4 Treat with contempt (6)
5 Variety of cabbage (8)
6 Office paperwork (5)
7 Sullen (5)
8 Poisonous snake (5)
13 Branch (8)
16 Aristotle - - -, shipping magnate (7)
17 Information book (5)
18 Hidden gunman (6)
19 Malicious (5)
21 Proportion (5)
23 James Bond film (2, 2)

PUZZLE 155

ACROSS

1 Powerful person (5)
3 Rootless wanderer (7)
6 Slimmer (7)
8 Female goat (5)
10 Rot (5)
11 Pertaining to marriage (7)
14 Washed lightly (6)
15 Missing (6)
17 Chinese capital (7)
20 Reel (5)
21 Massage (dough) (5)
22 Greek goddess (7)
23 Torso part (7)
24 Stocking fabric (5)

DOWN

1 Bullfighter (7)
2 Island in the Bristol Channel (5)
3 Wheat used to make pasta (5)
4 Interior (5)
5 Majestic (5)
7 Bait, lure (9)
9 Known for something bad (9)
12 Agape (4)
13 Yemen port (4)
16 Boris - - -, former Russian president (7)
17 Bread maker (5)
18 Bangladesh's neighbour (5)
19 Literary category (5)
20 Simple fellow? (5)

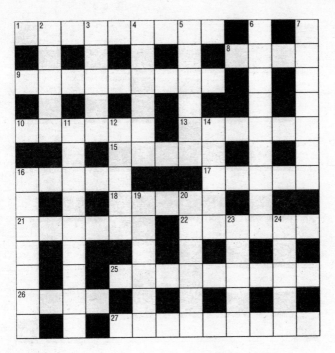

ACROSS

1 Rascal (9)
8 Anxiety (4)
9 Convert (9)
10 Long loose robe (6)
13 Fully developed (6)
15 Garden toy (5)
16 Fall heavily (5)
17 Crop up (5)
18 Embrace (5)
21 Menacingly wild (6)
22 Aniseed-flavoured drink (6)
25 Content (9)
26 Tragic king (4)
27 Pass through (9)

DOWN

2 Short-legged dog (5)
3 Language (slang) (5)
4 Coward's colour? (6)
5 Season (6)
6 Roman soldier (9)
7 Go before (7)
11 The - - -, Agatha Christie stageplay (9)
12 Young persons' charity (inits) (5)
14 Open (5)
16 English county (7)
19 Papal messenger (6)
20 Join (rope) (6)
23 Be relevant (to) (5)
24 Evident (5)

PUZZLE 157

ACROSS

1 Barber? (11)
9 Rent out (5)
10 Peter - - -, snooker player (5)
11 Genetic fingerprints (1, 1, 1)
12 Very fat (5)
13 Fit of temper (7)
15 Capital of Albania (6)
17 Fruit used to make ketchup (6)
20 Julie - - -, comedy actress (7)
23 Small fish (5)
25 River flowing between England and Wales (3)
26 Helicopter engine (5)
27 Fibre made from wood pulp (5)
28 Items needed for cooking (11)

DOWN

2 In the know (5)
3 Girls' public school (7)
4 Turn in a cycle (6)
5 Shiny surface (5)
6 Type of duck (5)
7 British leisure park (5, 6)
8 Petty, trivial (11)
14 Neighbours actor, - - - Oliver (3)
16 Ship's rear (3)
18 Keep an eye on (7)
19 Lee Harvey - - -, alleged killer of President Kennedy (6)
21 British airport (5)
22 Mistake (5)
24 African country (5)

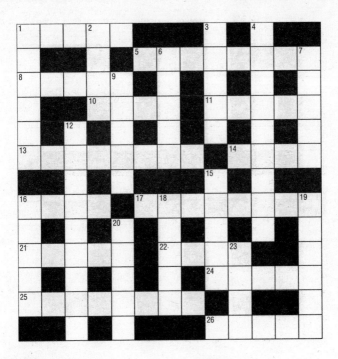

ACROSS

1 Humiliate (5)
5 Dual-purpose specs (8)
8 Dark-coloured (5)
10 Suspended (4)
11 Two times (5)
13 Doggedness (8)
14 Witty saying (4)
16 Cushion material (4)
17 Mediterranean island (8)
21 Condemn (5)
22 Mine entrance (4)
24 Liquor (5)
25 Increased in size (8)
26 Affray (5)

DOWN

1 Kidnap (6)
2 Turban owner (4)
3 Stall, kiosk (5)
4 Cannabis (9)
6 Metal bar (5)
7 Chimney cleaner? (5)
9 House plant (5)
12 Helpless (9)
15 Without preparation (2, 3)
16 Moral story (5)
18 Saying (5)
19 Make an earnest request (6)
20 US chat show host,
   - - - Springer (5)
23 Excursion (4)

PUZZLE 159

ACROSS

1. Type of drum (5)
3. Mauvish-crimson (7)
6. Endurance, strength (7)
8. Small earrings (5)
10. Michael Caine film (5)
11. Dance (3-4)
14. Relatives by marriage (2-4)
15. Airport waiting room (6)
17. Edible shellfish (7)
20. Not asleep (5)
21. Jean - - -, former racing driver (5)
22. Offensive weapon, - - - duster (7)
23. Circus act (7)
24. Expel from property (5)

DOWN

1. Variety of rice (7)
2. Surmise (5)
3. Intended (5)
4. Fervour (5)
5. Greek fable writer (5)
7. Connect, attach (9)
9. Home of West Ham United FC (5, 4)
12. Side of a building (4)
13. Capital of Norway (4)
16. Highest mountain (7)
17. Camber (5)
18. French river (5)
19. Black tea (5)
20. Intense (5)

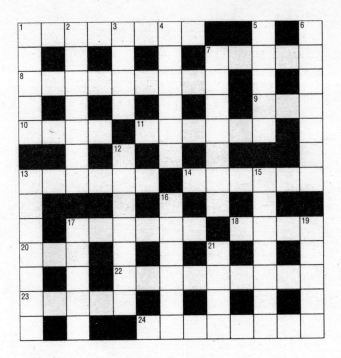

ACROSS

1 Chemist's glass (4, 4)
7 Wintry (5)
8 Lingerie item (9)
9 Collection of   crockery (3)
10 Tooth of a wild boar (4)
11 Of cattle (6)
13 Carbohydrate (6)
14 Project (6)
17 Young unmarried woman (6)
18 Side post of a door frame (4)
20 Regret (3)
22 Coniferous tree (5, 4)
23 Gradient, incline (5)
24 Trainers (8)

DOWN

1 Himalayan region (5)
2 Welsh city (7)
3 Chore, job (4)
4 Inhabitant of Brittany (6)
5 Rhymed lines (5)
6 Bowling pin (7)
7 Cast a spell over (7)
12 Blotting out of the moon (7)
13 Sugar (7)
15 Scrutinise (7)
16 Good reputation (6)
17 Type of gourd (5)
19 Consecrate (5)
21 Gobi Desert's continent (4)

PUZZLE 161

ACROSS

1 Clean with water (4)
3 Single-storey house (8)
9 Climb (5)
10 Lift up (7)
11 Ernie - - -, golfer (3)
13 Give instructions for medication (9)
14 Plaster of Paris ingredient (6)
16 Prompt (6)
18 Mercifully (9)
20 Lout (slang) (3)
22 Fictional detective,- - - Poirot (7)
23 Flower with large spikes (5)
25 Uninhabited and bleak (8)
26 Frilly (4)

DOWN

1 Fail to use properly (5)
2 Spring resort (3)
4 Variable (6)
5 Scottish battleground (7)
6 Encumbrance (9)
7 Saturday and Sunday (7)
8 Castle tower (4)
12 London railway station (2, 7)
14 Arthurian knight who found the Holy Grail (7)
15 Unbalanced (7)
17 Certify (6)
19 Egg part (4)
21 Beautiful (5)
24 Pod vegetable (3)

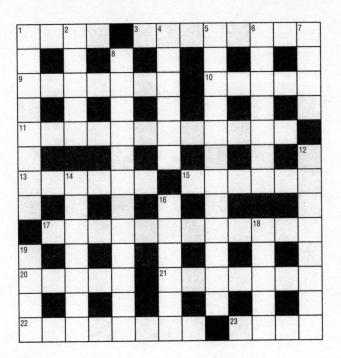

ACROSS

1 West Country town (4)
3 Sleeve fastener (4, 4)
9 Deeds (7)
10 Currency of India (5)
11 Army rank (5, 7)
13 Musical beat (6)
15 Fuss (6)
17 Gwyneth Paltrow film (7, 5)
20 Sheriff's men (5)
21 Crowd controller? (4, 3)
22 Make smaller (8)
23 British actress, - - - Massey (4)

DOWN

1 Scale used to measure wind (8)
2 Name of a book, film etc. (5)
4 Oust (6)
5 Gloucestershire woodland (6, 2, 4)
6 Charge with a crime against the state (7)
7 Eager (4)
8 Barbara Taylor Bradford novel (4, 3, 5)
12 Arm of the Atlantic (5, 3)
14 Former Russian president (7)
16 Becomes one (6)
18 Church instrument (5)
19 Luncheon meat (4)

PUZZLE 163

ACROSS

1 Soft roll (3)
5 Coal scuttle (3)
7 Company directors (5)
9 Flow smoothly (5)
10 Door joint (5)
11 Irish county (5)
12 Grass border along a road (5)
15 Court official (5)
18 Beneficial to the environment (11)
19 Soak in liquid (5)
22 Vanessa - - -,TV host (5)
24 Crowd actor (5)
25 Diving apparatus (5)
26 About (year) (5)
28 Wales (5)
29 Greendale's postman (3)
30 Self-conscious (3)

DOWN

1 Plead (3)
2 Before (5)
3 Corpulent (5)
4 For a specific purpose (2, 3)
5 Capital of Vietnam (5)
6 Female rabbit (3)
8 Endlessly (2, 9)
13 Expel (5)
14 Spherical map of the world (5)
16 Narrow hilltop (5)
17 African country (5)
20 Break out (5)
21 Tranquillity (5)
22 Football competition (1, 1, 3)
23 Cricket ground (5)
25 Have food (3)
27 Yentl actress, - - - Irving (3)

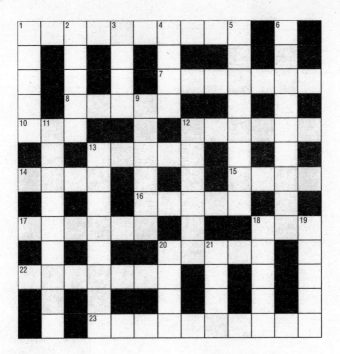

ACROSS

1 US music hall (10)
7 Canadian province (7)
8 Love (5)
10 Trouble (3)
12 Open savoury tart (6)
13 Greek island (5)
14 Hospital snap (1-3)
15 Food critic,- - - Ronay (4)
16 Pungent (5)
17 Fisherman (6)
18 Rugby score (3)
20 Execute illegally (5)
22 Hair washing preparation (7)
23 Bedtime garment (10)

DOWN

1 Holiday home (5)
2 Common (5)
3 Reflected sound (4)
4 Cartoon locomotive, - - - the Engine (4)
5 Looked at closely (8)
6 Person next door (9)
9 Violent disturbance (6)
11 Pakistan cricketer (5, 4)
12 Strange in an unexpected way (6)
13 Flowering plant (8)
18 Herb used in cooking (5)
19 The Winding Stairpoet (5)
20 Scottish lake (4)
21 Want (4)

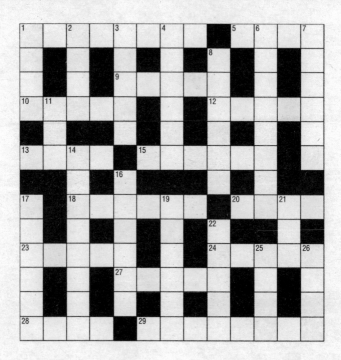

ACROSS

1 Ecstatic (8)
5 Chances (4)
9 Funeral song (5)
10 Drag along the ground (5)
12 Demon, devil (5)
13 Former German chancellor (4)
15 Loose garment (6)
18 Mel - - -,film star (6)
20 Waxed cheese (4)
23 Express contempt (5)
24 Occupation (5)
27 Obvious (5)
28 Mark as correct (4)
29 Delightful (8)

DOWN

1 Start (a computer) (4)
2 Hebridean island (4)
3 Unfortunately (5)
4 TV presenter, - - - Jonsson (6)
6 Cheapened (8)
7 Conquer, beat (6)
8 Disprove (6)
11 River, - - - Grande (3)
14 Clean (8)
16 King of the fairies (6)
17 Begrudge (6)
19 Insult (6)
21 As well as (3)
22 Say something (5)
25 Desert dweller (4)
26 Comfort (4)

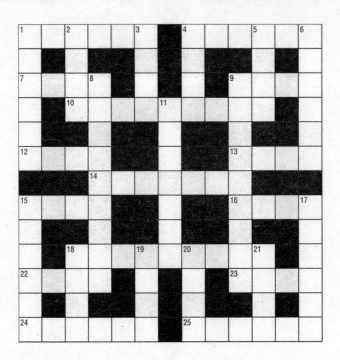

ACROSS

1 Easy, graceful (6)
4 TV antenna (6)
7 At a distance (4)
9 Sudden quick movement (4)
10 Day before All Saints' Day (9)
12 Therefore (4)
13 Trick (4)
14 Remarkable (7)
15 Disorderly retreat (4)
16 Pad of cotton wool (4)
18 Pirate (9)
22 Practise boxing (4)
23 Stupid fellow (4)
24 Small freshwater fish (6)
25 Centre (6)

DOWN

1 Man engaged to be married (6)
2 D-Day beach (4)
3 Follow closely (4)
4 Declare frankly (4)
5 Tehran's country (4)
6 Small (6)
8 Storyteller (9)
9 Dispirited (9)
11 Jilly Cooper novel (7)
15 Money paid to free a prisoner (6)
17 Fight (6)
18 Farm building (4)
19 Masticate (4)
20 Average level of achievement (4)
21 Public highway (4)

PUZZLE 167

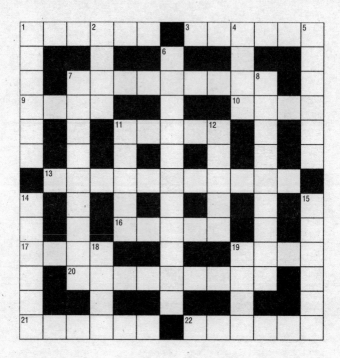

ACROSS

1 Appearance (6)
3 French art gallery (6)
7 Pomegranate juice syrup (9)
9 Scamper away (4)
10 Later (4)
11 Fearless, daring (5)
13 Distracted (11)
16 Salivate (5)
17 Ceremony (4)
19 Long narrow cut (4)
20 High-spirited (9)
21 Food cupboard (6)
22 Nullify (6)

DOWN

1 Crafty, cunning (6)
2 Republic of Ireland (4)
4 Arm bone (4)
5 Of a racial group (6)
6 Elite soldier (11)
7 Develop from a seed (9)
8 Final outcome (3, 6)
11 Raise, bring up (5)
12 Surpass (5)
14 Small crustacean (6)
15 Condition (6)
18 Depart (4)
19 Cosy (4)

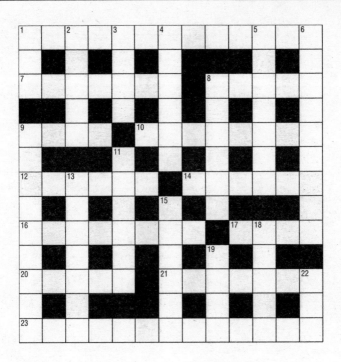

ACROSS

1 Condiment (6, 7)
7 Bedding plant (7)
8 Small oar (5)
9 Very curious (4)
10 Occur at the same time (8)
12 Scottish loch (6)
14 Italian holiday resort (6)
16 Speed control device (8)
17 German river (4)
20 Cry of a horse (5)
21 Richard Gere musical (7)
23 Former Coronation Street actress (9, 4)

DOWN

1 Male sheep (3)
2 Saying (5)
3 Slight colour (4)
4 Loud horn (6)
5 American escapologist (7)
6 Reduce to powder (9)
8 Cage for sent-off sportsmen (3, 3)
9 Suddenly (3, 2, 4)
11 Grab (6)
13 Gin and vermouth cocktail (7)
15 Hackneyed phrase (6)
18 Woolly mammal (5)
19 Express a desire (4)
22 Possess (3)

PUZZLE 169

ACROSS

1 Small bag (5)
3 Hunting dog (7)
6 Eccentric person (7)
8 Safari beast? (5)
10 Similar (5)
11 Fear (7)
14 Fasten, affix (6)
15 Enclosure for birds (6)
17 Publicise (7)
20 Legendary king (5)
21 Rafael - - -, Spanish tennis player (5)
22 Word of opposite meaning (7)
23 Versus (7)
24 Footballer,- - - Lampard (5)

DOWN

1 In proportion (3, 4)
2 Lift with great effort (5)
3 Bohemian dance (5)
4 Home of Glasgow Rangers (5)
5 Spacious (5)
7 Floating timber (9)
9 Beautiful but aloof woman (3, 6)
12 Beside (4)
13 Increase (appetite) (4)
16 Muslim veil (7)
17 Black and white 'bear' (5)
18 Man-made fibre (5)
19 Accurate (5)
20 Theme (5)

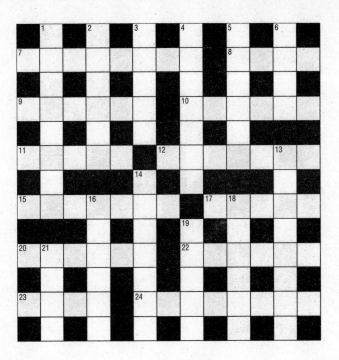

ACROSS

7 Flying ace (3, 5)
8 As well (4)
9 Intricately decorated (6)
10 Actress,- - - Goldberg (6)
11 Barely sufficient (5)
12 Nuclear submarine (7)
15 Confines (7)
17 Ancient souvenir (5)
20 Motionless (6)
22 Angora wool (6)
23 Ability (4)
24 Merciless (8)

DOWN

1 Petrol container (5, 3)
2 Get, acquire (6)
3 Welcome (5)
4 Solutions (7)
5 Neighbours character, - - - Bishop (6)
6 Please reply (inits) (4)
13 Loudest (8)
14 Legendary creature (7)
16 Extensive private property (6)
18 Breathe out (6)
19 Unoccupied (5)
21 Make a mistake (4)

PUZZLE 171

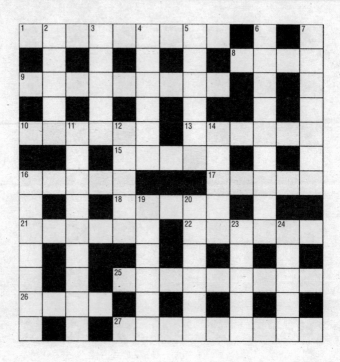

ACROSS

1 Cryptic (9)
8 Dressmaking fold (4)
9 Nicolas Cage film,- - - in Vegas (9)
10 Court clown (6)
13 In prison (slang) (6)
15 Pilgrim city (5)
16 Interlace (5)
17 Utter (5)
18 Theatrical entertainment (5)
21 Cheerio! (3-3)
22 Gary - - -, golfer (6)
25 Napoleon's wife (9)
26 Easy jogging pace (4)
27 Answers (9)

DOWN

2 Hangman's knot (5)
3 Welsh county (5)
4 Regard with pleasure (6)
5 Sarcastic (6)
6 Promotion (9)
7 George Formby's instrument (7)
11 Actor's entrance (5, 4)
12 Board used for shaping nails (5
14 Belly button! (5)
16 Internet address (7)
19 Winnie the Pooh character (6)
20 Maintenance (6)
23 Pale with shock (5)
24 Eric Morecambe's wise partner! (5)

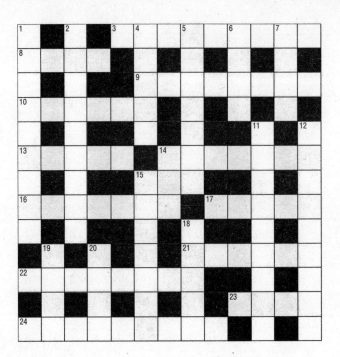

ACROSS

3 Clothes collected by a bride for her marriage (9)
8 Strike with the foot (4)
9 Convince (8)
10 Rush (6)
13 Ornamental mat (5)
14 Shake, tremble (7)
15 Child's bed (3)
16 Downwind (7)
17 Quick, nimble (5)
21 Electricity generator (6)
22 Direct (8)
23 Scheme (4)
24 Political policy (9)

DOWN

1 Scram! (9)
2 Praised publicly (9)
4 Become mature (5)
5 Erect (7)
6 Potato? (4)
7 Assistant, helper (4)
11 Versatile (9)
12 Racing dog (9)
14 Piece of turf (3)
15 Vigorous campaign (7)
18 Accomplished (5)
19 US space agency (inits) (4)
20 Mary Quant skirt (4)

PUZZLE **173**

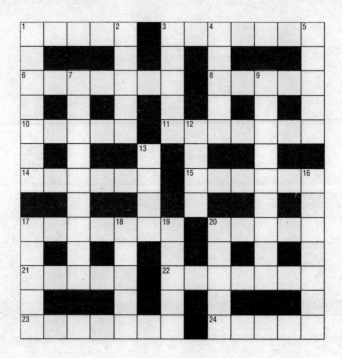

ACROSS

1 Dancer, - - - Sleep (5)
3 The Mother of all Battles? (4, 3)
6 Wallpaper remover (7)
8 Refund (5)
10 Entrails (5)
11 Track competitor (7)
14 Fierce verbal attack (6)
15 Seamstress's tool (6)
17 English veined cheese (7)
20 A Fish Called - - -, film (5)
21 Musketeer's name (5)
22 Plunge headlong (7)
23 East London borough (7)
24 Ventriloquist's doll (5)

DOWN

1 Total failure (4, 3)
2 Drive out (5)
3 Irish police force (5)
4 Coniferous tree (5)
5 Poetry (5)
7 Renovate (9)
9 Author's fictitious name (9)
12 Melody (4)
13 Reject (4)
16 Precisely (7)
17 Cut wildly (5)
18 Cathy - - -, actress (5)
19 Object worn by a baby (5)
20 Harm, hurt (5)

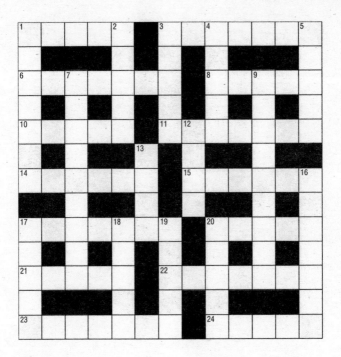

ACROSS

1 Jam ingredient (5)
3 Pope's palace (7)
6 Alike (7)
8 Decorate (5)
10 Power line support (5)
11 Ability to understand (7)
14 Item of crockery (6)
15 Alcoholic drink (6)
17 Slight indication (7)
20 Skinflint (5)
21 Cub scout leader (5)
22 Examine in depth (7)
23 Built (7)
24 Pleasure boat (5)

DOWN

1 Pedantic person (7)
2 Sharply hooked claw (5)
3 Enthusiasm (5)
4 Gentleman of the road (5)
5 Female goat (5)
7 Largest city in Wisconsin (9)
9 James Bond film (9)
12 Silent, speechless (4)
13 Rotate, whirl (4)
16 The Importanceof Being - - -,
stage play (7)
17 Furious (5)
18 Not suitable (5)
19 Watch over, protect (5)
20 Full of interest (5)

PUZZLE 175

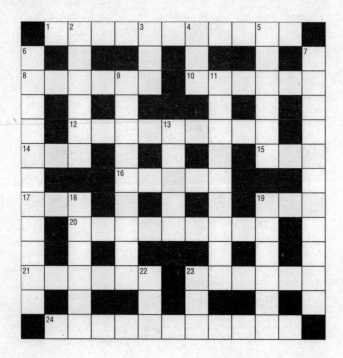

ACROSS

1 Good chance (11)
8 Servant (6)
10 Flammable gas (6)
12 Variable working hours (9)
14 Sneaky (3)
15 Steal from (3)
16 Cunning (5)
17 Senior citizen (1, 1, 1)
19 Large body of water (3)
20 Lively (9)
21 Peer with half-closed eyes (6)
23 Spanish dictator (6)
24 Financial support (11)

DOWN

2 Soothe, calm (6)
3 Beam of light (3)
4 Put into service (3)
5 Dealer (6)
6 Magician (11)
7 Beano (11)
9 Tree that keeps its leaves all year (9)
11 Three-month period (9)
13 Sugar coating on top of cakes (5)
18 Singer,- - - Clark (6)
19 Picturesque (6)
22 Measure of alcohol (3)
23 Flooded area of land (3)

ACROSS

1 Item of furniture (7)
5 In the countryside (5)
8 Digging tool (5)
9 Solicit votes (7)
10 Not included (7)
11 Laud (5)
12 Academic essay (6)
14 Blunder (4, 2)
17 Inspector played by John Thaw (5)
19 Unpredictable (7)
22 Leper (7)
23 British film and TV award (5)
24 Distinct smell (5)
25 Undertake (7)

DOWN

1 Musical party (5)
2 Elusive (7)
3 Piece of paper (5)
4 Ebb (6)
5 Ruth - - -, crime writer (7)
6 Respond (5)
7 Final part of a race (4, 3)
12 Fete attraction (7)
13 Japanese flower arrangement (7)
15 Pathetic (7)
16 Greyish metal (6)
18 Proportion (5)
20 Visual riddle (5)
21 Short-lived fashion (5)

PUZZLE 177

ACROSS

1   Old gold coin (8)
7   Estimate (5)
8   Alec Stewart, eg (9)
9   Musical note (3)
10 Space in a house (4)
11 Organ of taste (6)
13 New name for Bombay (6)
14 Tall cylindrical headgear (3, 3)
17 Ceremonialbehaviour (6)
18 Cease (4)
20 Engage in winter sports (3)
22 Painful inflammation of the joints (9)
23 Straighten up (5)
24 Amicable (8)

DOWN

1   Interior design (5)
2   Set of clothes worn by soldiers etc. (7)
3   Be fond of (4)
4   Selection, choice (6)
5   Closely packed (5)
6   Road-making material (7)
7   Simon - - -, Corrie actor (7)
12 Alien invader? (7)
13 Saviour (7)
15 Plagued (7)
16 Minister (6)
17 Stiff (5)
19 Flavoursome (5)
21 Correct (4)

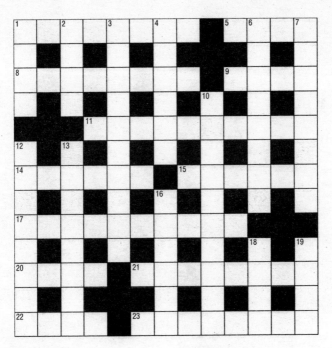

ACROSS

1 Hive insect (5, 3)
5 Ukrainian city (4)
8 Freedom from prosecution (8)
9 Scorch (4)
11 In general (2, 3, 5)
14 Crush (6)
15 Sprinter (6)
17 Inconceivably large (10)
20 Pip (4)
21 Layered Italian dessert (8)
22 John - - -, British architect (4)
23 Dark grey fur (8)

DOWN

1 Question (4)
2 Television award (4)
3 First female MP (5, 5)
4 Degree (6)
6 Intrinsic (8)
7 Part of the spine (8)
10 Light up (10)
12 Hired killer (8)
13 Cattle thieves (8)
16 Small block marked with dots (6)
18 Unwell (4)
19 Scottish stream (4)

PUZZLE 179

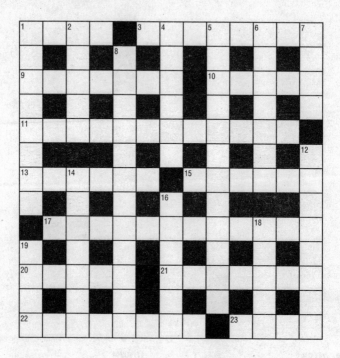

ACROSS

1 Dull grey metal (4)
3 Leaflet (8)
9 Humiliate (7)
10 Horrible (5)
11 First day of Lent (3, 9)
13 Tusked seal (6)
15 Popular 'whodunit' board game (6)
17 Ceased (12)
20 Love Actually actress, - - - Linney (5)
21 Muslim leader (3, 4)
22 Dickens character, - - - Scrooge (8)
23 Thomas - - -, Rule Britannia composer (4)

DOWN

1 African country (8)
2 Point opposite south (5)
4 No matter who (6)
5 Brookside actor (4, 8)
6 Fill with air (7)
7 Flowering plant (4)
8 Credit agreement (4, 8)
12 Abridge (8)
14 Free time (7)
16 Incense (6)
18 Attendant (5)
19 Smoke duct in a chimney (4)

ACROSS

1. Rastafarian hairstyle (10)
7. Eel-like fish (7)
8. Ridiculous (5)
10. Millinery item (3)
12. Country, capital Belgrade (6)
13. Sweet treat (5)
14. Attractive (4)
15. Unfortunately (4)
16. Peter - - -, snooker player (5)
17. Trusted adviser (6)
18. Type of lettuce (3)
20. Computer letter (1-4)
22. Space to stretch out? (7)
23. Tailed amphibian (10)

DOWN

1. Trench (5)
2. Live (5)
3. Telephone part (4)
4. Slippery with grease (4)
5. Clark Kent? (8)
6. Gilbert and Sullivan operetta (3, 6)
9. Boarder (6)
11. Pastime (9)
12. Not often (6)
13. Newspaper articles (8)
18. Former Welsh county (5)
19. Precipitous (5)
20. Harry Potter actress, - - - Watson (4)
21. Quality of a person (4)

PUZZLE 181

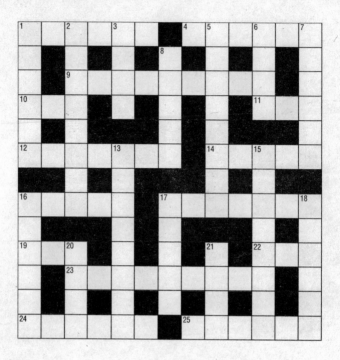

ACROSS

1 Blanket-like cloak (6)
4 Belgian port (6)
9 Calms (9)
10 Local boozer (3)
11 Sixth sense? (1, 1, 1)
12 Hunting dog (7)
14 Abolish (5)
16 South American mountain range (5)
17 Senior pupil (7)
19 Reigning king (3)
22 Tell porkies? (3)
23 Bob - - -, late comedian (9)
24 Judge the worth (6)
25 Gruesome (6)

DOWN

1 Drive forward (6)
2 Totalled (8)
3 Hawaiian dance (4)
5 Trunk (8)
6 Gaelic (4)
7 Clear (6)
8 Jockey (5)
13 Sussex seaside town (8)
15 Unnecessary (8)
16 Nigeria's continent (6)
17 Demanding (5)
18 A score (6)
20 Yuletide (4)
21 Cat noise (4)

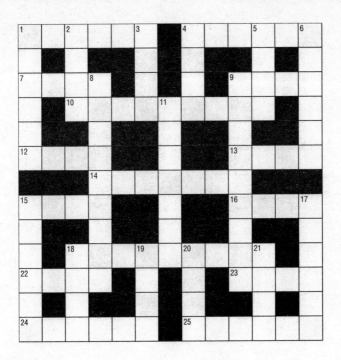

ACROSS

1 Monty - - -, TV sketch show (6)
4 Appalling (6)
7 Rove (4)
9 Shawl (4)
10 Policeman's baton (9)
12 Bowl (4)
13 Aberdeen airport (4)
14 Make use of (7)
15 Poke (4)
16 Exposed (4)
18 Former Soviet president (9)
22 Avoid (4)
23 Measure of medicine (4)
24 Quit work (6)
25 Seem (6)

DOWN

1 Aniseed-flavoured drink (6)
2 Top of a feeding bottle (4)
3 Midday (4)
4 Piffle (4)
5 Nan (4)
6 Money order (6)
8 Sherlock Holmes' housekeeper (3, 6)
9 Abridged (9)
11 London football club (7)
15 Ship's officer (6)
17 Captivate (6)
18 Blast of wind (4)
19 Wait patiently (4)
20 Carbonated beverage (4)
21 Take part in an election (4)

PUZZLE 183

ACROSS

1 Strict (4, 3, 4)
9 Secretly flee (7)
10 Large wall painting (5)
11 Inter (4)
12 Rich, wealthy (8)
14 Bruce Lee film, - - - the Dragon (5)
15 Beer (5)
20 Flood (8)
22 Tailless amphibian (4)
24 Alain - - -, Grand Prix driver (5)
25 First letter of a name (7)
26 Home of Newcastle United (2, 5, 4)

DOWN

2 Loser (4-3)
3 Let fall (4)
4 Doze (3, 3)
5 Well-known (8)
6 Strong rolling movement (5)
7 Perhaps (5)
8 Polish currency (5)
13 Feud, quarrel (8)
16 Prior (7)
17 Large African animal? (5)
18 Fine clothes (6)
19 Sprightly (5)
21 German submarine (1-4)
23 Floppy (4)

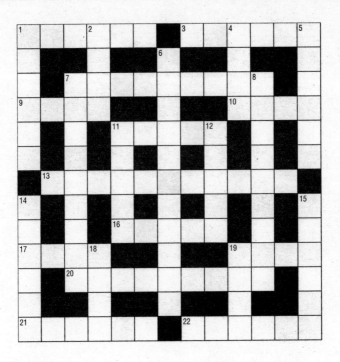

ACROSS

1 Attack violently (6)
3 Pester (6)
7 Route-planner (9)
9 Stepped layer (4)
10 Nothing! (4)
11 Small woody plant (5)
13 Hotel booking (11)
16 Metric measure (5)
17 Softly-spoken actor, - - - Baldwin (4)
19 Emblem (4)
20 After-school punishment (9)
21 Decorative garden building (6)
22 Floral tribute (6)

DOWN

1 Area around the North Pole (6)
2 Slightly open (4)
4 Crazy person (4)
5 Strategic ploy (6)
6 Irritating (11)
7 Disregarded (9)
8 Irish county (9)
11 Expand (5)
12 Have a soak (5)
14 Beverage sachet (3, 3)
15 Unruffled (6)
18 Yield (4)
19 Solitary (4)

PUZZLE 185

ACROSS

1 Sudden pull (4)
4 Andre - - -, tennis player (6)
8 Flamboyant American pianist (8)
9 Annoying child (4)
10 Former Israeli prime minister,
   - - - Meir (5)
11 Forever (7)
13 Poorly made (6)
15 List (6)
17 Seasoned sausage (7)
19 Publish (5)
22 Rough fibre (4)
23 Rubble-filled pit for rainwater (8)
24 Thomas - - -, inventor (6)
25 Wide boy, black marketeer (4)

DOWN

2 Friend (5)
3 Worked (dough) (7)
4 Type of gelatine (4)
5 Hole (8)
6 Serious (5)
7 Harm (6)
12 Summary (8)
14 Break (6)
16 Exceed (7)
18 Remove faults from (5)
20 Military shop (inits) (5)
21 Caution (4)

ACROSS

1 Indian religion (5)
3 Self-admirer (7)
6 Glorious - - -, start of grouse shooting (7)
8 Garden ornament (5)
10 Stupid person (5)
11 Back away (7)
14 County town of Devon (6)
15 Habit, practice (6)
17 Greek wine (7)
20 Temptress (5)
21 Soft brushed leather (5)
22 Authorise (7)
23 Sordid (7)
24 House plant (5)

DOWN

1 Direct telephone link (7)
2 Out of condition (5)
3 Old anaesthetic (5)
4 Should (5)
5 Stealing (5)
7 Middle of an earthquake (9)
9 Topple (a dictator) (9)
12 Engrave with acid (4)
13 Smile (4)
16 Spanish holiday island (7)
17 Loving gift (5)
18 Just right (5)
19 In the lead (5)
20 Oversentimental (5)

PUZZLE 187

ACROSS

7 Creator (8)
8 Outdoor swimming complex (4)
9 Guard, warden (6)
10 Go aboard ship (6)
11 Tied (5)
12 Characteristic speech of a district (7)
15 Red - - -, butterfly (7)
17 Sculptor, - - - Epstein (5)
20 The East (6)
22 Top quality (6)
23 Hired car (4)
24 Telephone exchange worker (8)

DOWN

1 Former TV newscaster (4, 4)
2 Setting agent in ripe fruit (6)
3 Glare (5)
4 Deadly poison (7)
5 Worldwide (6)
6 Sussex river (4)
13 Old-time weapon (8)
14 Comical drawing (7)
16 Spain and Portugal (6)
18 Book published once a year (6)
19 Proposal (5)
21 Bellow (4)

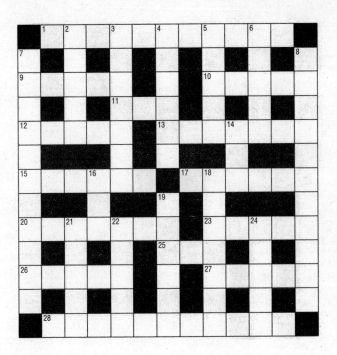

ACROSS

1 Sympathetic (4-7)
9 Terence - - -, film star (5)
10 Suds, bubbles (5)
11 Formal poem (3)
12 Bottomless pit (5)
13 Arid, dry (7)
15 Lightly built (6)
17 Jungle Book character (6)
20 Reserve fund (4, 3)
23 Nearby pub (5)
25 Spoon bender, - - - Geller (3)
26 Weary (5)
27 Meat substitute (5)
28 Welsh market town (11)

DOWN

2 Football World Cup winners (2006) (5)
3 Set down (7)
4 Not including (6)
5 Speak of (5)
6 Notable period of time (5)
7 Murder (11)
8 American state (5, 6)
14 Calf's mother (3)
16 Allow (3)
18 Slanting (7)
19 Large lizard (6)
21 Clean with a brush (5)
22 Northern duck (5)
24 Regal headwear (5)

PUZZLE 189

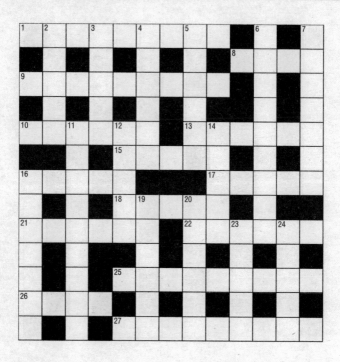

ACROSS

1 Lead from the front (9)
8 Orderly (4)
9 Tequila cocktail (9)
10 Wooden vessel (6)
13 Bond film,- - - Royale (6)
15 Onion-like vegetables (5)
16 Deep sadness (5)
17 Tenant's document (5)
18 Fireplace (5)
21 Purify (6)
22 Again, anew (6)
25 Happening now (9)
26 Body part (4)
27 Turning point (9)

DOWN

2 Open square (5)
3 Wrath (5)
4 Move rapidly (6)
5 Launch a physical assault on (6)
6 Convert (assets) into cash (9)
7 Hurricane (7)
11 Strengthen (9)
12 Pixie-like, delicate (5)
14 Railway union (inits) (5)
16 Item of clothing (7)
19 Star cluster (6)
20 Hugh - - -, House star (6)
23 Ladder treads (5)
24 Decipher (5)

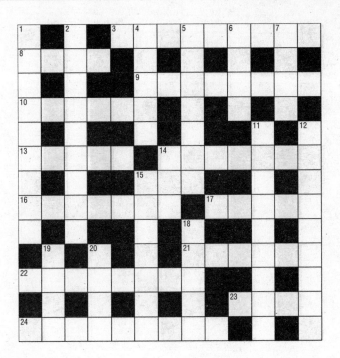

ACROSS

3 Lake (9)
8 Mastermind host, - - - Humphrys (4)
9 Qualified (8)
10 Weaken, damage (6)
13 Indian dish of rice and meat (5)
14 Join together (7)
15 Quip (3)
16 Remote settlement (7)
17 Tremble, shake (5)
21 Arduous, testing (6)
22 Exaggerated fuss (8)
23 Strong desire (4)
24 Got in touch with (9)

DOWN

1 US footballer acquitted of murder (1, 1, 7)
2 Small sausage (9)
4 All possible (5)
5 Issue (7)
6 Layer of mineral (4)
7 Work-shy (4)
11 Exceedingly funny (9)
12 Tanzania National Park (9)
14 Laceration (3)
15 Clairvoyant, telepathic (7)
18 Make amends (5)
19 Milk pudding (4)
20 Overabundance (4)

PUZZLE **191**

ACROSS

1 Improve (5)
4 Without rehearsal (2, 3)
10 Single-masted vessel (5)
11 Convinced (7)
12 Photographer's place of work (8)
13 Great enthusiasm (4)
15 Capital of Trinidad (4, 2, 5)
19 Put out of sight (4)
20 Cumbrian city (8)
23 Absurd pretence (7)
24 Ascended (5)
25 Colloquial saying (5)
26 Stringed instrument (5)

DOWN

2 Smell (5)
3 Divide (8)
5 Computer floppy (4)
6 Native of Tel Aviv? (7)
7 Stage whisper (5)
8 Disguised (11)
9 Mature person (5)
14 Mickey - - -, crime writer (8)
16 Children's card game (3, 4)
17 Chess move (5)
18 Gauge (5)
21 Group of fish (5)
22 Wooden skirting board (4)

ACROSS

1 Pretend (5)
3 Energetic (7)
6 Small crown (7)
8 Do without (5)
10 Vitality (5)
11 Epic Greek poem (7)
14 Over there (6)
15 Knowledge (6)
17 Extract from a book (7)
20 Soviet revolutionary (5)
21 Scandinavian (5)
22 Richly extravagant (7)
23 Organise (7)
24 Wonderful (5)

DOWN

1 Manufacturing workplace (7)
2 Beethoven's last symphony (5)
3 Likewise (5)
4 Quick, agile (5)
5 Friend, companion (5)
7 Call to mind (9)
9 Home (9)
12 Daybreak (4)
13 Garden basket (4)
16 Charlize Theron film (7)
17 Italian foodstuff (5)
18 Bertie - - -, Irish PM (5)
19 Summon up (5)
20 The X Factor judge, - - - Walsh (5)

PUZZLE 193

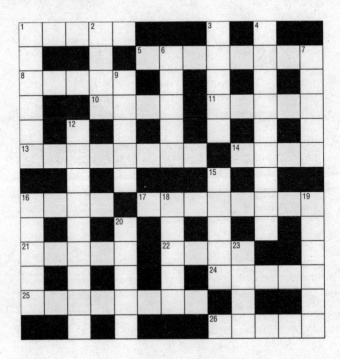

ACROSS

1 Poise (5)
5 Tennessee - - -, US playwright (8)
8 Pick-me-up (5)
10 Combination of resources (4)
11 Dish (5)
13 Gambling game (8)
14 Magnitude (4)
16 Hilary - - -, former Cabinet minister (4)
17 Demote (8)
21 Celebration, party (5)
22 Hop-drying kiln (4)
24 Wear away (5)
25 Enrolled (8)
26 Allow in (5)

DOWN

1 Rainwater trough (6)
2 Prune with shears (4)
3 Nodded off (5)
4 Ardent (9)
6 Bay, cove (5)
7 Picture (5)
9 Object orbiting the sun (5)
12 Revolving platform (9)
15 Web-footed long-necked birds (5)
16 Holy book (5)
18 Flee to marry (5)
19 First sovereign of all England (6)
20 Browned bread (5)
23 Stepped (4)

ACROSS

1 Water tank (7)
5 Canal craft (5)
8 Bring to an end (5)
9 Persecute (7)
10 Accounts examiner (7)
11 Greek letter (5)
12 Thread (6)
14 Oval-shaped nut (6)
17 Large gimlet (5)
19 Animosity (3, 4)
22 Rubbish (7)
23 Alliance (5)
24 Cooking stove (5)
25 Classic (7)

DOWN

1 Bedtime drink? (5)
2 Spoken defamation (7)
3 Choose by ballot (5)
4 Contract writer (6)
5 Nocturnal bird of prey (4, 3)
6 Blusher (5)
7 May birthstone (7)
12 Walk unsteadily (7)
13 Recount (7)
15 Opening (7)
16 Picture-house (6)
18 Tennis player, - - - Ivanisevic (5)
20 Parasitic insect (5)
21 Golf course (5)

PUZZLE 195

ACROSS

1 Root vegetable (8)
7 Condescend (5)
8 British businessman (4, 5)
9 Also (3)
10 Hunted animal (4)
11 Perceptive (6)
13 Rotten and foul-smelling (6)
14 Dairy product (6)
17 Soak up (a liquid) (6)
18 Bunch of feathers (4)
20 Physical training room (3)
22 Clear from guilt (9)
23 Horseman's spear (5)
24 Television news and information service (8)

DOWN

1 Hem in (5)
2 Thinnest (7)
3 Hurry (4)
4 Dignified and imposing (6)
5 Skiing slope (5)
6 Compel (7)
7 Current of air (7)
12 Letter (7)
13 Horizontal trellis (7)
15 Teach (7)
16 Charlotte - - -, novelist (6)
17 In the midst of (5)
19 English river (5)
21 Judicious (4)

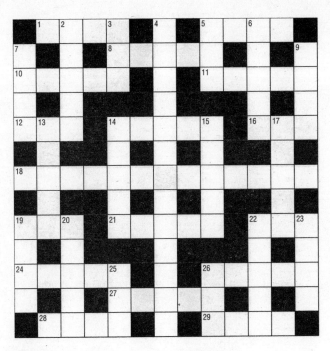

ACROSS

1 Charge for travel (4)
5 Vagrant (4)
8 Muslim woman's garment (5)
10 Hydrogen weapon (1-4)
11 Express sorrow for the dead (5)
12 Small cushion (3)
14 Show to be true (5)
16 Cut grass (3)
18 Cromwell's title (4, 9)
19 Comedy great, - - - Dawson (3)
21 Tall (5)
22 Darn (3)
24 Speech pattern (5)
26 Chunk of wood, thicker at one end (5)
27 Large daisy (5)
28 Sketched (4)
29 Star - - -, TV sci-fi programme (4)

DOWN

2 Audibly (5)
3 Recede (3)
4 Screw? (6, 7)
5 Amateur radio operator (3)
6 Branch of a tree (5)
7 Bloke (4)
9 Resentment (4)
13 Higher (than) (5)
14 Of the pope (5)
15 Foe (5)
17 Worship (5)
19 Popular board game (4)
20 Ringo - - -, Beatles member (5)
22 Move in a furtive manner (5)
23 At what time? (4)
25 Deep in pitch (3)
26 Soaked (3)

PUZZLE **197**

ACROSS

1 Pattern (8)
5 Coarse file (4)
8 Warship (8)
9 Rabbit-like creature (4)
11 Surrounding air (10)
14 Put into custody (6)
15 Drive at a constant speed (6)
17 Despotic (10)
20 Movie (4)
21 Voting age (8)
22 Liquid loss (4)
23 Rule over (4, 4)

DOWN

1 Skill in avoiding giving offence (4)
2 Nothing more than (4)
3 Army officer (10)
4 Drawing on the skin (6)
6 University don (8)
7 Went before (8)
10 Drew near (10)
12 Honest (8)
13 Rain protector (8)
16 Japanese form of self-defence (6)
18 Cat's cry (4)
19 Simply (4)

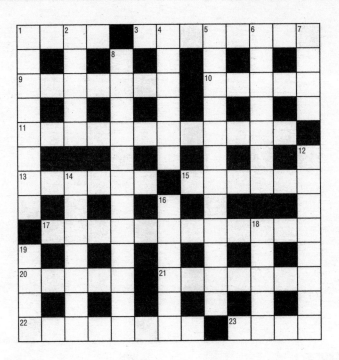

ACROSS

1 Cheque counterfoil (4)
3 Thrashing (8)
9 Loud and disorderly (7)
10 Go over the main points (5)
11 Astonishing (4-8)
13 Yearned (6)
15 Moderate wind (6)
17 Comedy actor (6, 6)
20 Calvin - - -, fashion designer (5)
21 Kiev's country (7)
22 Professional performers (8)
23 Coloured (4)

DOWN

1 Rough walk (8)
2 Reversal of political policy (1-4)
4 Give up a job (6)
5 Intruder deterrent (7, 5)
6 Enrage (7)
7 Open-mouthed stare (4)
8 Paving pebbles (12)
12 Mattress support (8)
14 Closest (7)
16 Take out a policy (6)
18 Deafening (5)
19 Gumbo (4)

PUZZLE 199

ACROSS

1 Wait (4)
4 Cancel out (7)
9 Alien craft (1, 1, 1)
10 Month (5)
11 Italian city (5)
12 Diseased tree? (3)
13 Quaintly amusing (5)
15 Heathrow, eg (7)
17 Vigour, vitality (6)
19 Nervous (2, 4)
23 Necklace (7)
26 Be relevant (5)
29 Not at home (3)
30 Book of maps (5)
31 Ambassador (5)
32 Greek island (3)
33 Convent (7)
34 Carry (4)

DOWN

2 Body trunk (5)
3 Christmas cake (4, 3)
4 Architect, - - - Foster (6)
5 Ring-tailed mammal (5)
6 Inuit's ice hut (5)
7 Chinese river (7)
8 Hospital area (4)
14 Sprinted (3)
16 Edgar Allan - - -, US author (3)
17 Make clear (7)
18 Relieve (of) (3)
20 Tidiest (7)
21 Congeal (3)
22 Thickset (6)
24 Stocking fabric (5)
25 Cinema gangway (5)
27 Pin supporting thing that turns (5)
28 Stringed toy (2-2)

ACROSS

1 Study of handwriting (10)
7 Park wardens (7)
8 Rung of a ladder (5)
10 Sheltered side (3)
12 Surprise attack (6)
13 Companies' vehicles (5)
14 Riverbank rodent (4)
15 Nautical shout (4)
16 Of the sun (5)
17 Interfere with (6)
18 Bottom of the sea (3)
20 Mix, fuse (5)
22 Pepper sauce (7)
23 Veteran film director (3, 7)

DOWN

1 Cross-examine (5)
2 Die down (5)
3 Healthy, robust (4)
4 Rendered pig fat (4)
5 Cartoon grizzly! (4, 4)
6 Prediction of the future (9)
9 Comfortable (2, 4)
11 Free from blame (9)
12 Clement - - -, former Labour PM (6)
13 Returned signal (8)
18 Light brown (5)
19 Satan (5)
20 Heathland (4)
21 Diana - - -, Motown singer (4)

PUZZLE 201

ACROSS

1 Stevie - - -, American musician (6)
4 Needing immediate attention (6)
9 Stubborn (9)
10 Distant (3)
11 Faucet (3)
12 Customary (7)
14 Very wet (5)
16 Game of chance (5)
17 Proceed from a source (7)
19 Invite (3)
22 Fleetwood - - -, rock group (3)
23 Original inhabitant of Australia (9)
24 Currency of Israel (6)
25 Building material (6)

DOWN

1 Hi-fi speaker (6)
2 Colourless gas (8)
3 Fish-eating eagle (4)
5 Old name for Zimbabwe (8)
6 Sunrise direction (4)
7 Sporting prize (6)
8 Comb, hunt (5)
13 Escape clause? (8)
15 Lake District village (8)
16 Training bullets (6)
17 Fit out (5)
18 Accompany (6)
20 Television journalist, - - - Adie (4)
21 Travel on a horse (4)

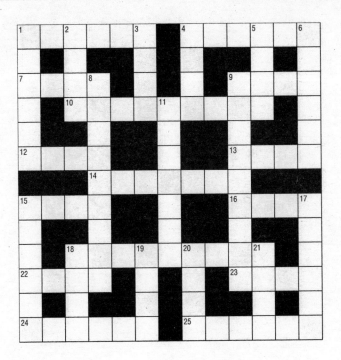

ACROSS

1 Forge (6)
4 Religion founder (6)
7 Ethnic group (4)
9 Splendid display (4)
10 Military alertness! (9)
12 Couple (4)
13 Innocent (4)
14 Small toy (7)
15 Pre-Euro Italian currency (4)
16 Sporting group (4)
18 Physical comedy (9)
22 Submit (4)
23 Ship's support (4)
24 Harry Potter actor, - - - Grint (6)
25 Down at heel (6)

DOWN

1 Meryl - - -, Postcards from the Edge actress (6)
2 Ancient king of Peru (4)
3 Christmas (4)
4 Throb rhythmically (4)
5 Celine - - -, Canadian singer (4)
6 Mountain plant (6)
8 Forever (9)
9 Nonsense (9)
11 Greek goddess (7)
15 Human resources (6)
17 Grass crop (6)
18 Ooze, percolate (4)
19 Gasp for breath (4)
20 Throw up, lob (4)
21 Edging stone (4)

PUZZLE **203**

ACROSS

1   Bring about peace (4, 3, 4)
9   Expelled from a property (7)
10 Thick sweet liquid (5)
11 Necklace decoration (4)
12 Clothing for guys (8)
14 The Real Slim - - -, Eminem hit (5)
15 Ergo (5)
20 On an upper floor (8)
22 Heavily defeat (4)
24 Value (5)
25 Fight (7)
26 Main movie (7, 4)

DOWN

2   Tombstone reading (7)
3   Behind time (4)
4   Obscure (6)
5   Opposed (8)
6   Personal strong point (5)
7   Sporting match between two local teams (5)
8   Thrust aside (5)
13 Next to (8)
16 Attentive (7)
17 Acute glandular disease (5)
18 Art rubber (6)
19 Woburn - - -, stately home (5)
21 Rural county (5)
23 Dull yellow colour (4)

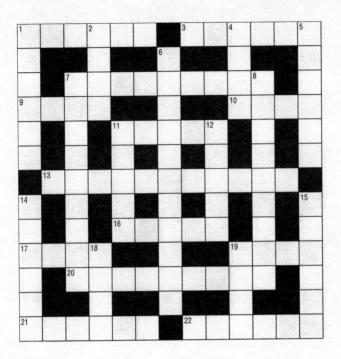

ACROSS

1 High regard (6)
3 Subtract (6)
7 Grass cutter (4, 5)
9 Not succeed (4)
10 Bishop of Rome (4)
11 Kingdom (5)
13 Transiently (11)
16 Cowboy's rope (5)
17 Common sense (4)
19 Grew older (4)
20 Small citrus fruit (9)
21 Picture-taker (6)
22 Boil over with anger (6)

DOWN

1 Paris landmark, - - - Tower (6)
2 Middle East airline (2, 2)
4 Low in pitch (4)
5 Mother - - -, Nobel prize winner (6)
6 Red-faced (11)
7 Wait expectantly (6, 3)
8 Patricia - - -, television actress (9)
11 Drive back (5)
12 Italian explorer, - - - Polo (5)
14 Madman (6)
15 Sober (6)
18 Put by for arainy day (4)
19 Poker stake (4)

PUZZLE 205

ACROSS

1 Newcastle's river (4)
4 Young hen (6)
8 Fairground ride (8)
9 Soft earth (4)
10 Room at the top of a house (5)
11 Obstructs (7)
13 German composer (6)
15 Shellfish (6)
17 Disease also known as lockjaw (7)
19 Go and bring back (5)
22 Greek drink (4)
23 Bobby pin (8)
24 Poor, wretched (6)
25 Baby's biscuit (4)

DOWN

2 Fermenting agent (5)
3 Amount of wear (7)
4 Victoria Beckham! (4)
5 Sweet on a stick (8)
6 Nickname of Rodrigo Diaz de Vivar (2, 3)
7 Peter Pan author (6)
12 Board game (8)
14 Street (6)
16 Missing Derby winner (7)
18 Roused from sleep (5)
20 French fries (5)
21 Very small (4)

ACROSS

1 Mean dwelling (5)
3 Mug-like vessel (7)
6 Distinguished musician (7)
8 Well done! (5)
10 Shoe-strings (5)
11 Flattened oval (7)
14 Idea (6)
15 Handmade cigarette (4-2)
17 Popular hanging basket (7)
20 Fruit liquid (5)
21 Build (5)
22 One displacedby war (7)
23 Whaler's barbed missile (7)
24 Investment's annual return (5)

DOWN

1 Pied Piper's town (7)
2 Aquatic plant (5)
3 Large steak (1-4)
4 Peace Prize founder (5)
5 Male bee (5)
7 Passionate (9)
9 Very bad (9)
12 Lie in ambush (4)
13 Opposed to (4)
16 Feign (7)
17 Blood-sucking worm (5)
18 Game of chance (5)
19 Cook's protective garment (5)
20 Short space of time? (5)

PUZZLE 207

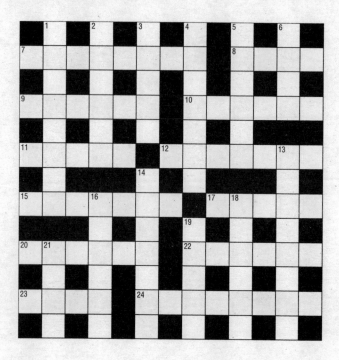

ACROSS

7 Ladylike (8)
8 Melt (4)
9 Take for granted, suppose (6)
10 Robber (6)
11 Thin porridge (5)
12 Shameless woman (7)
15 Ugandan dictator (3, 4)
17 Cut (links) (5)
20 Soft gentle breeze (6)
22 Go swiftly (6)
23 Capital of Latvia (4)
24 Undefeated sportsman (8)

DOWN

1 Reprimanded officially (8)
2 Weaken with water (6)
3 Sacked (5)
4 England's football stadium (7)
5 Position (6)
6 Wife of a rajah (4)
13 US lift (8)
14 Lyricist (3, 4)
16 Religious retreat (6)
18 Northern continent (6)
19 Indian tea (5)
21 Ernie's partner (4)

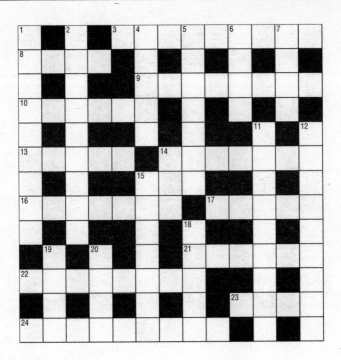

ACROSS

3 Cease to function (5, 4)
8 Bottom of a ship (4)
9 Cake covering (8)
10 Comedian, - - - Corbett (6)
13 Burning (5)
14 Fragrant shrub (7)
15 Pianist from Casablanca (3)
16 Entertaining (7)
17 Breathing apparatus of fish (5)
21 Restricted quota (6)
22 Crumble suddenly (8)
23 Adhesive (4)
24 Blizzard (9)

DOWN

1 Impostor (9)
2 Abundant (9)
4 Juliet's lover (5)
5 President Lincoln? (7)
6 Irish house of parliament (4)
7 Damage caused by use (4)
11 Rustic person (9)
12 Courier (9)
14 Sharp projection of rock (3)
15 Fragment (7)
18 Germaine - - -, feminist (5)
19 Ripped (4)
20 Hooked nail (4)

PUZZLE **209**

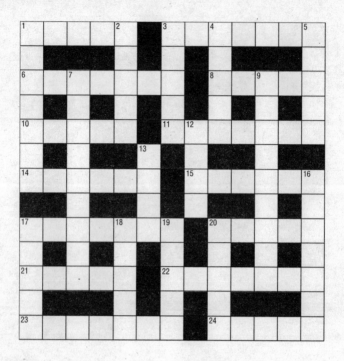

ACROSS

1 Powerful person (5)
3 Simenon's famous detective (7)
6 Unfeeling (7)
8 Slight scratch (5)
10 Sky blue (5)
11 Linked computer system (7)
14 Men Behaving Badly star, - - - Ash (6)
15 Scottish border town (6)
17 April birthstone (7)
20 Concave chisel (5)
21 Separated (5)
22 Item of furniture (7)
23 Ambassador's home (7)
24 Listened to (5)

DOWN

1 Former England cricketer, - - - Vaughan (7)
2 Sierra - - -, African country (5)
3 Stoneworker (5)
4 Gold bar (5)
5 Pinch and twist sharply (5)
7 American state (9)
9 Reversal (5-4)
12 Nervous (4)
13 Aquatic bird (4)
16 Warned (7)
17 Cover with cloth (5)
18 John - - -, musician (5)
19 Feathery (5)
20 Chart (5)

ACROSS

1 Open space in a forest (5)
4 Disjointed (5)
10 Underwater detection system (5)
11 Centre (7)
12 Very big (8)
13 Irish county (4)
15 Car security device (11)
19 Lounge about (4)
20 Mental view (8)
23 Welsh mountain (7)
24 Deliberate starting of fires (5)
25 Emulsion, eg (5)
26 Fangs (5)

DOWN

2 Language (slang) (5)
3 Devon National Park (8)
5 Small measurement (4)
6 Juvenile (7)
7 David - - -, singer (5)
8 Enraging (11)
9 Football club,- - - Villa (5)
14 Smarten up (8)
16 Romania's neighbour (7)
17 Meat (5)
18 Sham attack (5)
21 Surprise result (5)
22 Red Sea port (4)

PUZZLE 211

ACROSS

1 Steal (game) (5)
3 Weightlifting kit (7)
6 Formal speech (7)
8 Television play (5)
10 Expect (5)
11 Word game (7)
14 Make allowances (6)
15 Tool for cleaning a gun barrel (6)
17 Adhesive label (7)
20 Scope (5)
21 Islamic ruling (5)
22 Inactive drug (7)
23 Pantomime character (3, 4)
24 Supermodel,- - - Klum (5)

DOWN

1 Approval of a will (7)
2 Heave upwards (5)
3 Pew (5)
4 French sculptor (5)
5 Memorise (5)
7 Rebel (9)
9 Excellent (9)
12 Misaligned (4)
13 Richard - - -, Pretty Woman actor (4)
16 Frankie - - -, jockey (7)
17 Spanish queen (5)
18 Australian marsupial (5)
19 Animal charity (inits) (5)
20 Embarrass (5)

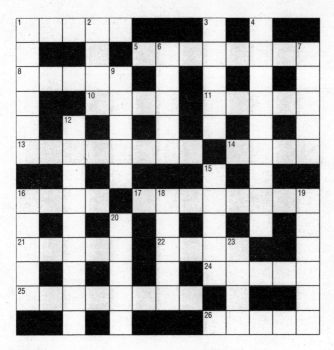

ACROSS

1 Native of Havana (5)
5 Stuffed base of a bed (8)
8 Romantic poet (5)
10 Long coat (4)
11 Generally recognised (5)
13 Short pause fora rest (8)
14 Lose (feathers eg) (4)
16 Perform in the street (4)
17 Modern name for Constantinople (8)
21 American talk show host, - - - Winfrey (5)
22 Render invalid (4)
24 Italian composer (5)
25 Mistress of Charles II (4, 4)
26 Terry - - -, Irish-born TV star (5)

DOWN

1 Spider's trap (6)
2 Small particle (4)
3 Wooden spike (5)
4 Person who hates foreigners (9)
6 Crop up (5)
7 Ecclesiastical council (5)
9 Unpleasant (5)
12 Relaxed, unhurried (9)
15 Former Indian PM, - - - Gandhi (5)
16 Dan - - -, The Da Vinci Code author (5)
18 Variety of cabbage (5)
19 British - - -, veterans' association (6)
20 Upper leg (5)
23 Trial record (4)

PUZZLE 213

ACROSS

1 Very bad (7)
5 Allege (5)
8 Exclusive press story (5)
9 Gymnastic performer (7)
10 Tempted (7)
11 All-important (5)
12 Unlawful killing (6)
14 Purpose (6)
17 Honorary prize (5)
19 Genial (7)
22 Technical drawing (7)
23 Adjust (to new surroundings) (5)
24 Watery (5)
25 Landscape (7)

DOWN

1 Hindu social class (5)
2 Domestic fowl (7)
3 Children's charity (inits) (5)
4 French painter, - - - Monet (6)
5 Mobile home (7)
6 Russ - - -, star of September Song (5)
7 Sailor (7)
12 Curve, like a river (7)
13 Old (7)
15 Hug (7)
16 Scottish castle, birthplace of Princess Margaret (6)
18 Another time (5)
20 Rogue (5)
21 Record (5)

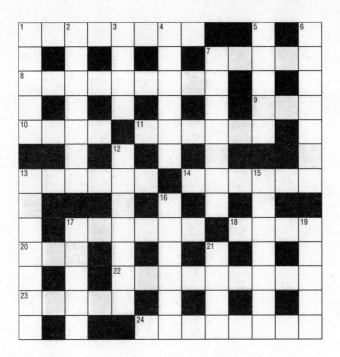

ACROSS

1 Film, Four - - - and a Funeral (8)
7 Traded (5)
8 Pocket money (9)
9 Young man (3)
10 Thin pastry (4)
11 Lead astray (6)
13 Urge (6)
14 Receive willingly (6)
17 Northern Ireland county (6)
18 Action word (4)
20 Bin's cover (3)
22 Reason (9)
23 Every 24 hours (5)
24 Gifted (8)

DOWN

1 Harbour platform (5)
2 Tom Jones hit song (7)
3 State north of Missouri (4)
4 Light orange-brown colour (6)
5 Soup server (5)
6 Scholar (7)
7 No longer valid (7)
12 Fundamental, basic (7)
13 Detonate (7)
15 Graceful (7)
16 Thriller writer, Dame - - - Christie (6)
17 Office paperwork (5)
19 Money (slang) (5)
21 Quality of sound (4)

PUZZLE 215

ACROSS

1 Grass (4)
3 Seven-sided shape (8)
9 Distance down (5)
10 Noisy disturbance (7)
11 Line of seats (3)
13 Breakfast pastry (9)
14 Supreme bliss (6)
16 Chinese fruit (6)
18 Starts (9)
20 Chest bone (3)
22 British poet (1, 1, 5)
23 Nile dam (5)
25 Scatter (8)
26 Roused from sleep (4)

DOWN

1 Henry VIII's surname (5)
2 Slash, tear (3)
4 London railway station (6)
5 In need of a drink (7)
6 Mafia boss (9)
7 Item of clothing (7)
8 Stylish (4)
12 Tiredness (9)
14 Pulled up (7)
15 Large building (7)
17 Prestige (6)
19 Drench (4)
21 Eating bout (5)
24 Court (3)

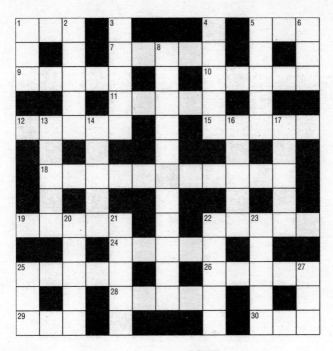

ACROSS

1 Chattering bird (3)
5 Cheat, swindle (3)
7 Capital of Jordan (5)
9 Noisy argument (5)
10 Come clean (3, 2)
11 Greek god of the underworld (5)
12 Nip (5)
15 Fold in material (5)
18 Respectable (11)
19 Legendary maiden (5)
22 Phil Taylor's sport (5)
24 Use wrongly (5)
25 Underground room of a church (5)
26 Permit (5)
28 Moved quietly (5)
29 And not (3)
30 In a natural state (3)

DOWN

1 Poke roughly (3)
2 Long for (5)
3 Actor, - - - Fiennes (5)
4 Pry into (5)
5 Magical servant (5)
6 Young seal (3)
8 French theatre (6, 5)
13 Insinuate (5)
14 Costing very little (5)
16 Zodiac sign of the Scales (5)
17 Company representative (5)
20 Council chief (5)
21 Emerge from an egg (5)
22 Demise (5)
23 Leader (5)
25 Deceive (3)
27 Exclamation of astonishment (3)

PUZZLE **217**

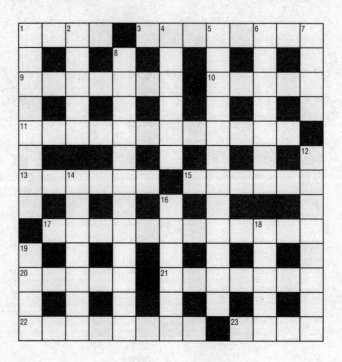

ACROSS

1 Stratford's river (4)
3 Young plant (8)
9 Group of Caribbean islands (7)
10 Play - - - For Me, film (5)
11 Meat and mash dish (9, 3)
13 Four score (6)
15 Seldom (6)
17 Worm, eg (12)
20 About to happen (5)
21 Supply (7)
22 Breadth of a circle (8)
23 Not as much (4)

DOWN

1 Attacked (8)
2 Yellow-brown pigment (5)
4 Make certain (6)
5 Survey of England in 1086 (12)
6 Create feelings (7)
7 Francisco de - - -, artist (4)
8 Stadium (12)
12 European mountain range (8)
14 Venetian boat (7)
16 U-shaped fastening (6)
18 Stay, remain (5)
19 Currency unit of South Africa (4)

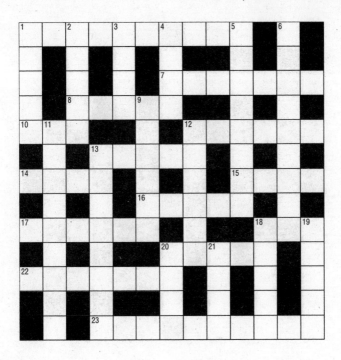

ACROSS

1 Painstaking, precise (10)
7 Containing iron (7)
8 Emblem (5)
10 Weep (3)
12 Reply (6)
13 Take hold of (5)
14 Grown-up kid (4)
15 In poor taste (4)
16 Prolonged suffering (5)
17 Traffic diversion (6)
18 Peace group (1, 1, 1)
20 Striped equine (5)
22 Victorian London prison (7)
23 Large breed of dog (10)

DOWN

1 Doctor (5)
2 Short and fat (5)
3 Common ailment (4)
4 Biography (4)
5 Critical investigation (8)
6 Pain-relieving drug (9)
9 Stringed instrument (6)
11 Former American president (9)
12 Unseat (6)
13 More powerful (8)
18 Mark Thatcher's sister (5)
19 Delay (5)
20 Lemon peel (4)
21 Large bundle of straw (4)

PUZZLE 219

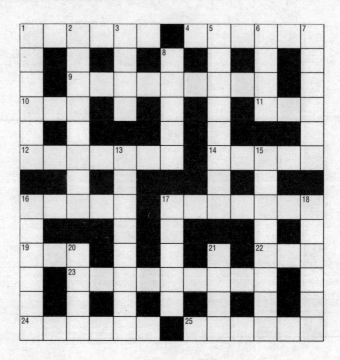

ACROSS

1 Mix up (6)
4 Sheen (6)
9 Central American country (5, 4)
10 Sort (3)
11 Small rug (3)
12 Melted cheese dish (7)
14 Obscure, darken (5)
16 Bob - - -, US singer and poet (5)
17 Opted (7)
19 Public vehicle (3)
22 Welsh river (3)
23 Coat material (5, 4)
24 Boil very gently (6)
25 Group of seven (6)

DOWN

1 Younger (6)
2 Oily fish (8)
3 Yorkshire girl! (4)
5 One-wheeled bike (8)
6 Sporting side (4)
7 Exhilarated (6)
8 Defect (5)
13 Geniality (8)
15 Sudden fit of temper (8)
16 Wreckage (6)
17 Corrie character, - - - Bishop (5
18 Ruler's decree (6)
20 Trick (4)
21 Garden barrier (4)

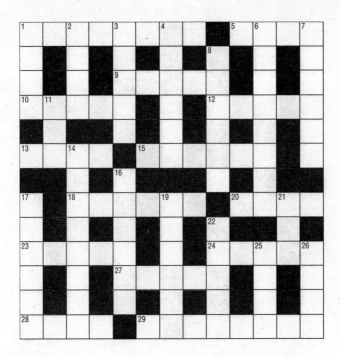

ACROSS

1 Restored to good condition (8)
5 Zone, region (4)
9 Celtic soothsayer (5)
10 Boxer's wages (5)
12 Incorrect (5)
13 Scottish port (4)
15 Fuel (6)
18 Hold in custody (6)
20 Dutch cheese (4)
23 Gold purity unit (5)
24 Grasps (5)
27 Evident, obvious (5)
28 Soreness on the eyelid (4)
29 Foul, brackish (8)

DOWN

1 Piece of steak (4)
2 Perry ingredient (4)
3 Table of contents (5)
4 Pertaining to horses (6)
6 Sprang back in horror (8)
7 Burning (6)
8 Composer, - - - Elgar (6)
11 Unexploded bomb (1, 1, 1)
14 One of the Channel Islands (8)
16 Sew (6)
17 Fleshy plant (6)
19 Contaminate (6)
21 Provide assistance (3)
22 Shoulder movement (5)
25 Volcano's disscharge (4)
26 Hard cooking fat (4)

PUZZLE **221**

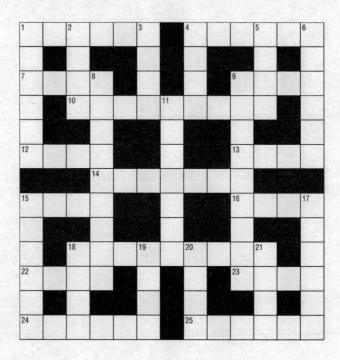

ACROSS

1 English county (6)
4 American Civil War hero (6)
7 Painting, - - - Lisa (4)
9 Cot (4)
10 Insect (9)
12 Ghost star, - - - Moore (4)
13 Kitchen worker (4)
14 Jim Carrey film (3, 4)
15 Acidic, sharp (4)
16 Beat eggs into a froth (4)
18 Shakespeare's birthplace, - - - upon-Avon (9)
22 Art gallery (4)
23 Small Malayan dagger (4)
24 Raid (6)
25 Capital of the Czech Republic (6)

DOWN

1 Claim as a right (6)
2 Outer layer of cheese (4)
3 Ruffian (4)
4 Part of the face (4)
5 Politically Conservative (4)
6 Reject (6)
8 Help two sides reach an agreement (9)
9 A - - - Orange, novel (9)
11 Remnant (7)
15 Method (6)
17 Chase, follow (6)
18 Commotion (4)
19 Chopped (4)
20 State of mild panic (4)
21 Narcotic (4)

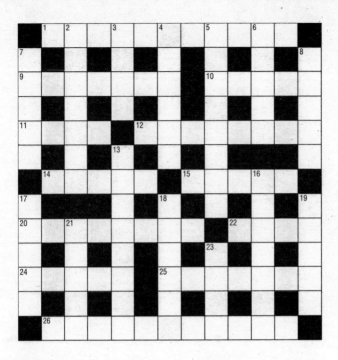

ACROSS

1 Unlucky (11)
9 Thing (7)
10 Chew (5)
11 Maize (4)
12 Earl's wife (8)
14 Accidental success (5)
15 Rather dull (5)
20 Swap (8)
22 Greek B (4)
24 Type of camera (5)
25 Scrap, do away with (7)
26 Austere, strict (6-5)

DOWN

2 Not synthetic (7)
3 Cry of pain! (4)
4 Shudder (6)
5 Appoint to a position (8)
6 Metric weight (5)
7 Boisterous comedy (5)
8 Card game (5)
13 American state (8)
16 Put on a list (7)
17 Research intensively (5)
18 Amazed (6)
19 Secret store (5)
21 Young soldier (5)
23 Protein-rich bean (4)

PUZZLE **223**

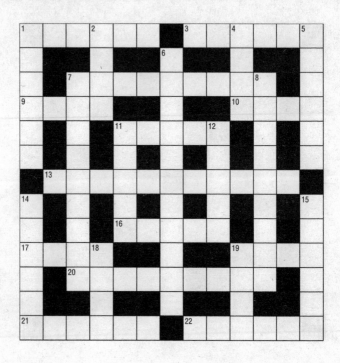

ACROSS

1 Bathed (6)
3 Walk for pleasure (6)
7 Rumpole actor (3, 6)
9 Lip (4)
10 Large hawk (4)
11 Jangle (5)
13 Coronation Street actress (3, 8)
16 Recurring series (5)
17 Deliver (a punch) (4)
19 Cross-grained piece in timber (4)
20 Small soft duck feathers (9)
21 Mediterranean country (6)
22 Clergyman (6)

DOWN

1 Thief (6)
2 Plant's stalk (4)
4 TV newsreader, - - - Austin (4)
5 Become larger (6)
6 Instant lottery ticket, eg (11)
7 Chauffeured car (9)
8 British boxer (5, 4)
11 Pessimist (5)
12 Currency unit of Norway (5)
14 Four-sided shape (6)
15 Extinguish (a fire) (3, 3)
18 Plunge into water (4)
19 Thai river (4)

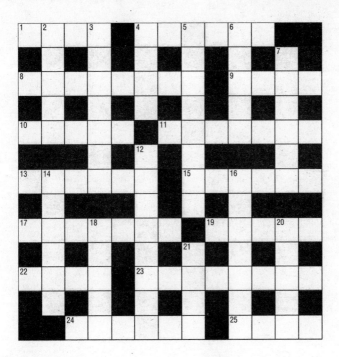

ACROSS

1 Gulp down (4)
4 Boat's steering device (6)
8 From Toronto (8)
9 Miss out (4)
10 Hero (5)
11 Vole-like rodent (7)
13 Rehearsal (3, 3)
15 Four-footed reptile (6)
17 Lawlessness (7)
19 Blur singer, - - - Albarn (5)
22 Cultivate (4)
23 Character from the Mad Hatter's Tea Party (8)
24 Joined together (6)
25 Grains of rock (4)

DOWN

2 Anger, fury (5)
3 Correct use of language (7)
4 Wreck (4)
5 Novelist, - - - Steel (8)
6 Derby racecourse (5)
7 The - - - Takes it All, Abba No 1 (6)
12 Exact (2, 3, 3)
14 Hire payment (6)
16 Ardent (7)
18 Russian businessman, - - - Abramovich (5)
20 Film legend, - - - Welles (5)
21 Mesh (4)

PUZZLE **225**

ACROSS

1 At no time (5)
3 Upper limit (7)
6 Huntsman's cry (5-2)
8 Sill (5)
10 Desert beast (5)
11 Aircraft cargo (7)
14 Ass (6)
15 Severity (6)
17 Dishonest (7)
20 Shoulder wrap (5)
21 Young dog (5)
22 Inactivity (7)
23 Having a weathered complexion (7)
24 Disgrace (5)

DOWN

1 Observed (7)
2 Majestic (5)
3 Chew noisily (5)
4 Embed (5)
5 Excessive desire (5)
7 Flat fish (5, 4)
9 Odour mask (9)
12 Well ventilated (4)
13 Pneumatic wheel surround (4)
16 Let go (7)
17 Yachting resort (5)
18 No good (5)
19 Object of worship (5)
20 The 39 - - -, Hitchcock film (5)

ACROSS

7 Variety of cabbage (8)
8 Run-down area (4)
9 Exchange goods (6)
10 Soldier from Nepal (6)
11 Gathering of witches (5)
12 Geometric shape (7)
15 German city (7)
17 Tuft of hair (5)
20 Recommendation (6)
22 Chesspiece (6)
23 Staff of office (4)
24 Queen Guinevere's lover (8)

DOWN

1 Torpid, lethargic (8)
2 Noel Coward comedy, - - - Spirit (6)
3 Football manager, - - - Redknapp (5)
4 Sovereign's state (7)
5 Off the right path (6)
6 Labour politician, - - - Kelly (4)
13 Branch (8)
14 Tight (7)
16 Ready for action (6)
18 Suitable for men and women (6)
19 Smelly animal (5)
21 Raffle, lottery (4)

PUZZLE 227

ACROSS

1 Johnny Depp character (7, 4)
9 Find (5)
10 Tired (3, 2)
11 Arrange dishonestly (3)
12 Partly divided (5)
13 Commonplace (7)
15 Eddie - - -, racing driver (6)
17 Team's first batsman (6)
20 Unkempt (7)
23 Operating (5)
25 Small cake (3)
26 African republic (5)
27 Finger or toe (5)
28 Thoughtful (11)

DOWN

2 Large sea mammal (5)
3 Premier division soccer club (7)
4 Puzzle (6)
5 Mark - - -, pen name of Samuel Clemens (5)
6 TV cook, - - - Smith (5)
7 Twig-like creature (5, 6)
8 Question officially (11)
14 Imminent (3)
16 Debtor's note (1, 1, 1)
18 Loot, pillage (7)
19 Crossbred (6)
21 Drummer, - - - Starr (5)
22 Dental string (5)
24 Gold bar (5)

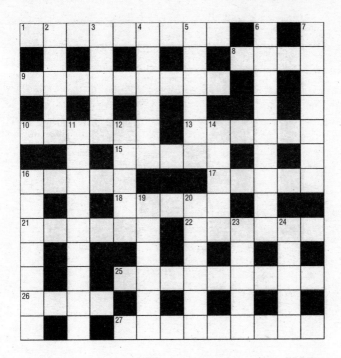

ACROSS

1 Doctor (9)
8 Postman's bag (4)
9 Part of a school (9)
10 Law-maintaining force (6)
13 Portable computer (6)
15 Distant, reserved (5)
16 Joe Calzaghe, eg (5)
17 Criminal (5)
18 Jewish religious teacher (5)
21 Casualty, sufferer (6)
22 Go beyond (6)
25 Social ladder (9)
26 Flour and butter sauce base (4)
27 Enrich (soil) (9)

DOWN

2 Greeting (5)
3 Japanese dish (5)
4 Association of companies (6)
5 Greek god (6)
6 Pinball-like game (9)
7 Slippery driving area (7)
11 Sumptuous, opulent (9)
12 Convey (5)
14 Fasten (5)
16 Attack with vigour (7)
19 Reach destination (6)
20 Capital of Lebanon (6)
23 Yellowish-pink (5)
24 General attitude (5)

PUZZLE 229

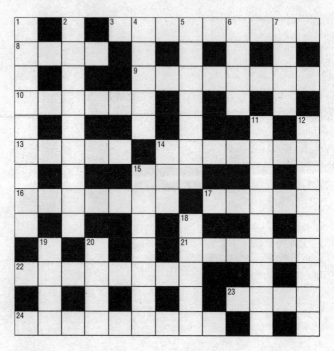

ACROSS

3 Firmness (9)
8 Cover (4)
9 Exercise system (8)
10 Muslim ruler (6)
13 Game of tries and scrums (5)
14 Testifier (7)
15 Glum (3)
16 Tanned hide (7)
17 Third-longest African river (5)
21 Sell to the consumer (6)
22 Ship's window (8)
23 Chesspiece (4)
24 Awkward matter (3, 6)

DOWN

1 Sponge cake (5, 4)
2 Former British prime minister (9)
4 Express gratitude (5)
5 Pub lady (7)
6 Soft part of the outer ear (4)
7 Mexican dish in a folded tortilla (4)
11 Fashionable area of London (9)
12 Study of the planets etc. (9)
14 Series of battles (3)
15 Successful show (4-3)
18 Heraldic design (5)
19 Unaided performance (4)
20 Terminate (4)

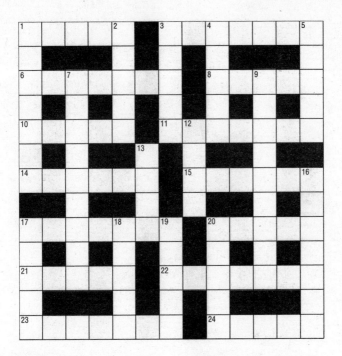

ACROSS

1 Confused situation (3-2)
3 Mobster, thug (7)
6 Capital of Ontario (7)
8 Scowl (5)
10 Singer, - - - Parton (5)
11 Richard Hammond's nickname (7)
14 Say from memory (6)
15 Cope (6)
17 Surgical knife (7)
20 Peaceful, silent (5)
21 Caper, stunt (5)
22 Bishop's domain (7)
23 Medicated tablet (7)
24 Open (5)

DOWN

1 Principal bullfighter (7)
2 Garden flower (5)
3 Illicit alcohol (5)
4 British-based charity (5)
5 Lesser (5)
7 Unwilling (9)
9 Banish from society (9)
12 Dad's - - -, popular sitcom (4)
13 Famous Brazilian footballer (4)
16 Farthest from the centre (7)
17 Growl angrily (5)
18 Hickory nut (5)
19 Stay as a boarder (5)
20 Permitted number (5)

PUZZLE **231**

ACROSS

1 French composer (5)
3 Ship's warning hooter (7)
6 Crime (7)
8 Friend (5)
10 Blockade (5)
11 Crazy (7)
14 Powerful (6)
15 Granny flat, eg (6)
17 Not one or the other (7)
20 Intended (5)
21 All-night watch (5)
22 Examine in detail (7)
23 Sprinter, - - - Christie (7)
24 Fireplace (5)

DOWN

1 Flower (7)
2 Metric weight (5)
3 Not stale (5)
4 Meat juices (5)
5 Hangman's rope (5)
7 Young bird (9)
9 Travel plan (9)
12 A distance away (4)
13 London park (4)
16 Drastic (7)
17 Belly button! (5)
18 Greeting (5)
19 Polar explorer, - - - Amundsen
20 Florida resort (5)

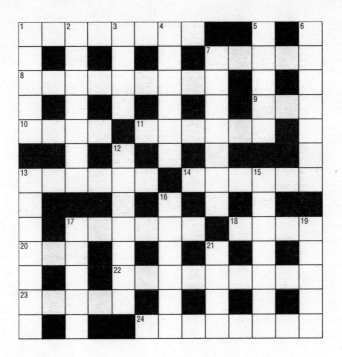

ACROSS

1 Confuse (8)
7 Former African country (5)
8 Armoured burrowing animal (9)
9 Timid (3)
10 Beatle's no 1 (4)
11 Lose (6)
13 Winnie the Pooh's friend (6)
14 Set fire to (6)
17 Shriek (6)
18 Practise boxing (4)
20 007 creator, - - - Fleming (3)
22 Amuse (9)
23 In front (5)
24 Jockey's trousers (8)

DOWN

1 Cheeky and extrovert (5)
2 England's football stadium (7)
3 Noble woman (4)
4 Chocolate cake (6)
5 Slightly drunk (5)
6 Salvage for future use (7)
7 Study of animals (7)
12 Stimulated (7)
13 Moral (conduct) (7)
15 Charge with a crime against the state (7)
16 Boss (6)
17 Express contempt (5)
19 Ladder treads (5)
21 Soft French cheese (4)

PUZZLE 233

ACROSS

1 Kiln for drying hops (4)
3 Generation (3, 5)
9 Peter - - -, snooker player (5)
10 Recount (7)
11 Scottish racecourse (3)
13 Nelson's last battle (9)
14 Hugh - - -, House star (6)
16 Group of seven (6)
18 Brought together (9)
20 Pen's tip (3)
22 Beaming (7)
23 Proverb (5)
25 Style (8)
26 Memorandum (4)

DOWN

1 Greek letter (5)
2 Glum (3)
4 Easy-going (6)
5 Rubbish (7)
6 Large ape (5-4)
7 French pantomime character (7)
8 Make with wool (4)
12 Patricia - - -, television actress (9)
14 John - - -, author (2, 5)
15 Art of Japanese flower arrangement (7)
17 Motionless (6)
19 Pull along (4)
21 Goat's cry (5)
24 Remains of a fire (3)

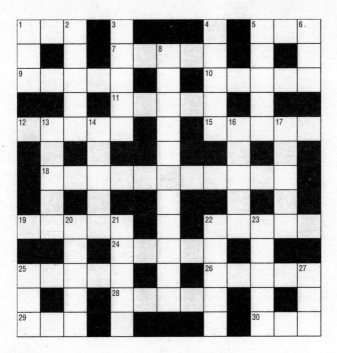

ACROSS

1 Top of a cooker (3)
5 Mutt (3)
7 Shameless woman (5)
9 Plundered goods (5)
10 Small firework (5)
11 Masculine? (5)
12 Umpire (5)
15 Very poor (5)
18 Farmer (11)
19 Unreasonably high (5)
22 Melodious (5)
24 Supple (5)
25 Hooded snake (5)
26 Amusing (5)
28 Store (5)
29 Worthless cheque (3)
30 Tennis shot (3)

DOWN

1 Central point of activity (3)
2 Wide (5)
3 Aromatic herb (5)
4 Mike - - -, boxer (5)
5 Unrefined (5)
6 Massage (3)
8 Flattering in a servile way (11)
13 Tip over (5)
14 Slight scratch (5)
16 Bestow (5)
17 Funeral hymn (5)
20 Fix firmly (5)
21 Location (5)
22 Drain (5)
23 Laud (5)
25 Anti-nuclear group (1, 1, 1)
27 Lout (slang) (3)

PUZZLE 235

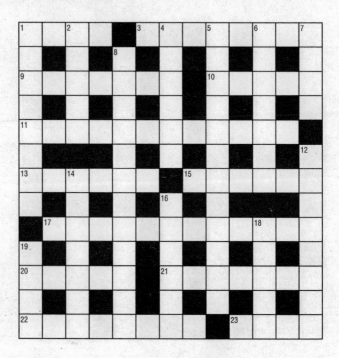

ACROSS

1   July birthstone (4)
3   Hot-tempered (8)
9   Bend, buckle (7)
10 Ballroom dance (5)
11 Everyone (3, 3, 6)
13 Supernatural (6)
15 Capital of England (6)
17 Fruit and veg shops (12)
20 Animal's nose (5)
21 Carve figures on a surface (7)
22 Madness, stupidity (8)
23 Spandau Jail's last prisoner (4)

DOWN

1   Heating device (8)
2   Aromatic herb (5)
4   Dull-witted (6)
5   Richard - - -, movie maker (12)
6   Disregarded (7)
7   Public school for boys (4)
8   Please Sir! actor (4, 8)
12 Teeth? (8)
14 Eager to learn (7)
16 Former king of Wessex (6)
18 Obliterate (5)
19 Italian wine (4)

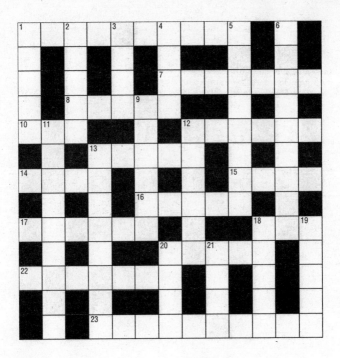

ACROSS

1 Francis Ford Coppola film, - - - Now (10)
7 Rational (7)
8 Stop (5)
10 Match, fixture (3)
12 Small crustacean (6)
13 Put up with, tolerate (5)
14 Sussex river (4)
15 London art gallery (4)
16 French queen, - - - Antoinette (5)
17 Large lizard (6)
18 Extremely cold (3)
20 Trusty horse (5)
22 Edge of a road (7)
23 Specifies (10)

DOWN

1 Monastery head (5)
2 Sixteenth of a pound (5)
3 India's continent (4)
4 Christmas (4)
5 Move to another country (8)
6 Efficient, realistic (9)
9 Stain on character (6)
11 Disgruntled (9)
12 Confidential (6)
13 Little Rock's state (8)
18 Stupid person (5)
19 Irish poet (5)
20 Ooze out (4)
21 Israeli national airline (2, 2)

PUZZLE 237

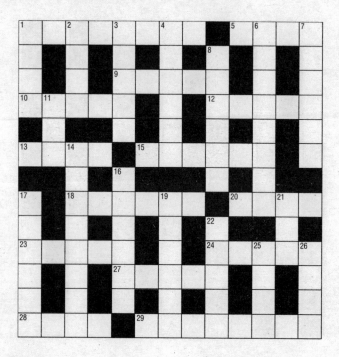

ACROSS

1 Dried grapes (8)
5 All roads lead to - - -; proverb (4)
9 Festive celebration (5)
10 Live (5)
12 Cover a hole with fabric (5)
13 Wheel-shaft (4)
15 Scan, scrutinise (6)
18 Circus tent (3, 3)
20 Remain (4)
23 Poise (5)
24 Severe (5)
27 Remove faults from (5)
28 Sure thing (4)
29 Sudden rush (8)

DOWN

1 African country (4)
2 Fume, rage (4)
3 Be appropriate (5)
4 Fierce verbal attack (6)
6 Healing cream (8)
7 Four score (6)
8 Plaster of Paris ingredient (6)
11 Candle substance (3)
14 Popular breed of dog (8)
16 Concurred (6)
17 Fine brandy (6)
19 Oppose, protest (6)
21 Diligent insect (3)
22 Form of address to a woman (5)
25 Incite (4)
26 Sea eagle (4)

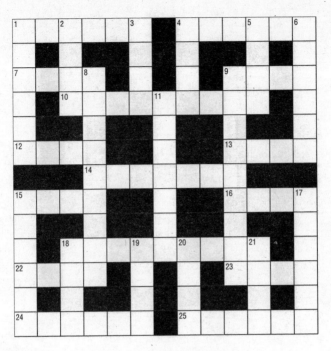

ACROSS

1 Sacha - - -, late French singer (6)
4 Froth (6)
7 Start of the Allied invasion of Europe (1-3)
9 Proper (4)
10 Unrealised (talent) (9)
12 Slim (4)
13 Snug (4)
14 Share the cost (2, 5)
15 Goddess of nature (4)
16 Hand warmer (4)
18 In rebellion (9)
22 Beast's den (4)
23 Skill in avoiding giving offence (4)
24 Money order (6)
25 Gluttonous (6)

DOWN

1 Subtract (6)
2 Sudden spell of cold weather (4)
3 Be fond of (4)
4 Thug, hooligan (4)
5 Fling with great force (4)
6 Gypsy (6)
8 Juvenile (9)
9 Ancient writing material (9)
11 Normal (7)
15 Printed in sloping type (6)
17 Dirty (6)
18 Ready to eat (4)
19 Percolate (4)
20 Tree shoot (4)
21 Donated (4)

PUZZLE **239**

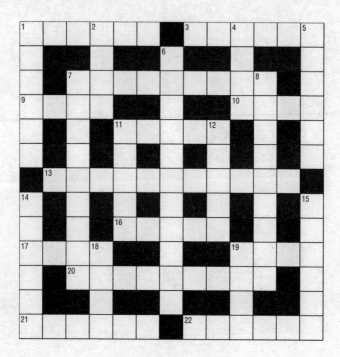

ACROSS

1 Child (6)
3 Russian currency (6)
7 Creature with prickly spines (9)
9 Fight (4)
10 Medicinal herb (4)
11 Ancient Mexican? (5)
13 Everest climber (11)
16 Unsophisticated (5)
17 Heavy defeat (4)
19 Cheeky, saucy (4)
20 Very important (9)
21 Sincere (6)
22 Relatives by marriage (2-4)

DOWN

1 Crochet stick (6)
2 Combination of resources (4)
4 Arm bone (4)
5 Scope (6)
6 Folk from Down Under? (11)
7 Liquid fuel (9)
8 Light mid-morning snack (9)
11 Kofi - - -, former UN chief (5)
12 Narrow rowing boat (5)
14 Beat grain (6)
15 Regional dialect (6)
18 Ripped (4)
19 Knitting stitch (4)

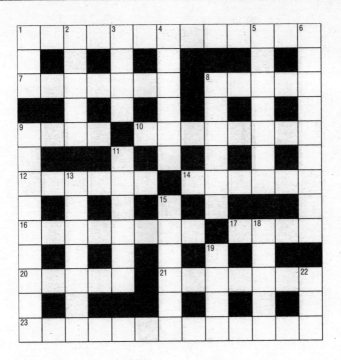

ACROSS

1 Peppermint-flavour liqueur (5, 2, 6)
7 Military leader (7)
8 Dwell on with satisfaction (5)
9 Prison room (4)
10 Almond-flavoured biscuit (8)
12 Head of nursing staff (6)
14 Garden building (6)
16 Not quite right (8)
17 Blueprint (4)
20 Incompetent (5)
21 Personal (7)
23 Remarkable (13)

DOWN

1 Rook's cry (3)
2 Register, sign on (5)
3 Food critic,- - - Ronay (4)
4 Make oneself popular (6)
5 Couple (7)
6 Pop star (5, 4)
8 Former English cricket captain, - - - Gooch (6)
9 Bell tower (9)
11 Agatha Christie character (6)
13 Line just touching a circle (7)
15 Biblical wise man (6)
18 Pack animal related to the camel (5)
19 Mary Quant skirt (4)
22 Cambridgeshire city (3)

PUZZLE 241

ACROSS

1 Ethiopian emperor, - - - Selassie (5)
3 Truth is stranger than - - -; proverb (7)
6 Girls' school (7)
8 Graph (5)
10 Beginning (5)
11 Precisely (7)
14 Over there (6)
15 Fashion designer (6)
17 Shine (7)
20 Greek bread (5)
21 Woody - - -, actor and director (5)
22 Width (7)
23 School bag (7)
24 Steal (slang) (5)

DOWN

1 Agreement (7)
2 Throw out (5)
3 Steeplechasing obstacle (5)
4 Chocolate powder (5)
5 Spruce, dapper (5)
7 Fundamental (9)
9 Charmed (9)
12 Hospital snap (1-3)
13 Highland Gaelic (4)
16 Scott novel (7)
17 Window material (5)
18 Freshwater fish (5)
19 Peace Prize founder (5)
20 Newspapers, collectively (5)

ACROSS

7 Strong coffee (8)
8 Legend (4)
9 Creamy dessert (6)
10 Sprinkle with flour eg (6)
11 Split (5)
12 Sweet red pepper (7)
15 Pickled cucumber (7)
17 Fracture (5)
20 Fanatic (6)
22 Strong and healthy (6)
23 Natural talent (4)
24 Fiddled (8)

DOWN

1 Surprise greatly (8)
2 Robinson - - -, novel (6)
3 David - - -, singer (5)
4 Woman's bedroom (7)
5 Hinder (6)
6 Stock market speculator (4)
13 American lorry driver (8)
14 Lay down the law (7)
16 Recount (6)
18 Contagious disease (6)
19 Currency of Iceland (5)
21 Viking,- - - the Red (4)

PUZZLE 243

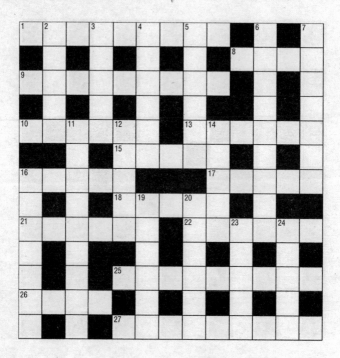

ACROSS

1 Former Labour Foreign Secretary (4, 5)
8 Flour and butter sauce base (4)
9 Lavish, magnificent (9)
10 Main court at Wimbledon (6)
13 Soccer team (6)
15 Supermodel, - - - Klum (5)
16 Defendant's cover story? (5)
17 Rely upon (5)
18 Third-longest African river (5)
21 Collection of porpoises (6)
22 Sweet plant juice (6)
25 Crocodile relative (9)
26 Puzzle-solving aid (4)
27 Shiite Muslim religious leader (9)

DOWN

2 Use wrongly (5)
3 Ruined, broken (5)
4 Artificial hairpiece (6)
5 Entertained (6)
6 Athletics event (4, 5)
7 Defunct (7)
11 Person next door (9)
12 Safari animal? (5)
14 Metric measure (5)
16 Deficiency (7)
19 Yorkshire moor (6)
20 Sign up (6)
23 Move slowly (5)
24 Distinct smell (5)

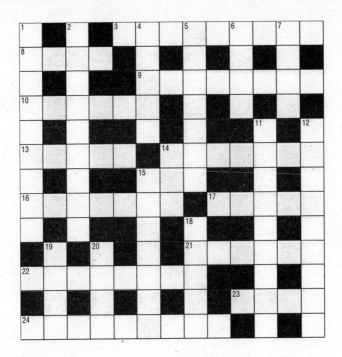

ACROSS

3 Pain-killer (9)
8 Overtake (4)
9 Male horse (8)
10 Craving for a drink (6)
13 Embed (5)
14 Bring back to health (7)
15 Household pet (3)
16 Short axe (7)
17 Doctor (5)
21 Peruvian llama (6)
22 Edifice (8)
23 Extra bonus (4)
24 Long thin cigar (9)

DOWN

1 Stage illumination (9)
2 Swing to and fro (9)
4 Horrid (5)
5 Handbill (7)
6 Jazz singer, - - - Fitzgerald (4)
7 Cartoon locomotive, - - - the Engine (4)
11 High social position (3, 6)
12 Former Tory Chancellor (3, 6)
14 Rodent (3)
15 Small French coin (7)
18 Bread roll with a hole (5)
19 Large brass musical instrument (4)
20 Island of Napoleon's exile (4)

PUZZLE 245

ACROSS

1 Turning pin (5)
3 Go down (7)
6 Thrust forward (7)
8 Nervous excitement (5)
10 Confuse (5)
11 Technical drawing (7)
14 Indict (6)
15 Sir - - - Hillary, Everest climber (6)
17 Housebreaker (7)
20 Punctuation mark (5)
21 Synthetic fibre (5)
22 Rudolf - - -, ballet dancer (7)
23 Portuguese tourist area (7)
24 Lord - - -, missing peer (5)

DOWN

1 In proportion (3, 4)
2 Temporary cessation of fighting (5)
3 Fear (5)
4 Spanish queen (5)
5 Wheat used to make pasta (5)
7 Former EastEnders actor (4, 5)
9 Practically, nearly (9)
12 Large mountain goat (4)
13 Ewe's-milk cheese (4)
16 Jason - - -, singer and actor (7)
17 Asian country (5)
18 Passenger ship (5)
19 Wash out suds (5)
20 Shade of pink (5)

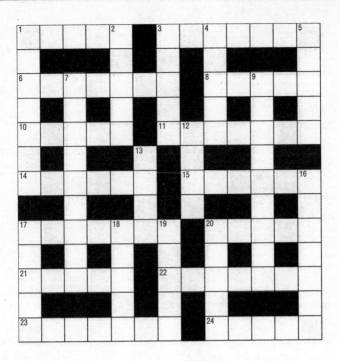

ACROSS

1 Strength, might (5)
3 Hindu sage (7)
6 Prehistoric person (7)
8 Parched (5)
10 Senior cub? (5)
11 Short hairstyle (4, 3)
14 King of the fairies (6)
15 Clergyman (6)
17 Place (7)
20 Skinflint (5)
21 Bonnie's partner-in-crime (5)
22 Curtail, censor (7)
23 Timber yard (7)
24 Robbery (5)

DOWN

1 Spanish painter (7)
2 Send money for goods (5)
3 Pop group, - - - Street Preachers (5)
4 Barrier of shrubs (5)
5 Examination of accounts (5)
7 Savagely (9)
9 Made bigger (9)
12 Wildlife charity (inits) (4)
13 Tiny biting insect (4)
16 Rushing stream (7)
17 Footwear (5)
18 Jean - - -, former racing driver (5)
19 Electronic letter (1-4)
20 Merriment (5)

PUZZLE **247**

ACROSS

1 Rabbit disease (11)
8 Geoffrey - - -, television actor (6)
10 Israeli secret service (6)
12 Out of bounds (3, 6)
14 Recently bought (3)
15 Explosive (1, 1, 1)
16 Island in the Bay of Naples (5)
17 Crushing snake (3)
19 Have in sight (3)
20 Shining (9)
21 Carpenter's tool (6)
23 Soft felt hat (6)
24 Share dealer (11)

DOWN

2 Rainbow colour (6)
3 Troubled Russian space station (3)
4 Jerry's adversary (3)
5 Demand (6)
6 Diving platform (11)
7 Give up (5, 6)
9 Productive (9)
11 Start from scratch (9)
13 Urge forward (5)
18 Carry off, kidnap (6)
19 Theatrical straight man (6)
22 Comedian,- - - Mayall (3)
23 Distant (3)

ACROSS

1 Christen (7)
5 Hooter (5)
8 Oldest Japanese city (5)
9 Lack of red blood cells (7)
10 Sing-along entertainment (7)
11 Idolise (5)
12 Roman ruler (6)
14 Very nearly (6)
17 Anticipate (5)
19 Stern, severe (7)
22 John Lennon song (7)
23 Goodbye (in French) (5)
24 Subject (5)
25 Dexterity (7)

DOWN

1 Obstruct (5)
2 N American grasslands (7)
3 My Own Private - - -, film (5)
4 Art rubber (6)
5 Tidal barrier (3, 4)
6 Juliet's lover (5)
7 Tidiest (7)
12 Old battle wagon (7)
13 Straddling (7)
15 Uncovering (7)
16 Gentle touch (6)
18 Die down (5)
20 Portion (5)
21 Explode (5)

PUZZLE **249**

ACROSS

1 Perplexed, bewildered (3, 2, 3)
7 Crime writer, - - - Wallace (5)
8 Abash (9)
9 Heavy weight (3)
10 Short dagger (4)
11 Attractiveness (6)
13 Military greeting (6)
14 Drive at a constant speed (6)
17 Madonna no 1 (6)
18 Telephone part (4)
20 Cereal grass (3)
22 Cryptic (9)
23 Audibly (5)
24 Summit (8)

DOWN

1 Modify (5)
2 Generous (7)
3 Revolve, rotate (4)
4 Make possible (6)
5 Striped quartz (5)
6 Noisy argument (7)
7 Mouth of a river (7)
12 Caressed (7)
13 Pouch worn on the front of a kilt (7)
15 Utterly stupid (7)
16 Zodiac sign (6)
17 Criminal (5)
19 Financial profit (5)
21 Premonition (4)

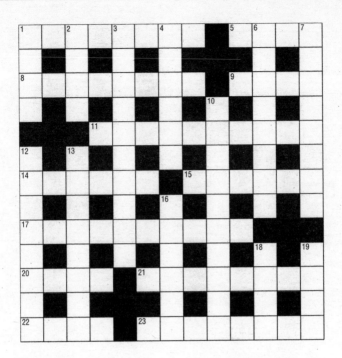

ACROSS

1 African country (8)
5 Cook in the oven (4)
8 Hopeful person (8)
9 Walk through water (4)
11 Not certain (10)
14 Dog show (6)
15 Cover used to protect young plants (6)
17 Vehicle's log (10)
20 Lean (4)
21 Surrounding area (8)
22 Heal (4)
23 Seven-sided shape (8)

DOWN

1 Move rapidly (4)
2 Silent, speechless (4)
3 Firearm bullets (10)
4 Ring placed under a bolt (6)
6 Just about (2, 1, 5)
7 Scrooge's first name (8)
10 Cricket position (5, 5)
12 Thrilled to bits (8)
13 Brawny (8)
16 Contusion (6)
18 Aeroplane part (4)
19 Song of praise (4)

PUZZLE **251**

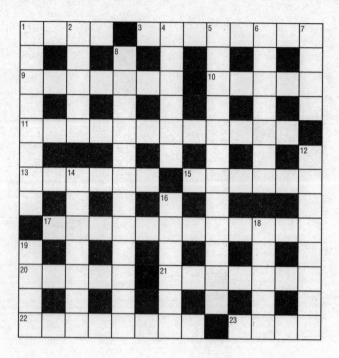

ACROSS

1 Zenith (4)
3 Teaches (8)
9 Practical and careful (7)
10 Penetrating investigation (5)
11 Superstitious tradition (3, 5, 4)
13 Group of companies (6)
15 Actor on stage (6)
17 Directions, orders (12)
20 Stringed instrument (5)
21 Indian language (7)
22 Troubling (8)
23 Manufactured (4)

DOWN

1 Draw near (8)
2 Shaped container (for jellies) (5)
4 Be uncertain (6)
5 Surrendering (12)
6 Basket on wheels (7)
7 Appear (4)
8 American prison (12)
12 High status (8)
14 Bitterness (7)
16 Dick - - -, outlaw (6)
18 City in Nebraska (5)
19 Declare frankly (4)

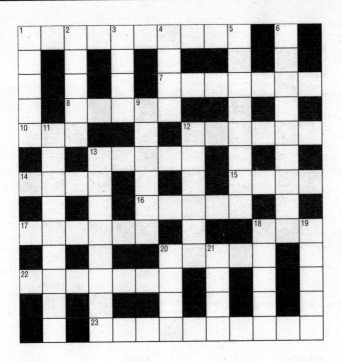

ACROSS

1 Amazed (10)
7 Function (7)
8 Small fish (5)
10 Shoddy article (3)
12 Strike repeatedly (6)
13 Ice cream dessert (5)
14 Designate (4)
15 Remnants, - - - and ends (4)
16 Become liable for (5)
17 Apparatus (6)
18 Late singer, - - - Winehouse (3)
20 Ground grain (5)
22 Voluntary self-punishment (7)
23 Occupation (10)

DOWN

1 Watchful (5)
2 Unexpected film ending (5)
3 Part of the neck (4)
4 Attempt at goal (4)
5 Devon National Park (8)
6 Principal port of The Netherlands (9)
9 Royal mistress, - - - Langtry (6)
11 Consternation (9)
12 Large package (6)
13 Think deeply (8)
18 Quarrel (5)
19 Fermenting agent (5)
20 Detect by touching (4)
21 Follow orders (4)

PUZZLE **253**

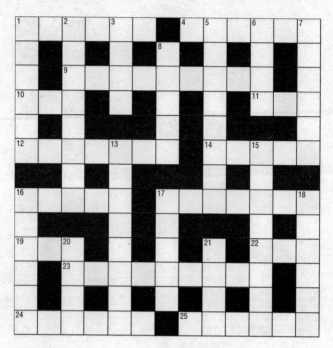

ACROSS

1 Portuguese capital (6)
4 Genuine, authentic (6)
9 Snow slide (9)
10 Say further (3)
11 Genetic fingerprints (1, 1, 1)
12 Quandary (7)
14 Frank (5)
16 Beneath (5)
17 Cut of beef (7)
19 Weep (3)
22 Toothed wheel (3)
23 Renovate (9)
24 Tickling sensation (6)
25 Sideways drift (6)

DOWN

1 Four-footed reptile (6)
2 Wrapped in bandages (8)
3 October birthstone (4)
5 Quick examination (4-4)
6 Pay attention (4)
7 Remember (6)
8 Light timber (5)
13 Compassionate (8)
15 Chinese dog (4-4)
16 Dethrone (6)
17 Growl angrily (5)
18 Fussy (6)
20 Cereal roughage (4)
21 Clever, like an owl (4)

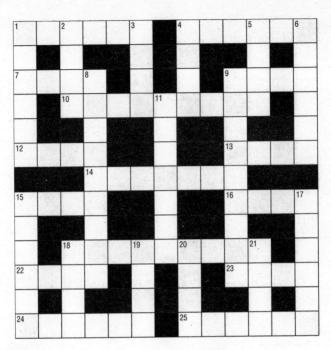

ACROSS

1 Leave (6)
4 Mountain plant (6)
7 Partly open (4)
9 Tradesman's assistant (4)
10 Australian actor (3, 6)
12 Hire (4)
13 Study for exams (4)
14 Typical amount (7)
15 Long-necked bird (4)
16 Common amphibian (4)
18 Basic (9)
22 Measure of land (4)
23 Magnet's terminal (4)
24 Sheen (6)
25 Thin layer of cement on a floor (6)

DOWN

1 Fabric retailer (6)
2 Baby carriage (4)
3 Ruffian (4)
4 Saudi? (4)
5 Middle East country (4)
6 Free from obligation (6)
8 Four-sided shape (9)
9 The - - -, Agatha Christie stageplay (9)
11 Enter without invitation (7)
15 Lounge lazily (6)
17 Rely (6)
18 Greek god (4)
19 Silent acting (4)
20 Mind, intellect (4)
21 Hugh Grant film, - - - Actually (4)

PUZZLE **255**

ACROSS

1 Important person (11)
9 Remote, aloof (7)
10 Adjust (to new surroundings) (5)
11 Apple's centre (4)
12 Dusk, in Scotland (8)
14 Big and bulky (5)
15 Football competition (1, 1, 3)
20 Constricting snake (8)
22 Prison, gaol (4)
24 Small twig (5)
25 Garden vegetable (7)
26 Nutty biscuits (11)

DOWN

2 Keep an eye on (7)
3 Void (4)
4 Seldom (6)
5 Unruly youth (8)
6 Military shop (inits) (5)
7 Hogwarts caretaker? (5)
8 Put on (an event) (5)
13 More powerful (8)
16 Not knowing (7)
17 Swampy ground (5)
18 Electric lamp inventor (6)
19 Hawaiian greeting (5)
21 Of the ears (5)
23 Flightless bird (4)

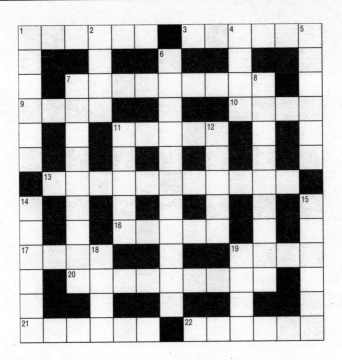

ACROSS

1 Musical beat (6)
3 Process of doing something (6)
7 Rubber-faced film star (3, 6)
9 Wizard of Oz character (4)
10 Dover's county (4)
11 Special talent (5)
13 Without feeling (4-7)
16 Elude (5)
17 Solid cooking fat (4)
19 Sleeveless cloak (4)
20 Undoubtedly (9)
21 Pleasurable trip (6)
22 Turn in a cycle (6)

DOWN

1 Ransacked (6)
2 Identical partner (4)
4 Slow arduous journey (4)
5 Stinging plant (6)
6 Spanish tennis player (6, 5)
7 Maid of Orleans (4, 2, 3)
8 Twenty-four hours ago (9)
11 Small anchor (5)
12 Currency unit of Norway (5)
14 Short jacket (6)
15 Get even for (6)
18 Actress,- - - Moore (4)
19 Congealed lump of blood (4)

PUZZLE **257**

ACROSS

1 Sheltered corner (4)
4 Vibrate noisily (6)
8 Runs away (8)
9 Group of workmen (4)
10 TV sitcom set in Liverpool (5)
11 Go back (7)
13 Girl (6)
15 Indian PM, - - - Gandhi (6)
17 Kind of china (7)
19 For a specificpurpose (2, 3)
22 Supple (4)
23 Eating disorder (8)
24 Posted note (6)
25 Drench (4)

DOWN

2 Happen (5)
3 Ugandan capital (7)
4 Young kangaroo (4)
5 Word blindness (8)
6 Very keen (5)
7 Not right (6)
12 Applicable (8)
14 Continent of the northern hemisphere (6)
16 Bumper cars (7)
18 Fashion (5)
20 Seance board (5)
21 Wild pig (4)

ACROSS

1 Overhead (5)
3 Everlasting (7)
6 One hundred years (7)
8 TV cook, - - - Smith (5)
10 Door joint (5)
11 Lose lustre (7)
14 Delay, loiter (6)
15 Although (6)
17 Instalment of a TV series (7)
20 Cleanse (5)
21 Entrance hall (5)
22 Farewell (7)
23 Arctic whale (7)
24 Eskimo canoe (5)

DOWN

1 Intoxicating drink (7)
2 Brownish-grey (5)
3 African republic (5)
4 Northern duck (5)
5 Dog lead (5)
7 Insignificant person (9)
9 East Midlands city (9)
12 Home and - - -, TV soap (4)
13 Small nail (4)
16 Sean Connery film (3, 4)
17 Pixie-like, delicate (5)
18 Talk show host, - - - Winfrey (5)
19 Surpass (5)
20 Dickens novel, - - - House (5)

PUZZLE **259**

ACROSS

7 Wanders aimlessly (8)
8 Make money (4)
9 Herald's coat (6)
10 Small hinged pendant (6)
11 Fleshy fruit (5)
12 Fall into a light sleep (4, 3)
15 Schumacher's racing team (7)
17 Rugby player, - - - Henson (5)
20 Recommendation (6)
22 Confirm (6)
23 Take part in an election (4)
24 Negligent (8)

DOWN

1 Divide (8)
2 Turkey's capital (6)
3 Weak and feeble (5)
4 British poet (1, 1, 5)
5 Help out of trouble (6)
6 Hillside (4)
13 Rubber-soled shoe (4-4)
14 The Cat In The Hat author (2, 5)
16 Brought up (6)
18 Again, anew (6)
19 Steer clear of (5)
21 Christian - - -, French fashion designer (4)

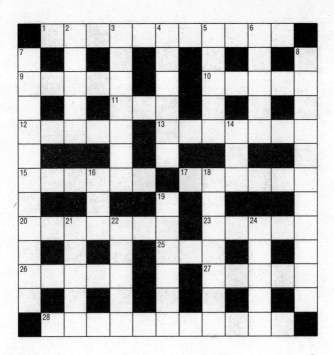

ACROSS

1 Deposit (4, 7)
9 Number of furlongs in a mile (5)
10 Unclear, indistinct (5)
11 Growth on a tree that develops into a leaf (3)
12 Single-file Cuban dance (5)
13 Ornamental staff (7)
15 Pool of rainwater (6)
17 Highly-spiced type of sausage (6)
20 Against the law (7)
23 Hard drinker (5)
25 The briny (3)
26 Jacket part (5)
27 Football crowd song (5)
28 Joan - - -, singer (11)

DOWN

2 Keyboard instrument (5)
3 Sport similar to basketball (7)
4 In the middle of (6)
5 Motion picture (5)
6 Hours of darkness (5)
7 Noticeable (11)
8 Go downhill (11)
14 Friend, chum (3)
16 Change the colour of (3)
18 Indigestion cure (7)
19 Heavy overcoat (6)
21 Pariah (5)
22 Former Israeli PM, - - - Meir (5)
24 Edible sea crustacean (5)

PUZZLE 261

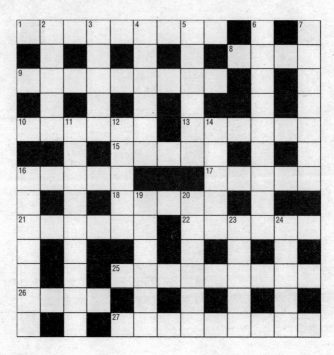

ACROSS

1 Tales of the - - -, kids TV show (9)
8 Thwart (a plan) (4)
9 Knitted helmet (9)
10 Empty-headed! (6)
13 North American wild dog (6)
15 Jack Nicholson film, - - - Management (5)
16 English diary writer (5)
17 Brief (5)
18 Cornish city (5)
21 Part of the eye (6)
22 Disturbance, discontent (6)
25 Scotland (9)
26 Departed (4)
27 Adaptable (9)

DOWN

2 Sci-fi author, - - - Asimov (5)
3 Play out a role (5)
4 Anne - - -, mother of Elizabeth (6)
5 Beginner (6)
6 Boat club's chairman (9)
7 Tardiest (7)
11 Sign representing the word 'an' (9)
12 Flavour (5)
14 Film legend, - - - Welles (5)
16 Small parcel (7)
19 Damage extensively (6)
20 Flemish painter (6)
23 Bird's perch (5)
24 Run out of a container (5)

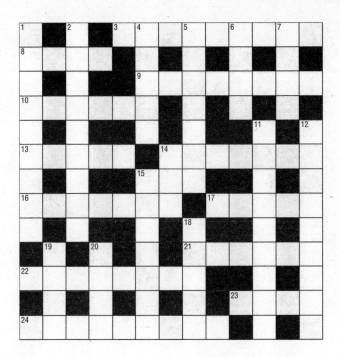

ACROSS

3 Aroma (9)
8 Show approval (4)
9 Item of clothing (8)
10 Baltic country (6)
13 American Indian's symbolic pole (5)
14 Serious mistake (7)
15 Pod vegetable (3)
16 Cooked (7)
17 Very fat (5)
21 Rushed, busy (6)
22 Bring a legal action (8)
23 Small Malayan dagger (4)
24 Chauffeured car (9)

DOWN

1 Carved figure (9)
2 It broke the camel's back! (4, 5)
4 Summarise (5)
5 Large ape (7)
6 Corrosive liquid (4)
7 Casual conversation (4)
11 Exciting experience (9)
12 Luggage for carrying papers (9)
14 Layer of rock (3)
15 Maybe (7)
18 Charlie - - -, actor (5)
19 Calf-length skirt (4)
20 Underground missile chamber (4)

PUZZLE 263

ACROSS

1 Slender girl (5)
4 Of Arctic regions (5)
10 Brazilian dance (5)
11 Passage froma book (7)
12 Prehistoric animal (8)
13 Abel's brother (4)
15 Easily (11)
19 Compassion (4)
20 Remnants (8)
23 Torso part (7)
24 Male relative (5)
25 Avarice (5)
26 Main, principal (5)

DOWN

2 Islamic country (5)
3 Exercise caution (4, 4)
5 Cry of pain! (4)
6 Overseas letters (7)
7 Stage whisper (5)
8 American actor (4, 7)
9 Daredevil act (5)
14 Cornish port (8)
16 The Hunt for Red - - -, film (7)
17 Separately (5)
18 Drained of colour (5)
21 Nook (5)
22 Narrow country road (4)

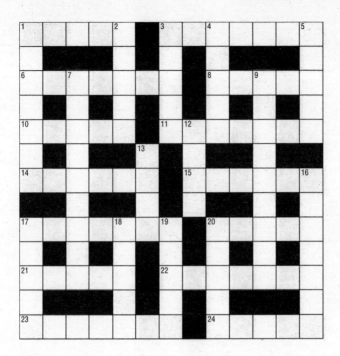

ACROSS

1 Scare off (from) (5)
3 Unfortunate (7)
6 Incite (7)
8 Strong rolling movement (5)
10 Lyrical poem (5)
11 Sourced from (7)
14 Get by threat (6)
15 Natural hot water spring (6)
17 Prospers (7)
20 Aptitude (5)
21 Nile dam (5)
22 Alloy of metals (7)
23 Biggest (7)
24 Supply with what is needed (5)

DOWN

1 Reduce in number (7)
2 Having ample space (5)
3 Overturn (5)
4 Beaten contestant (5)
5 Surrender (5)
7 Topple (a dictator) (9)
9 Delightful (9)
12 Therefore (4)
13 Eyelid sore (4)
16 Pickled herring fillet (7)
17 Drag along the ground (5)
18 Location (5)
19 Handle (5)
20 Soft rock (5)

PUZZLE 265

ACROSS

1 Earth (5)
5 Hummus ingredient (8)
8 Keep score (5)
10 Yearn for (4)
11 Readily understood (5)
13 Prime number (8)
14 Fruit used to flavour gin (4)
16 Nik - - -, Top Gear presenter (4)
17 Indian city (8)
21 Aroma (5)
22 Consider, - - - over (4)
24 Reluctant (5)
25 Squirrel relative (8)
26 Muscular contraction (5)

DOWN

1 Russell - - -, tenor (6)
2 Lounge about (4)
3 Top of the head (5)
4 Guess (9)
6 William - - -, politician (5)
7 Peter - - -, Jordan's husband (5
9 Juvenile person (5)
12 Lively (9)
15 Skiff's oar (5)
16 Sharon Stone film, - - - Instinc
   (5)
18 Office paperwork (5)
19 Song of loyalty (6)
20 Condemn (5)
23 Coil (4)

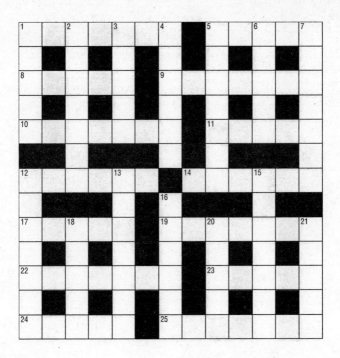

ACROSS

1 Study of rocks (7)
5 Large aircraft (5)
8 Firearm (5)
9 Aviation pioneer, - - - Wright (7)
10 Cravat (7)
11 Soviet revolutionary (5)
12 Small tower (6)
14 African republic (6)
17 Bitter (5)
19 Eccentric (7)
22 Young hare (7)
23 Fruit of the oak (5)
24 Revive (5)
25 Shyness (7)

DOWN

1 Tennis player, - - - Ivanisevic (5)
2 An - - - and a Gentleman, Richard Gere film (7)
3 Open to view (5)
4 Beefeaters (6)
5 Sporting spear (7)
6 Type of gourd (5)
7 World's smallest continent (7)
12 Fishing boat (7)
13 Quite old (7)
15 Burdensome (7)
16 Lowest part (6)
18 Make merry (5)
20 Financial deception (5)
21 Cheap and of poor quality (5)

ACROSS

1 Rule (over) (4, 4)
7 Part of an act (5)
8 Level-headed (9)
9 Collection of crockery (3)
10 Consider (4)
11 Group of acrobats (6)
13 Sound of tiny feet? (6)
14 Model (6)
17 Human being (6)
18 Split in an object (4)
20 No matter which (3)
22 Former Labour leader (4, 5)
23 Illicitly distilled spirit (5)
24 Car safety strap (4, 4)

DOWN

1 Biblical king (5)
2 Thinnest (7)
3 Stated (4)
4 Fine clothes (6)
5 Poem (5)
6 Demolish (7)
7 Unkempt (7)
12 Promise to marry (7)
13 Flamboyant style (7)
15 Mimic, copy (7)
16 Airport waiting room (6)
17 Power line support (5)
19 Fortune-teller's cards (5)
21 Assist in wrongdoing (4)

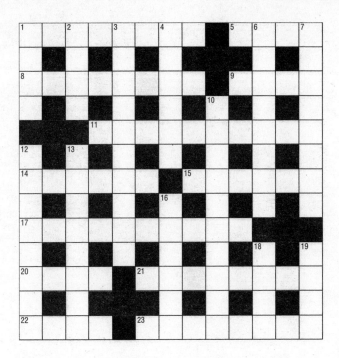

ACROSS

1 Made better (8)
5 Fledgling's home (4)
8 English hill range (8)
9 Sponge, eg (4)
11 Non-alcoholic drink (6, 4)
14 Day of the week (6)
15 Hereditary (6)
17 Gum tree (10)
20 Cheat (4)
21 Generation (8)
22 Shipping hazard (4)
23 Childishly irritable (8)

DOWN

1 Simple game (1-3)
2 Petty hoodlum (4)
3 In the first place (10)
4 Vigour, vitality (6)
6 Evita? (3, 5)
7 New York borough (3, 5)
10 Popular style of the 19th century (3, 7)
12 Criminal (8)
13 Christmas pastry (5, 3)
16 Interweave (string) (6)
18 Capital of Peru (4)
19 Fuel from bogs (4)

PUZZLE 269

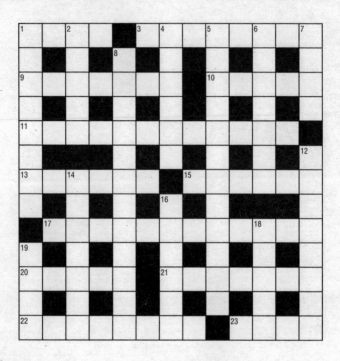

ACROSS

1 Speech defect (4)
3 Cared for (8)
9 Saved property (7)
10 God of love (5)
11 Tennyson, eg (4, 8)
13 New Testament dancer (6)
15 Photographer's workplace (6)
17 British comedian (4, 9)
20 Sky blue (5)
21 Accounts examiner (7)
22 Stress (8)
23 Noun or verb eg (4)

DOWN

1 Funeral bugle call (4, 4)
2 Decipher (5)
4 Beneficial, of help (6)
5 Beatles no 1 (6, 2, 4)
6 Reckoned (7)
7 Wooden skirting board (4)
8 Mealtime decorum (5, 7)
12 Boxed in (8)
14 Iceberg, cos, etc (7)
16 Angora wool (6)
18 French underground railway system (5)
19 Hinged metal fastener (4)

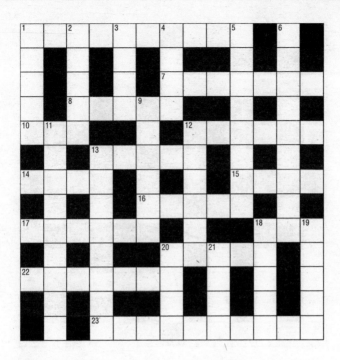

ACROSS

1   Prince Andrew (4, 2, 4)
7   Cloth scrap (7)
8   Church council (5)
10 Invite (3)
12 Strongly built (6)
13 Macho (5)
14 Severe (4)
15 Thai river (4)
16 Ambassador (5)
17 Rankle (6)
18 Distress call (1, 1, 1)
20 Clear soup (5)
22 Get better (7)
23 Modern (10)

DOWN

1   Capital of Bangladesh (5)
2   Telephone box (5)
3   Undo (4)
4   Enclosed ground next to a building (4)
5   American state (8)
6   Maltese snooker player (4, 5)
9   Stableman (6)
11 Mouthpiece (9)
12 Shake (from cold) (6)
13 Relatives (8)
18 Bombard (5)
19 Burn with hot liquid (5)
20 Cow meat (4)
21 Kiln (4)

PUZZLE **271**

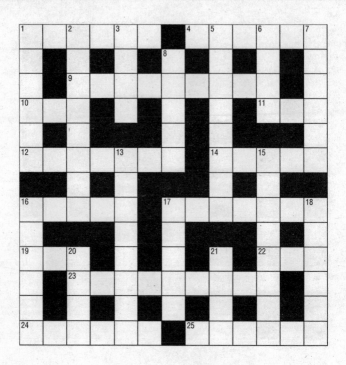

ACROSS

1 Poor person (6)
4 Orson - - -, film legend (6)
9 Erratic (9)
10 Ram (3)
11 Barrel (3)
12 Free time (7)
14 Nimble (5)
16 Parking regulator (5)
17 Supply (7)
19 Youth (3)
22 To the stern (3)
23 Battle in which Henry V defeated the French (9)
24 Sudden sharp pain (6)
25 Golfer's attendant (6)

DOWN

1 Handgun (6)
2 Pristine (8)
3 Academic test (4)
5 Ill-fated BBC soap opera (8)
6 Rugby position (4)
7 Unmarried (6)
8 Stroll, saunter (5)
13 Rebellion (8)
15 Copied (8)
16 Budgie food (6)
17 Set the cost of (5)
18 Tempt (6)
20 Salvador - - -, Spanish artist (4)
21 Roman goddess of the moon (4)

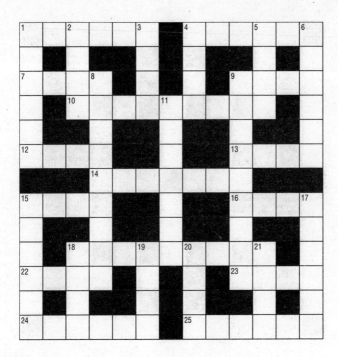

ACROSS

1 Bird of prey (6)
4 Not solid (6)
7 Melt (4)
9 Roadwork indicator (4)
10 Trial period (9)
12 Makes fun of (4)
13 Bottom part of a ship (4)
14 News (7)
15 Undying spirit (4)
16 Wagon (4)
18 Translate (9)
22 Type of shoe (4)
23 Rouse from sleep (4)
24 Lemonade and beer mixture (6)
25 Ruud - - -, football pundit (6)

DOWN

1 Priest's title (6)
2 Jump (4)
3 Too cold to feel (4)
4 Male deer (4)
5 French city (4)
6 Small beetle (6)
8 Hulk Hogan's sport (9)
9 Wine-bottle opener (9)
11 Suitor (7)
15 Treadless tyres (6)
17 Indication of immediate danger (6)
18 Jot, trace (4)
19 One of the deadly sins (4)
20 Sudden sharp pain (4)
21 Rear appendage (4)

PUZZLE **273**

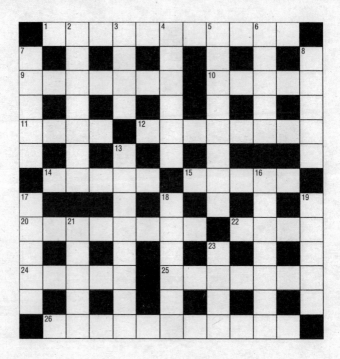

ACROSS

1 Communist barrier? (4, 7)
9 Answer (7)
10 Capital of the Balearic Islands (5)
11 Swelling (4)
12 Paper decoration (8)
14 Grown-up (5)
15 Turn away (5)
20 Remedy (8)
22 Shopping centre (4)
24 Slight amount (5)
25 Grand musician? (7)
26 Speed actor (5, 6)

DOWN

2 Begun again (7)
3 Midday (4)
4 Modernise (6)
5 Unbalanced (3, 5)
6 Muslim's religion (5)
7 Ethnic group (5)
8 Native New Zealander (5)
13 Short thick club (8)
16 Become aware (7)
17 Type of violet (5)
18 Drugged state (6)
19 Greek philosopher (5)
21 Hint (5)
23 Steal (4)

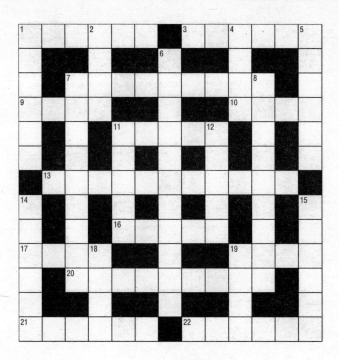

ACROSS

1 Mumble (6)
3 Revolve (6)
7 Antarctic region (5, 4)
9 Baseball player's glove (4)
10 Sailor's tale (4)
11 Animal charity (inits) (5)
13 Inspector Wexford actor (6, 5)
16 Rock shelf (5)
17 Wander about (4)
19 Narrow valley with a stream (4)
20 Usually (9)
21 Too much (6)
22 Pointless (6)

DOWN

1 Crippled (6)
2 Horse's pace (4)
4 Depend (4)
5 Alcoholic drink (6)
6 Furniture maker (11)
7 American tram (9)
8 Seriously (9)
11 Of the countryside (5)
12 Astonish (5)
14 Prosper, flourish (6)
15 Intricately decorated (6)
18 Small lake (4)
19 Overabundance (4)

PUZZLE 275

ACROSS

1 Public highway (4)
4 Get (troops) ready for battle (6)
8 Slaughterhouse (8)
9 Send to sleep (4)
10 Rigid (5)
11 Lion's heraldic pose (7)
13 Wading bird with a long bill (6)
15 Clinging marine creature (6)
17 Dr - - -, famous murderer (7)
19 Move (a train) from one place to another (5)
22 Hired car (4)
23 Just good friends, - - - relationship (8)
24 Turned into (6)
25 Spanish artist (4)

DOWN

2 Path of a planet (5)
3 Obedient (7)
4 Plummet (4)
5 Easily carried (8)
6 Lowest deck of a ship (5)
7 Fair-haired (6)
12 Garden plant (5, 3)
14 Bedlam (6)
16 Old Chinese game (3, 4)
18 Grace, elegance (5)
20 Deafening (5)
21 Naked (4)

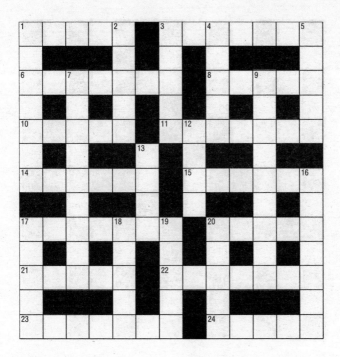

ACROSS

1 Indicate (5)
3 European country (7)
6 Old pals' get-together (7)
8 Work hard (5)
10 Trap (5)
11 Scottish region (7)
14 Provided (4, 2)
15 Indian pasty (6)
17 Sign of the zodiac (7)
20 Scold (5)
21 Fertile desert spot (5)
22 Huntsman's cry (5-2)
23 Comfortable shoes (7)
24 Fruit machine option (5)

DOWN

1 Sunshade (7)
2 Rubbish (5)
3 Declare void (5)
4 Ability to see (5)
5 Football club, - - - Villa (5)
7 In agreement (9)
9 Hostility (9)
12 Expel (4)
13 Sea rescue (inits) (4)
16 Dreaded (7)
17 Backless seat (5)
18 Adhesive mixture (5)
19 Scott's companion to the South Pole (5)
20 Film star, - - - Firth (5)

PUZZLE 277

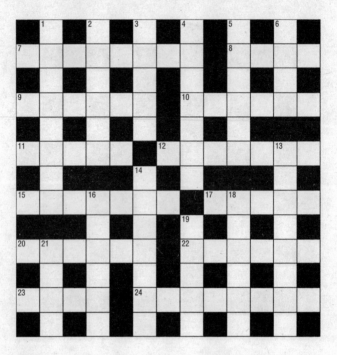

ACROSS

7 Brought forward (8)
8 Shelter for cows (4)
9 Cuban dictator (6)
10 Frail (6)
11 Former Argentine president (5)
12 Surgical knife (7)
15 Implement, tool (7)
17 Eggbeater (5)
20 Capital of Taiwan (6)
22 Soothing cream (6)
23 Deal with (4)
24 Occasion (8)

DOWN

1 Close by (8)
2 Skin drawing (6)
3 Scamper (5)
4 Large building (7)
5 Descend with a rope (6)
6 Spoken exam (4)
13 Establish firmly (8)
14 Civilian force (7)
16 Niece's brother (6)
18 Hired assassin (3, 3)
19 Dental string (5)
21 Nautical cry! (4)

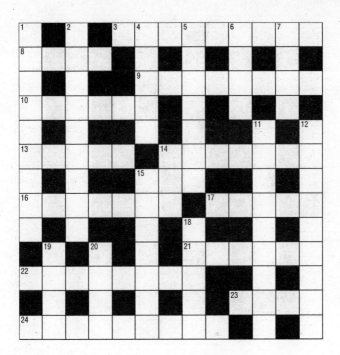

ACROSS

3 Hospital (9)
8 Magician's baton (4)
9 Seasoned smoked beef (8)
10 Mistake (4-2)
13 Caustic (5)
14 Armed conflict (7)
15 Piece of turf (3)
16 Fretwork (7)
17 Massage (5)
21 Approach and speak to (6)
22 Energetic (8)
23 Floor covering (4)
24 Greek temple (9)

DOWN

1 Sponge cake (5, 4)
2 Hint (9)
4 Diaper (5)
5 As a substitute (7)
6 Karl - - -, communist (4)
7 Slope (4)
11 European country (9)
12 Musical performance (9)
14 Sorrow (3)
15 Miser (7)
18 Cowboy's rope (5)
19 Former Italian currency (4)
20 Stupid fellow (4)

PUZZLE **279**

ACROSS

1 Skinny animal (5)
3 Warrior (7)
6 Perusing (7)
8 Maxim (5)
10 Antiquated (5)
11 Hard-wearing cotton fabric (7)
14 Find (6)
15 Group's confidence (6)
17 Small round particle (7)
20 South American mountains (5)
21 Sigmund - - -, psychiatrist (5)
22 Hot pepper (7)
23 Intellectual person (7)
24 Short and broad (5)

DOWN

1 Filled pastry dish (7)
2 Trade organisation (5)
3 Character from Oliver Twist (5)
4 Wood pattern (5)
5 Football club owner, - - - Abramovich (5)
7 Vegetable (9)
9 Beautiful but aloof woman (3,
12 Shells, etc (4)
13 Great enthusiasm (4)
16 Simplest (7)
17 Social blunder (5)
18 Needless (5)
19 Nickname of Rodrigo Diaz de Vivar (2, 3)
20 Very deep pit (5)

ACROSS

1 French novelist (5)
4 November birthstone (5)
10 Smelly mammal (5)
11 Specimen, illustration (7)
12 Supersonic passenger jet (8)
13 Unemployment benefit (4)
15 Road-building machine (11)
19 Sour (4)
20 Gem dealer (8)
23 English county (7)
24 Degrade (5)
25 Pedalled transport (5)
26 Principle, belief (5)

DOWN

2 Reversal of political policy (1-4)
3 WWII aircraft carrier (3, 5)
5 Egg-shaped (4)
6 Sanction (7)
7 Young persons' charity (inits) (5)
8 Bix - - -, jazz musician (11)
9 Slope (5)
14 Antagonise (8)
16 Careful with money (7)
17 Hide (5)
18 Town announcer (5)
21 Soldier's time off (5)
22 Loose hood (4)

PUZZLE 281

ACROSS

1 Wandering tribesman (5)
3 Nightwear (7)
6 Three-pronged spear (7)
8 Award (5)
10 Flower (5)
11 Asian river (7)
14 Fairness (6)
15 Amend (6)
17 Walk unsteadily (7)
20 Chinese mafia (5)
21 Bertie - - -, Irish PM (5)
22 Acute, heightened (7)
23 Circus act (7)
24 People's spirit (5)

DOWN

1 Remarkable (7)
2 Film, Silver - - - Racer (5)
3 Glazier's fixing paste (5)
4 Eastern country (5)
5 Kitchen utensil (5)
7 Immunise (9)
9 Instinct (9)
12 Feeling (4)
13 Rubber wheel surround (4)
16 Infinite (7)
17 Barely sufficient (5)
18 Kind, sort (5)
19 Elevate (5)
20 Honorary name (5)

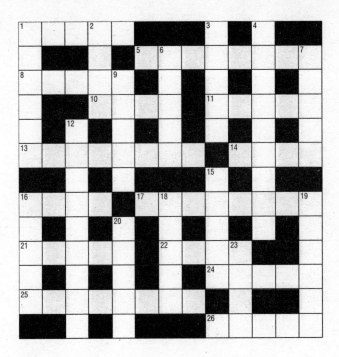

ACROSS

1 Large bright parrot (5)
5 Star symbol used in printing (8)
8 Grieve for (5)
10 Sign of tiredness (4)
11 Two times (5)
13 Cosmetic (8)
14 Royal mistress, - - - Gwyn (4)
16 Step of a ladder (4)
17 Unemotional (8)
21 Call on (5)
22 Similar, like (4)
24 Place of oblivion (5)
25 Carried out (8)
26 Group of singers (5)

DOWN

1 Mutter (6)
2 Breezy (4)
3 Full of interest (5)
4 Proper attention (9)
6 Scorch (5)
7 Prepare to pray? (5)
9 Lowest point (5)
12 Day of the week (9)
15 Iron forge block (5)
16 Amazon, eg (5)
18 Tenant's document (5)
19 Political party (6)
20 Wood dye (5)
23 Near (4)

PUZZLE 283

ACROSS

1 Offensive weapon, - - - duster (7)
5 Estimates the value (5)
8 Greek god of the underworld (5)
9 Scandalmonger (7)
10 Home of the Russian government (7)
11 Mark - - -,Tom Sawyer author (5)
12 Slim (6)
14 Offer recommendations (6)
17 Picture or photosurround (5)
19 Rats, eg (7)
22 Live, dwell (7)
23 Result of addition (5)
24 Eagle's nest (5)
25 Welsh mountain (7)

DOWN

1 Cushion stuffing (5)
2 Stringed instrument (7)
3 Small hill (5)
4 Become larger (6)
5 Turned (7)
6 City in Oklahoma (5)
7 Unusual (7)
12 Meet requirements (7)
13 Quiver (7)
15 Caught fire (7)
16 Free of charge (6)
18 Loathe, detest (5)
20 Likewise (5)
21 Beauty parlour (5)

ACROSS

1 Bounty mutineer, - - - Christian (8)
7 Oriental rice dish (5)
8 Fast rate of shooting (5, 4)
9 Superstar (1, 1, 1)
10 Lion's hair (4)
11 Conduct oneself (6)
13 Capital of Austria (6)
14 Chevron (6)
17 Crop up (6)
18 Explosive device (4)
20 Cubbyhole (3)
22 Reckless person (9)
23 Blocks (5)
24 Floor covering (8)

DOWN

1 Roman court (5)
2 Strike out, erase (7)
3 Set of rules (4)
4 Banished (6)
5 In existence (5)
6 Intention (7)
7 Punishment (7)
12 Means (7)
13 Jury decision (7)
15 Prehistoric era (4, 3)
16 Andre - - -, tennis player (6)
17 Relish (5)
19 Long-handled brush (5)
21 Mass lobby (4)

PUZZLE 285

ACROSS

1 Style of music (4)
3 Detach (8)
9 Critic (5)
10 Wise purchase (7)
11 Contrary to expectation (3)
13 Insect with many pairs of legs (9)
14 Mike - - -, TV private eye (6)
16 In actual fact (6)
18 Extra payment to be made (9)
20 Steal (3)
22 Pleasant-natured (7)
23 Sharp blade (5)
25 Dusk (8)
26 Cunning (4)

DOWN

1 Sculptor, - - - Epstein (5)
2 Form of Buddhism (3)
4 Disable (a racehorse) with drugs (6)
5 Aviation company (7)
6 Person on a journey (9)
7 Convent (7)
8 Con artist's scheme (4)
12 Top Gun star (3, 6)
14 Prisoner (7)
15 Display (7)
17 Pal, chum (6)
19 Greyish-yellow (4)
21 Chuck - - -, singer (5)
24 Whipsnade, eg (3)

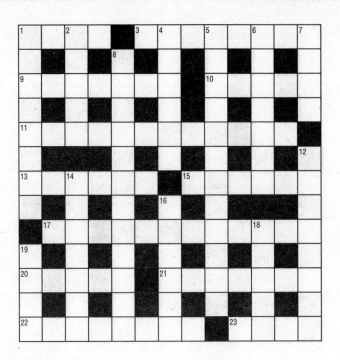

ACROSS

1 Microscopic arachnid (4)
3 Meat cutlet (4, 4)
9 Ruth - - -, crime writer (7)
10 Reasoning (5)
11 Mechanic! (6, 6)
13 Politician, - - - Jackson (6)
15 Disclose (6)
17 On the house (4, 2, 6)
20 Game of strategy (5)
21 Ghost (7)
22 Drench (8)
23 Cry out (like a wolf) (4)

DOWN

1 Loan secured against a property (8)
2 Slight tint (5)
4 Self-confidence, savoir-faire (6)
5 Accounts document (7, 5)
6 Cleanliness (7)
7 Bond (4)
8 Item of furniture (5, 7)
12 Woodland flower (8)
14 Serious (7)
16 Counterbalance (6)
18 Proportion (5)
19 Book of the Bible (4)

PUZZLE 287

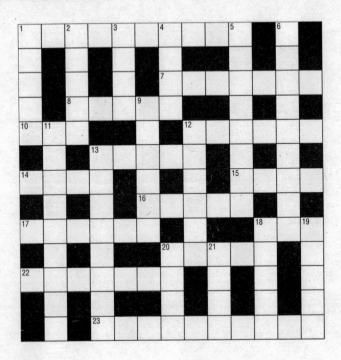

ACROSS

1 Chastisement (10)
7 In opposition to (7)
8 Sequence of links (5)
10 Opening device (3)
12 Anti-aircraft fire (3-3)
13 Desire greatly (5)
14 Jujitsu-like sport (4)
15 Large quantity of paper (4)
16 Ornamental mat (5)
17 Scanty (6)
18 Former Countdown host, - - - Lynam (3)
20 Possibly (5)
22 Newspaper (7)
23 Arthur Jefferson's stage name (4, 6)

DOWN

1 Courage (5)
2 First woman MP, - - - Astor (5)
3 Type of bean (4)
4 Groan, complain (4)
5 Jiggery-pokery (8)
6 Think of together (9)
9 Raid (6)
11 High-spirited (9)
12 Leader of the Huns (6)
13 Formal discussion meeting (8)
18 Shelve (5)
19 Ruin, wreck (5)
20 Stingy, tight (4)
21 Meditation method (4)

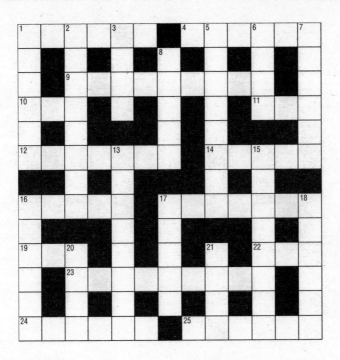

ACROSS

1 Old name for Mumbai (6)
4 Burrowing rodent (6)
9 Exactly the same (9)
10 Hair-styling cream (3)
11 US law agency (1, 1, 1)
12 Wear out (7)
14 Tenpin bowling lane (5)
16 Rabbit's cage (5)
17 Withdraw (7)
19 Drink distilled from sugar cane (3)
22 Woman under vows (3)
23 Benefit (9)
24 Walk for pleasure (6)
25 Period of instruction (6)

DOWN

1 Low-heeled shoe (6)
2 Advertising material sent by post (8)
3 Chopped (4)
5 Resident (8)
6 Fraction (4)
7 Confirm (6)
8 Dark beer (5)
13 Sudden disturbance (8)
15 Novices (8)
16 Frightening movie (6)
17 Black wood (5)
18 Cord of muscle tissue (6)
20 Cripple, disable (4)
21 Central part of a church (4)

PUZZLE 289

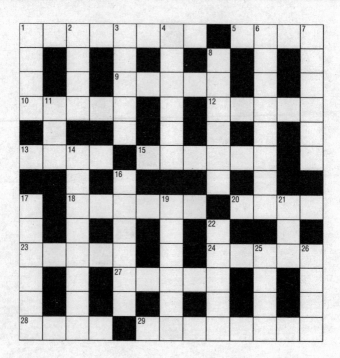

ACROSS

1 Aimed at (8)
5 Sound of a motor horn (4)
9 Wooden spike (5)
10 Islamic religious ruling (5)
12 Snake's poison (5)
13 Heathland (4)
15 Reject (6)
18 Soul diva, - - - Warwick (6)
20 Shine in the dark (4)
23 Scuffle (5)
24 Rash (5)
27 Took the oath (5)
28 Oblique (4)
29 Telescope part (8)

DOWN

1 Petty row (4)
2 Log platform (4)
3 Literary composition (5)
4 Slip away (6)
6 Momentous (8)
7 Punctual, immediate (6)
8 Pious (6)
11 Time gone by (3)
14 Ex-boyfriend (3, 5)
16 Pester in a hostile way (6)
17 Rain cloud (6)
19 Not any person (6)
21 Not in (3)
22 Of little value (5)
25 Rational (4)
26 Harness (4)

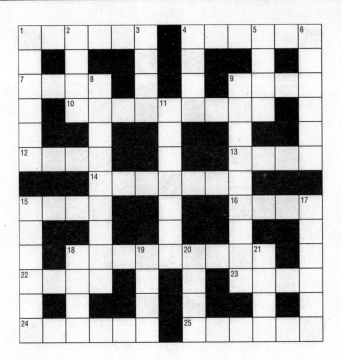

ACROSS

1 Dog star (6)
4 Light orange-brown colour (6)
7 Give temporarily (4)
9 Weedy bloke (4)
10 Fraud (9)
12 Strategem (4)
13 State of confusion (4)
14 Style of jazz (7)
15 Thin, not chubby (4)
16 Currency unit of South Africa (4)
18 Nameless (9)
22 Ancient instrument (4)
23 Source of worry (4)
24 Lead astray (6)
25 Steal (6)

DOWN

1 Precious metal (6)
2 Bacon skin (4)
3 Japanese drink made from rice (4)
4 Blast of wind (4)
5 Smile broadly (4)
6 Ruffling of water's surface (6)
8 Find out (9)
9 Very good (9)
11 Depict in words (7)
15 Record player's needle (6)
17 Scribble (6)
18 Like the Sahara! (4)
19 Egypt's main river (4)
20 Largest share (4)
21 Unspecified amount (4)

PUZZLE **291**

ACROSS

1 Scottish explorer (11)
9 Wide space (7)
10 TV comic actor, - - - Atkinson (5)
11 Fizzy beverage (4)
12 Goad, incentive (8)
14 Sumptuous meal (5)
15 Common (5)
20 Stay of execution (8)
22 Inflatable rubber mattress (4)
24 Bamboo-eating animal (5)
25 Soothing song (7)
26 Goes faster (11)

DOWN

2 Sudden desire (7)
3 Hebridean island (4)
4 Ethnic area (6)
5 Layered Italian dessert (8)
6 Stairpost (5)
7 Hussy (5)
8 Grind the teeth (5)
13 Approximate calculation (8)
16 Disturb (7)
17 Cover with cloth (5)
18 Adapt over a long period (6)
19 Japan's capital city (5)
21 Hysteria (5)
23 Urgent request (4)

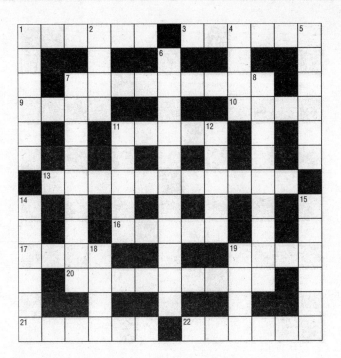

ACROSS

1 Little - - -, Dickens novel (6)
3 Breakfast food (6)
7 Physical comedy (9)
9 Set of computer bits (4)
10 Boot (4)
11 Liquid mud (5)
13 Depreciation through use (4, 3, 4)
16 Crazy (5)
17 Sound of a horn (4)
19 Dark green stone (4)
20 Magnificent tomb (9)
21 Buy back (6)
22 Obvious (6)

DOWN

1 Take a casual interest in (6)
2 Anger (4)
4 Display stand (4)
5 Servant (6)
6 Secret meeting (11)
7 Depository (9)
8 Party surprise! (9)
11 Small woody plant (5)
12 Record (5)
14 Acrimonious (6)
15 Envisaged in sleep (6)
18 Unladen weight of a vehicle (4)
19 Exactly, barely (4)

PUZZLE 293

ACROSS

1 Soap bubbles (4)
4 Caress gently (6)
8 Natural liking (8)
9 Volume (4)
10 Any port in a - - -; proverb (5)
11 Sob without restraint (7)
13 Tulip, eg (6)
15 Wild American cat (6)
17 Assume (7)
19 Chew (5)
22 Tailless amphibian (4)
23 Jubilant (8)
24 Contaminate (6)
25 Smallest in the litter (4)

DOWN

2 Out of condition (5)
3 Squalid part of a town frequented by drunks (4, 3)
4 Gulp down (4)
5 Queen's enclosure at the theatre (5, 3)
6 Skewered meat dish (5)
7 Popular 'whodunit' board game (6)
12 Lake District village (8)
14 French art gallery (6)
16 Imaginary line around the middle of the planet (7)
18 Heathen (5)
20 Priest serving in a cathedral (5)
21 Vent (4)

ACROSS

1 Demanding (5)
3 Weakness, flaw (7)
6 Accumulated (7)
8 Sigourney Weaver film (5)
10 Material object (5)
11 Expose (3, 4)
14 Agitate (6)
15 US state (6)
17 Vehicles on the road (7)
20 Tennis legend, - - - Becker (5)
21 Child's nurse (5)
22 Biblical sea (7)
23 Discussion forum (7)
24 Incorrect (5)

DOWN

1 Wound dressing (7)
2 Immature (5)
3 Cuban president, - - - Castro (5)
4 Football World Cup winners (2006) (5)
5 Magical servant (5)
7 Tribe leader (9)
9 Maiden (9)
12 English county (4)
13 Abominable Snowman (4)
16 Reserve fund (4, 3)
17 Large pincers (5)
18 Errol - - -, great actor (5)
19 Roll of tobacco leaves for smoking (5)
20 Council regulation (5)

PUZZLE 295

ACROSS

7 Wrist jewellery (8)
8 Ballet skirt (4)
9 Car lock-up (6)
10 Large pace (6)
11 Harbour (5)
12 Contrition (7)
15 Bound to happen (7)
17 Prickly bush (5)
20 Bureau (6)
22 Bellowed (6)
23 Dab of ink (4)
24 Protect against the cold (8)

DOWN

1 Rupture (8)
2 Eight lines of verse (6)
3 Snow and rain falling together (5)
4 Stored in a secret place (7)
5 Twin-speaker sound (6)
6 Horse-breeding farm (4)
13 Possible culprits (8)
14 African country (7)
16 Soft felt hat (6)
18 Soothsayer (6)
19 Sweep (5)
21 Pen for livestock (4)

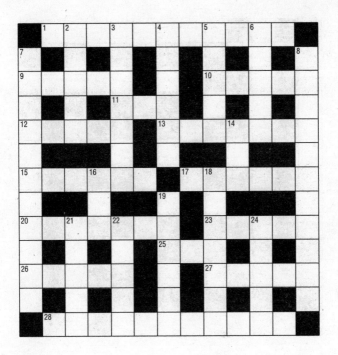

ACROSS

1 Last chance to pay (5, 6)
9 Phil Taylor's sport (5)
10 Cabaret show (5)
11 Close (3)
12 Early conqueror of parts of England (5)
13 Allegiance (7)
15 Subtle difference (6)
17 Medium-hot curry (6)
20 Intense delight (7)
23 Tree of the birch family (5)
25 Junior scout (3)
26 Male duck (5)
27 Cropped up (5)
28 Theatrical make-up (11)

DOWN

2 Home of Glasgow Rangers (5)
3 Toxic element (7)
4 Fatal (6)
5 Festive (5)
6 Work of fiction (5)
7 Miscellaneous items (4, 3, 4)
8 Postcards from the Edge actress (5, 6)
14 Live - - -, fund-raising concert (3)
16 Tennis court barrier (3)
18 The Heart of Dixie (7)
19 Chinese fruit (6)
21 Ringo - - -, drummer (5)
22 Sphere of combat (5)
24 Drench thoroughly (5)

PUZZLE **297**

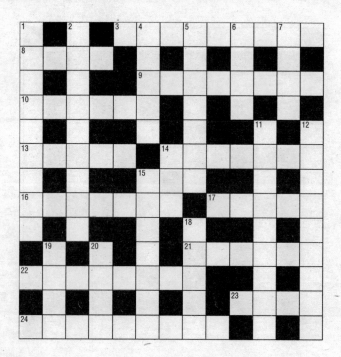

ACROSS

- 3 Saint celebrated on 14 February (9)
- 8 Luncheon meat (4)
- 9 Outdoor meal (8)
- 10 Steal cattle (6)
- 13 Convey (5)
- 14 Major American road (7)
- 15 Child's bed (3)
- 16 Genuine, candid (7)
- 17 Stoke's river (5)
- 21 International children's charity (inits) (6)
- 22 Periodical publication (8)
- 23 Faithful (4)
- 24 Make laws (9)

DOWN

- 1 Banish from society (9)
- 2 Tendon at the back of the knee (9)
- 4 Cautionary light (5)
- 5 Amelia - - -, first woman to fly solo across the Atlantic (7)
- 6 Woody plant (4)
- 7 Name word (4)
- 11 Variety of maize (5, 4)
- 12 Bewildered (9)
- 14 Adversary (3)
- 15 Vital (7)
- 18 Important search (5)
- 19 Flavour with spirits (4)
- 20 Timbuktu's country (4)

ACROSS

1 Algeria's currency unit (5)
3 Enthusiast (7)
6 August birthstone (7)
8 Handed out playing cards (5)
10 Promised on oath (5)
11 Vacation (7)
14 Deep furrow (6)
15 Home of a Hindu holy man (6)
17 Downwind (7)
20 Plant louse (5)
21 Distinctive pattern (5)
22 Decrease in size (7)
23 Ivor - - -, composer (7)
24 Animals in general (5)

DOWN

1 Put in the bank (7)
2 French sculptor (5)
3 Go and bring back (5)
4 Rafael - - -, Spanish tennis player (5)
5 Ship, - - - Sark (5)
7 Former American president (9)
9 Hampshire army town (9)
12 King of Norway (4)
13 Scorch (4)
16 The Virgin Mary (7)
17 Fruit served with fish (5)
18 Horrible (5)
19 Musical party (5)
20 Withdrawn (5)

PUZZLE **299**

ACROSS

1 Distinctive character (5)
3 Downwind (7)
6 Small newspaper (7)
8 Muscle (5)
10 Side (5)
11 Before this time (7)
14 Child (6)
15 African republic (6)
17 Raise, lift up (7)
20 Balearic island (5)
21 Accomplished (5)
22 Held up (7)
23 Slimmer (7)
24 Roger Hargreaves' folk? (2, 3)

DOWN

1 Gloria - - -, singer (7)
2 Nasty surprise (5)
3 Sill (5)
4 Cinder (5)
5 Benefactor (5)
7 Swear, curse (9)
9 Hatred (9)
12 Home and - - -, TV soap (4)
13 Very dry (champagne) (4)
16 Fail to complete (7)
17 Perform, play out (5)
18 Prestigious car, - - - Martin (5)
19 Arctic duck (5)
20 Religion of Muslims (5)

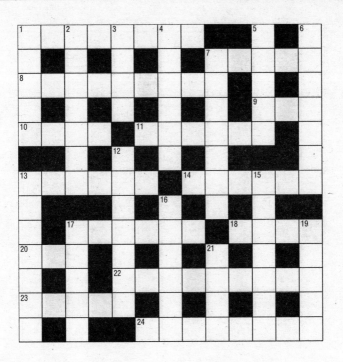

ACROSS

1 Gags (8)
7 Recurring system (5)
8 Eggplant (9)
9 Become old (3)
10 Edward - - -, English nonsense poet (4)
11 Casualty (6)
13 Timber decay (3-3)
14 Move about restlessly (6)
17 Nautical measure (6)
18 Enthusiasm, verve (4)
20 Freezing cold (3)
22 Patience (9)
23 Meat juices (5)
24 Went before (8)

DOWN

1 Show teeth (5)
2 Collection of books (7)
3 Required achievement (4)
4 Medicine (6)
5 Go away (5)
6 Young hare (7)
7 Positive (7)
12 Fidelity (7)
13 Spanish tenor (7)
15 Gathered (7)
16 Manservant (6)
17 Des - - -, former Countdown host (5)
19 Passing fashion (5)
21 Darts player, - - - Bristow (4)

PUZZLE 301

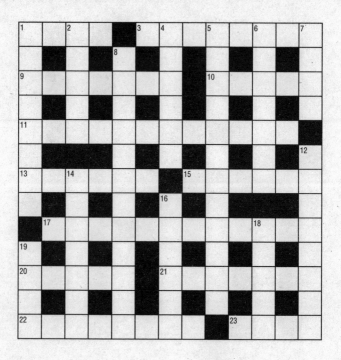

ACROSS

1 Twelve months (4)
3 Goose liver (4, 4)
9 Looked quickly (7)
10 Mediterranean island (5)
11 Dinosaur (12)
13 Reply (6)
15 Road accident (4-2)
17 Paving pebbles (12)
20 Good, genuine (5)
21 Silvery paper (7)
22 Relating to cooking (8)
23 Scottish loch (4)

DOWN

1 Cartoon grizzly! (4, 4)
2 Memorable American battle (5)
4 Most senior (6)
5 Very painful (12)
6 Break (7)
7 Earth (4)
8 Flibbertigibbet (12)
12 Disciples (8)
14 Swimmer's breathing tube (7)
16 Part of the alphabet (6)
18 Loop with a running knot (5)
19 Long adventure film (4)

ACROSS

1 Type of ape (10)
7 Seat of learning (7)
8 Coming afterwards (5)
10 Endeavour (3)
12 Canvas shelter (6)
13 Tree (5)
14 Back of the neck (4)
15 Viking, - - - the Red (4)
16 Town announcer (5)
17 Wandering at sea (6)
18 Sneaky (3)
20 Influence (5)
22 Large deer (7)
23 Former Anglo-Saxon kingdom (4, 6)

DOWN

1 Condiment container (5)
2 Insinuate (5)
3 Irish currency (4)
4 Close to (4)
5 Put in peril (8)
6 Formula One racing driver (5, 4)
9 Hope for (6)
11 Author of Charlie and the Chocolate Factory (5, 4)
12 Device used to receive radio signals (6)
13 Remedy for illness (8)
18 Purloin (5)
19 House plant (5)
20 Rudely blunt and brief (4)
21 Portent (4)

ACROSS

1 Cosmetic surgery (4-4)
5 Sect (4)
9 Lionel - - -, dancer (5)
10 Premium Bond prize picker (5)
12 Marked area for racket game (5)
13 Pile (4)
15 Part of the eye (6)
18 Writing desk (6)
20 Harvest (4)
23 European river (5)
24 One of the deadly sins (5)
27 Hero (5)
28 Encourage a wrongdoing (4)
29 Spider, eg (8)

DOWN

1 Counterfeit (4)
2 Greenish-blue (4)
3 Sticker, tag (5)
4 Man engaged to be married (6)
6 Move up and down (8)
7 Chuckle (6)
8 Mischievous child (6)
11 East Sussex town (3)
14 Village featured in The Archers (8)
16 Mediterranean country (6)
17 Long cigar (6)
19 Live-in mother's help (2, 4)
21 Astern (3)
22 Savoury meat jelly (5)
25 Cooker (4)
26 Female red deer (4)

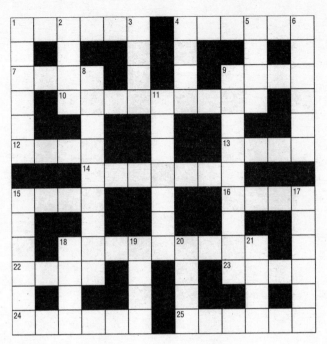

ACROSS

1 Boil over with anger (6)
4 Centre of a nut (6)
7 Spongy green plant (4)
9 Bog fuel (4)
10 Wheel-shaped cheese (9)
12 Gloomy looking (weather) (4)
13 Sharp, astute (4)
14 Russian emperor's wife (7)
15 Couch, settee (4)
16 Ability (4)
18 Stand for (9)
22 Musical record (4)
23 Open-mouthed stare (4)
24 Child whose parents are dead (6)
25 Fine cotton fabric (6)

DOWN

1 Emblem (6)
2 Comfort (4)
3 Irish Gaelic (4)
4 Tartan skirt (4)
5 Christmas name (4)
6 Cream (6)
8 Smug person (5, 4)
9 Wrapper (9)
11 Recite (7)
15 Artist's place of work (6)
17 Inn (6)
18 Please reply (inits) (4)
19 Dustin Hoffman film, - - - Man (4)
20 Appear (4)
21 Last part (4)

PUZZLE 305

ACROSS

1 Change in sound pitch relative to motion (7, 6)
7 Prospers (7)
8 Extensive view (5)
9 Ukrainian city (4)
10 Biscuits for cheese (8)
12 Opening, vent (6)
14 Tense (2, 4)
16 Slow-moving reptile (8)
17 Market place (4)
20 Red-hot (5)
21 Very stupid (7)
23 Agatha Christie character (7, 6)

DOWN

1 Tiny speck (3)
2 Boxer's wages (5)
3 Volcano's discharge (4)
4 Holiday town (6)
5 Area of London (4, 3)
6 Temporary, ephemeral (9)
8 Unoccupied (6)
9 Ken Dodd comes from here (6, 3)
11 Grow to be (6)
13 Yorkshire or Airedale dog eg (7)
15 Yearn for (6)
18 Make different (5)
19 Grain store (4)
22 Slash (3)

ACROSS

1 Praise highly (5)
3 Baggy trousers (7)
6 Quotation (7)
8 Literary category (5)
10 Society of tradesmen (5)
11 Useful (7)
14 Soul singer, - - - Warwick (6)
15 Feel sorry about (6)
17 Model, specimen (7)
20 Take as one's own (5)
21 Ancient Greek philosopher (5)
22 Advice, guidance (7)
23 Restricted (7)
24 Drinker (5)

DOWN

1 Came into view (7)
2 Shockingly vivid (5)
3 Snag (5)
4 Tycoon (5)
5 Odour (5)
7 Small sausage (9)
9 Wicked (9)
12 Greyish-yellow (4)
13 Business transaction (4)
16 Gossip (7)
17 Drive out (5)
18 Alain - - -, former Grand Prix driver (5)
19 Spanish warrior (2, 3)
20 Mature person (5)

PUZZLE 307

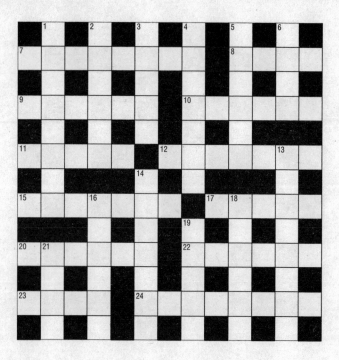

ACROSS

7 One of the deadly sins (8)
8 James Bond film (2, 2)
9 Inborn (6)
10 Flexibility (6)
11 Greek island (5)
12 Completely surround (7)
15 Common food fish (7)
17 No good (5)
20 Dealer (6)
22 Entreaty (6)
23 Destiny (4)
24 Discrepancy (8)

DOWN

1 US gangster (2, 6)
2 German teddy bear maker (6)
3 Lid (5)
4 Hurricane (7)
5 Stick (to) (6)
6 Designer, - - - Ryder Richardson (4)
13 Riches, wealth (8)
14 Carve figures on a surface (7)
16 Long arm of the Indian Ocean (3, 3)
18 Yasser - - -, formerPLO chairman (6)
19 Flicker (5)
21 Test (4)

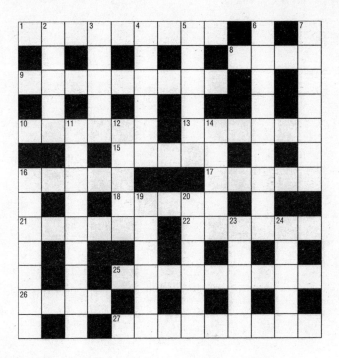

ACROSS

1 Landing field for planes (9)
8 Daybreak (4)
9 Juvenile (9)
10 Place for worship (6)
13 Food store (6)
15 Satan (5)
16 Jargon (5)
17 Sprightly (5)
18 Fossil resin (5)
21 Entice, attract (6)
22 Hinder progress (6)
25 Pembrokeshire port (9)
26 Jazz singer, - - - Fitzgerald (4)
27 Theatre (9)

DOWN

2 Noteworthy period (5)
3 Come clean (3, 2)
4 Steal (cattle) (6)
5 Dish of crushed oats, dried fruits and nuts (6)
6 Fast rate of shooting (5, 4)
7 Sanction (7)
11 Accessible (9)
12 Tarzan author, - - - Rice Burroughs (5)
14 Danger signal (5)
16 Hidden away (7)
19 Servile (6)
20 Four times twenty (6)
23 Mickey Mouse's pet dog (5)
24 Eric Bristow's game (5)

PUZZLE 309

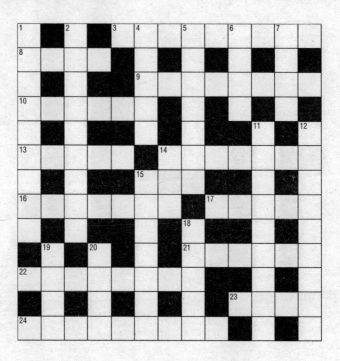

ACROSS

3 Yorkshire city (9)
8 Stephen K - - -, comedian (4)
9 Summary of a film (8)
10 Turmoil (6)
13 Pungent (5)
14 Capital of Costa Rica (3, 4)
15 Lock-opener (3)
16 Stretchy material (7)
17 Climb onto (5)
21 Layabout (6)
22 Wood preservative (8)
23 Easy jogging pace (4)
24 Rumpole of the Bailey star (3, 6)

DOWN

1 Soaked (9)
2 Jacket potato topping? (4, 5)
4 Speed (5)
5 American motorway (7)
6 Baghdad's country (4)
7 Lion's den (4)
11 Soft blue cheese (9)
12 Manual skill (9)
14 Dry (of wine) (3)
15 Neil - - -, formerLabour leade
18 Evident, obvious (5)
19 Factual (4)
20 Type of camera lens (4)

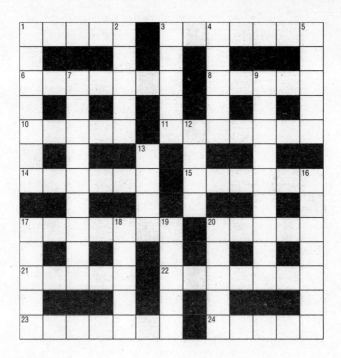

ACROSS

1 Slapstick (5)
3 Swivelled (7)
6 Ramshackle (7)
8 Shaving implement (5)
10 Diminish (fear) (5)
11 Drastic (7)
14 Put up with (6)
15 Accumulate (6)
17 Musical event (7)
20 Ronald - - -, train robber (5)
21 Categorise (5)
22 Severe (7)
23 Remainder (7)
24 Break out (5)

DOWN

1 Abandon (7)
2 Board used for shaping nails (5)
3 Poetry (5)
4 Fortune-telling cards (5)
5 Funeral song (5)
7 Roman name for Scotland (9)
9 Belgian port (9)
12 Photograph of insides (1-3)
13 Be dressed in (4)
16 Simplest (7)
17 Winston Churchill's trademark (5)
18 Correct (5)
19 Tiny amount (5)
20 Sew loosely (5)

PUZZLE 311

ACROSS

1 Dutch cheese (5)
3 Annul, repeal (7)
6 Holiday campentertainer (7)
8 Irish poet, Nobel prize winner in 1923 (5)
10 Convent (5)
11 Aromatic herb (7)
14 Whole (6)
15 34th state of the USA (6)
17 John - - -, dramatist (7)
20 Night watch (5)
21 Soak in liquid (5)
22 Grand National venue (7)
23 Save (7)
24 Restrict growth (5)

DOWN

1 Refuse (7)
2 Prolonged suffering (5)
3 Proportion (5)
4 Panache, elan (5)
5 Dance party (5)
7 Doubtful (9)
9 Star of The Apprentice (4, 5)
12 As thin as a - - -; simile (4)
13 Cathedral administrator (4)
16 Prominent (7)
17 Wonderwall singers (5)
18 Animal welfare organisation (inits) (5)
19 Avoid (5)
20 Plant, - - - flytrap (5)

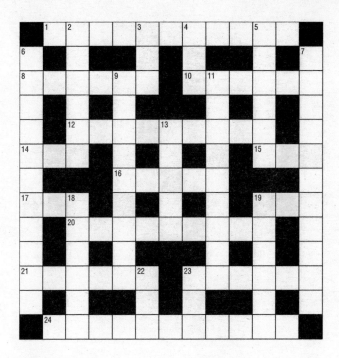

ACROSS

1 Substitute (11)
8 Belgian ferry port (6)
10 Expose (6)
12 Final words of Julius Caesar (2, 2, 5)
14 Pina colada ingredient (3)
15 The Da Vinci Code author, - - - Brown (3)
16 Liable to (5)
17 Donkey (3)
19 Sixth sense? (1, 1, 1)
20 Irish county (9)
21 Contract writer (6)
23 German POW camp (6)
24 Sherlock Holmes actor (6, 5)

DOWN

2 Hold in high regard (6)
3 Along with (3)
4 Make a mistake (3)
5 Required (6)
6 Silverstone's sport (11)
7 Memory singer (6, 5)
9 Writing sheet (9)
11 Vivacious (9)
13 Chap (5)
18 Stone effigy (6)
19 Lace hole (6)
22 Sweet potato (3)
23 Cry, weep (3)

PUZZLE 313

ACROSS

1. Literary work (7)
5. Farmyard birds (5)
8. Ground meat (5)
9. People transporter (7)
10. Gymkhana award (7)
11. Asian country (5)
12. Footballer (6)
14. Distinction (6)
17. Examine accounts (5)
19. Very old (7)
22. Pantomime character (7)
23. Cut of beef (5)
24. Surrey town (5)
25. Cowboy's hat (7)

DOWN

1. Longest bone in the human b... (5)
2. Card game played with two packs (7)
3. Bungling, incompetent (5)
4. Numeral (6)
5. Real (7)
6. Fix firmly (5)
7. Capture, trap (7)
12. Wrestle (7)
13. Time between (7)
15. Vain, futile (7)
16. Stick insect (6)
18. Property document (5)
20. Social rank (5)
21. Book or record voucher (5)

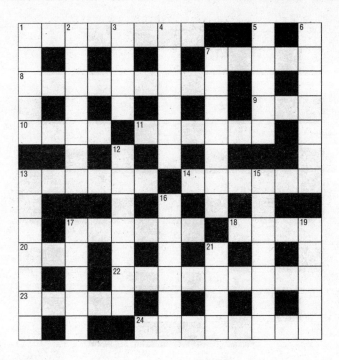

ACROSS

1 Made bigger (8)
7 Indian prince (5)
8 Beatles no 1 (1, 4, 4)
9 Peace group (1, 1, 1)
10 Small branch (4)
11 Rebellion (6)
13 Explanation of symbols on a map etc (6)
14 Traffic diversion (6)
17 Anglo-Saxon kingdom (6)
18 Four-wheeled bike (4)
20 Doctor - - -, Time Lord (3)
22 Colourless gas (9)
23 Lobster pot (5)
24 Eastern (8)

DOWN

1 Live (5)
2 Pouring with rain (7)
3 Death on the - - -, Christie novel (4)
4 Banished from one's country (6)
5 Expel (5)
6 Shake, tremble (7)
7 Regain (7)
12 Out of the ordinary (7)
13 Shetland Isles town (7)
15 Wealthy (7)
16 Thin layer of wood (6)
17 Ladies (5)
19 Reside (5)
21 Funeral pile (4)

PUZZLE 315

ACROSS

1 Stable hand (3)
5 Lout (slang) (3)
7 In the lead (5)
9 Interlaced (5)
10 Forty all (5)
11 Whole amount (5)
12 Indian dish (5)
15 Avid (5)
18 Austere, strict (6-5)
19 Beneath (5)
22 Confidence trick (5)
24 Vex (5)
25 Capital of Vietnam (5)
26 Woolly mammal (5)
28 Long narrow piece of material (5)
29 Very small (3)
30 Large fish (3)

DOWN

1 Rule, edict (3)
2 Frogman (5)
3 Mr Claus (5)
4 Make rotten (5)
5 Juvenile (5)
6 Four-winged insect (3)
8 Singer, eg (11)
13 Actor and director, - - - Welles (
14 Inspector played by John Thaw (
16 Berkshire racecourse (5)
17 Peter - - -, snooker player (5)
20 Closely packed (5)
21 Increase (5)
22 Imaginary being (5)
23 Scientist, Sir - - - Newton (5)
25 Chop down (3)
27 Help (3)

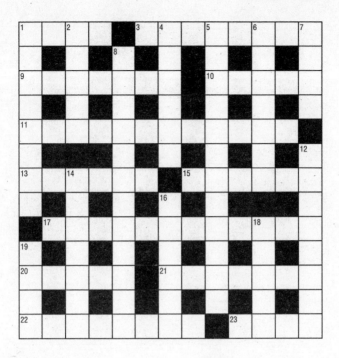

ACROSS

1 Dry, parched (4)
3 Dual-purpose specs (8)
9 Blood disorder (7)
10 Discourage (5)
11 Mental capacity (12)
13 Fight, conflict (6)
15 Greek goddess (6)
17 Nanny McPhee actress (4, 8)
20 US resort (5)
21 Ruth - - -, crime writer (7)
22 Russian policy of openness (8)
23 Continent (4)

DOWN

1 Just about (2, 1, 5)
2 Not fitting (5)
4 Slanting type (6)
5 First section of the Bible (3, 9)
6 Junior embassy official (7)
7 Agile (4)
8 Merger (12)
12 Creamy-white paint colour (8)
14 Kenyan port (7)
16 Group of singers (6)
18 The 39 - - -, Hitchcock film (5)
19 Mixture of smoke and fog (4)

SOLUTIONS

SOLUTIONS

PUZZLE 1

```
S A V O Y . A N T A C I D
C . . . O . R . H . . . H
O B S C U R E . R S P C A
U . C . N . N . O . A . K
S T I N G . A L B E R T A
E . E . . O . U . A . . .
R A N D O M . T H O M A S
. T . . A . E . . O . . E
C E I L I N G . S A U N A
R . S . N . U . H . N . W
A N T I C . A P O S T L E
F . . . U . R . R . . . E
T U T O R E D . T R E N D
```

PUZZLE 2

```
S Y C A M O R E . . T . G
M . H . I . A . A W O K E
A N A R C H I S T . D . N
S . M . E . S . H . D Y E
H O B O . D E P L O Y . R
. . E . O . D . E . . . I
S P R I N T . E T H N I C
T . . . A . B . E . O . .
A . L I S B O N . A U N T
S K I . S . V . B . R . E
H . T . I M I T A T I O N
E T H O S . N . L . S . O
D . E . D E C I P H E R .
```

PUZZLE 3

```
C L E G . K A L A H A R I
O . X . E . U . N . L . R
W H E L P . P R E C E D E
R . . . I . A . M . X . L
R A P . C H I P O L A T A
. . E . . N . N . N . N .
F O R M A L . H E E D E D
L . M . V . R . E . . . .
E L A L A M E I N . R U B
M . N . R . N . E . . . L
I T E M I S E . T R I K E
N . N . C . G . T . L . E
G A T H E R E D . C L I P
```

PUZZLE 4

```
S U R E . M A R M O S E T
T . I . A . V . A . U . R
O R V I L L E . T A S T E
C . E . T . N . E . P . X
K I N D E R G A R T E N .
C . R . E . I . C . F . .
A C K A C K . P A S T E L
R . A . A . R . L . . . A
. B R O T H E R I N L A W
S . A . I . N . S . A . L
P H O T O . O V E R S E E
U . K . N . W . D . S . S
D R E S S I N G . H O P S
```

PUZZLE 5

```
S L U G G A R D . D O M E
L . S . R . I . I . P . T
A . S . A S T O N . U . H
T A R O T . U . M E L B A
Y . . E . A . A . E . N .
D R A W . B L Y T O N . E
. L . D . . E . C . . . .
A . F L I N C H . M E N U
S . R . K . O . R . . . E
S W E E T . R . E I D E R
E . S . A U R A L . U . A
S . C . T . A . A . M . C
S N O W . F L E X I B L E
```

PUZZLE 6

```
V O Y A G E . D E T A C H
I . L . . M . A . . . U .
R . M A T R I M O N Y . S
G R A N . . S . . G O A T
I . U . A S C O T . R . O
N . S . D . O . W . . . N
. H O L L A N D A I S E .
M . L . I . S . I . H . R
U . E . B A T O N . I . E
R O U T . . R . . G R U B
D . M A S C U L I N E . U
E . T . . E . . . A . . K
R E M A R K . B O W T I E
```

SOLUTIONS

PUZZLE 7

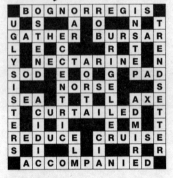

PUZZLE 8

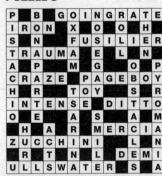

PUZZLE 9

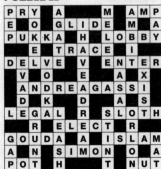

PUZZLE 10

PUZZLE 11

PUZZLE 12

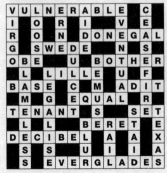

PUZZLE 13

PUZZLE 14

PUZZLE 15

PUZZLE 16

PUZZLE 17

PUZZLE 18

SOLUTIONS

PUZZLE 19

C	L	E	N	C	H			S	P	H	E	R	E
A		C		L		M		H		L		N
R		S	O	A	P	O	P	E	R	A		A
T	N	T		Y		R		A		L	O	B
O		A				S		S				L
N	A	T	U	R	A	L		A	M	A	Z	E
		I		E			N		D
C	O	C	O	A		I	N	T	E	R	N	S
I				L		N			I		E
R	A	G		I		D		M		A	W	N
C		L	I	S	T	E	N	O	U	T		I
U		E		E		X		N		I		O
S	T	E	A	D	Y		S	A	U	C	E	R

PUZZLE 20

PUZZLE 21

D	I	S	C		S	W	E	D	E	N
	N		L		L		X		P		I
P	A	C	I	F	I	S	T		S	A	G	A
	P		M		M		E		O		U
S	T	E	A	K		G	R	A	M	M	A	R
		T		T		N			N
T	H	I	E	V	E		A	N	I	M	A	L
	I			L		L		C
P	A	R	C	H	E	D		H	E	R	B	S
	T		O		T		T		D		A
J	U	M	P		E	X	U	L	T	A	N	T
	S		S		X		R		E		J
		P	E	C	T	I	N		A	V	O	W

PUZZLE 22

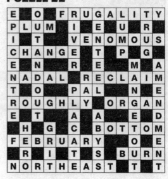

PUZZLE 23

PUZZLE 24

328

SOLUTIONS

PUZZLE 25

```
A L I A S   U P D A T E D
P       W   N   E       R
P U N J A B I   I D A H O
L   A   M   F   G   S   N
A E S O P   Y A N G T Z E
U   H     F   P     R
D E V O U R   E X P O R T
    I     O   X     N   I
E N L A R G E   C H A N T
M   L   A   T   O   U   A
E R E C T   H O U S T O N
N       E   E   G       I
D R E S S E R   H E N N A
```

PUZZLE 26

```
  R O O F   A L T E R E D
S   R   R U G   I   H   O
P I S T E   A   T H I R D
U   O   E L S   A   N   D
R U N G S   S A N J O S E
  R   I   I   A     R
A N O R A K   R O B R O Y
U   U   U   T   A     A
S I A M E S E   T A C K Y
T   D   V   M U M   R   O
R O U G E   P   E M A I L
I   L   N   L E A   S   K
A R T I S T E   L I S P
```

PUZZLE 27

```
H I T M A N   A S S I G N
Y   R   A   L   O       A
B R I G   V   T   S N I P
R   M A C E D O N I A   K
I   Z   E       M       I
D Y K E   A     P A I N
      T E N D R I L
F L I T   S     Y E L P
R     E   E     R       A
O   T E N T A C L E S   N
L A I R   H   O   D O L T
I   L     O   I     F   R
C L E V E R   N E A T L Y
```

PUZZLE 28

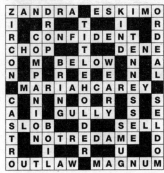

```
Z A N D R A   E S K I M O
I   R   T       I       R
R   C O N F I D E N T   D
C H O P   T     D E N E
O   M   B E L O W   N   A
N   P   R   E   E   N   L
  M A R I A H C A R E Y
C   N   N   O   R   S   S
A   I   G U L L Y   S   E
S L O B   D     S E L L
T   N O T R E D A M E   D
R   I   R     R   U     O
O U T L A W   M A G N U M
```

PUZZLE 29

```
C A T A L O G U E   M   S
  P   D   B   R   P A R K
D R U M S T I C K   T   I
I   I   U   H   R   R   T
C L U N E S   I N D I C T
  N   L E O N E   A   L
P A D R E       V E R V E
I   E   G E N R E   C
M A R T Y R   A R C H E D
E   P   M   N   L   X
N   A   D I S G U I S E D
T O S S   N   E   N   R
O   S   S E G R E G A T E
```

PUZZLE 30

```
B   F   W A R E H O U S E
L U R E   C   L   M     I
A   I     O V E R A L L S
S H A V E R   C   R   T
P   R   N   T     F   S
H A T C H   B E A R O U T
E   U     C O D     R   R
M O C K E R Y   Q U E U E
Y   K     E   S     I   E
  L   M   W   N O U G H T
C O M A N C H E     N   C
  O   I   U   E   B E T A
H E A D S T A R T   R   R
```

SOLUTIONS

PUZZLE 31

```
. D I Z Z Y . W A N D A
A N E . D G W . J
S W A M P . I T E M I S E
H N P R D N M
E B E N E Z E R . E D A M
S L C A L Y
. C H R I S T O P H E R
T O N D R B
A U R A . S E M E S T E R
S R L B S R I
T R I P O L I . S H O W N
Y F O T K T G
. P Y G M Y . M I G H T
```

PUZZLE 32

```
. B U S K . T . T A L C
S P . E T H E R . A . A
E L E G Y . E . Y O U N G
E . N . L . G . O
P A D . P L A I T . H A G
. T . R . S . R . L
T O A D I N T H E H O L E
. N . S . S . N . O
L E S . M O U L T . A W L
I . E . P . . N . U
F E V E R . P . R A T E S
T . E . A L E S I . I . T
. K N O W . R . D O C K
```

PUZZLE 33

```
A D D I T I O N . . A . A
Z . A . E . R . M U M P S
T E N T A T I V E . I . Q
E . G . L . E D . G N U
C E L L . I N D I G O . I
. E . E T . A . . T
M A D R A S . A T T A C H
O . . R . A . E . V
N . R E S I G N . B A K E
T I E . H . A . D . R . X
H . A . O B T R U S I V E
L I C I T . H . S . C . R
Y . T . . F A R T H E S T
```

PUZZLE 34

```
S W O O P . T E E M I N G
L . . E . R . X . . U
E M P A T H Y . C O U N T
E . R . A . S . E . P . S
P R O W L . T O L S T O Y
E . S . S . U . O
R I T U A L . S I G N E T
. R . O . T . P . H
S T A R T E D . D R A K E
T . T . O . O . E . R . R
E L E C T . W R I N K L E
E . A . N . G . B
P A R S L E Y . N I F T Y
```

PUZZLE 35

```
K E N D O . C H E A T E D
E . . P . A . R . . I
E J E C T E D . E X A C T
P . M . I . G . C . Y . T
M I M I C . E S T U A R Y
U . E . M . E . T
M O R O S E . A N Y O N E
. . D . R . M . L . M
B L A C K E N . D E L V E
O . L . N . A . E . A . R
S I E V E . T R A C H E A
U . . L . T . L . . L
N O V E L T Y . T W E E D
```

PUZZLE 36

```
R I G O R O U S . . S . R
O . A . E . T . N I C H E
B A L T I M O R E . O . S
O . I . N . P . W . W H O
T A L E . D I S P E L . L
. E . F . A . O . . V
C H E Q U E . F R E E Z E
A . . R . B . T . V
N . C A N N O N . K E R B
A M Y . A . S . P . N . A
S . N . C O N F U C I U S
T R I B E . I . R . N . I
A . C . . T A R R A G O N
```

PUZZLE 37

PUZZLE 39

PUZZLE 38

PUZZLE 40

PUZZLE 41

PUZZLE 42

SOLUTIONS

PUZZLE 43

```
  D E S C E N D A N T S
J   S   S   O   O   C
U P K E E P   G R U D G E
N   I   L   E   D   L
C   M A S T E R F U L   E
T O O   E   L   U   E B B
I     W A V E R       R
O W E   H   E   B   S K A
N   S P E A R M I N T   T
B   T   R   S   A   I
O B E Y E D   G H E T T O
X   E   I   Y   U   N
  A M A L G A M A T E D
```

PUZZLE 44

```
  J A C K   A   G A T E
S   D   G U S T O   I   T
C R U M B   S   A W A K E
A   L   A   R   A
R O T   P A S T A   A P T
C   L   S   L   A
T H E M A G I C F L U T E
R   N   N   I   I
D E S   K N A V E   S O B
E   N   T   C   U
L E A S H   I   G O R A N
L   I   E R O D E   U   K
  G L U M   N   T A M P
```

PUZZLE 45

```
S I N   C   B   J O G
A   A   R U S T Y   U   U
G I D D Y   C   R A L L Y
A   P I A N O   I
V A L E T   N   N E E D Y
O   L   D   R   A
R H O D E I S L A N D
T   P   N   S   D
T A P E R   A   K E N Y A
E   A N V I L   O
J A C O B   I   E E R I E
I   A   B H A J I   A   G
G I N   I   N   H U G
```

PUZZLE 46

```
A B S E I L   W R I G H T
R   W   I   E   R   H
D I A L   F   I   M A Z E
O   P I P E D R E A M   O
U   Z   E   U   R
R A F T   F   S P R Y
    A L L E G R O
D O Z Y   N   L U N G
O   L   C   E   E
N   C O N S E N S U S   N
A F A R   A   E   M A T T
L   S   G   T   I   R
D A H L I A   T A W D R Y
```

PUZZLE 47

```
B A S K E T   P I P P I N
O   N   B   R   A
U   M O T H E A T E N   P
G R A B   N   Y O L K
H   N   B E G I N   M   I
T   H   U   A   O   I N
  H A N G G L I D I N G
W   N   L   T   D   A   T
H   D   E M I L Y   T   U
O G L E   G   H E I R
O   E L E V E N S E S   B
P   B   R   R   A
I N H A L E   K E E G A N
```

PUZZLE 48

```
  D   E   T   C   E   C
B E L M A R S H   S E A L
M   P   U   U   C   V
S E N I O R   C H A L E T
R   R   O   K   P
D A L E K   B L U E T I T
R   A   E   G
N A R R A T E   I C I N G
    A   T   I   O   O
P O L I C E   V E S T R Y
  P   S   M   O   T   A
D A L I   P A R K L A N E
  L   N   T   Y   Y   T
```

SOLUTIONS

PUZZLE 49

A	R		C	O	N	T	A	C	T	E	D
N	O	E	L		M		W		O		N
A		V		A	C	O	U	S	T	I	C
S	M	O	O	T	H		S		Y		D
T		L		A		T		G		C	
A	S	T	O	N		D	E	L	I	L	A	H
S		I			S	U	P		A		I
I	G	N	I	T	E	D		B	O	D	G	E
A		G		A		A		I		F
	H		L		L		G	O	K	A	R	T
S	E	N	O	R	I	T	A		T		A
	R		O		O		I		K	O	F	I
C	O	M	P	O	N	E	N	T		R		N

PUZZLE 50

S	L	E	E	K		W	H	E	E	D	L	E
C		E		O		M						B
E	C	U	A	D	O	R		B	R	A	V	O
P		N		G		S		E		G		N
T	E	A	S	E		E	L	D	E	R	L	Y
I		N		G		O		E				
C	R	I	N	G	E		A	C	C	E	P	T
		M		N		N		M		A		
C	H	O	P	P	E	R		W	H	E	L	P
O		U		E		E		H		N		E
V	I	S	O	R		P	A	I	N	T	E	R
E				I		L		S				E
T	O	T	A	L	L	Y		T	H	I	R	D

PUZZLE 51

T	E	Q	U	I	L	A		C	R	E	A	M
A		U		D		C		O		X		O
N	A	A	F	I		C	O	N	F	I	R	M
G		R		O		E		S		L		B
O	T	T	O	M	A	N		O	P	E	R	A
		E		T		L		L				S
Z	U	R	I	C	H		P	E	R	S	I	A
E				O		N		T				
A	C	O	R	N		A	C	C	L	A	I	M
L		M		D		S		U	M		A
O	N	E	R	O	U	S		R	E	M	I	T
U		G		N		A		V		E		C
S	P	A	T	E		U	N	E	A	R	T	H

PUZZLE 52

T	A	N	D	O	O	R	I		P	O	K	E
U		O		M		E			P		S
S	E	R	E	N	I	T	Y		P	E	E	P
K		M		I		U		S		R		R
		S	P	E	R	M	W	H	A	L	E
A		J		O		N		E		T		S
S	I	E	S	T	A		F	A	M	O	U	S
S		T		E		F		T		R		O
E	X	T	I	N	G	U	I	S	H		
M		I		T		R		H		D		P
B	U	S	H		H	O	M	I	C	I	D	E
L		O				R		R		O		A
Y	A	N	K		S	E	N	T	I	N	E	L

PUZZLE 53

B	L	O	N	D	E		R	A	F	F	L	E
U		R		O		V		M		E		X
N		T	E	R	R	O	R	I	S	E		P
D	O	H		A		G		C		D	U	E
L		O		U		A		A				C
E	N	D	O	R	S	E		B	I	Z	E	T
		O		O				L		U		
M	A	X	I	M		S	T	E	N	C	I	L
E				A		A				C		U
A	S	S		N		X		A		H	O	D
G		P	O	T	P	O	U	R	R	I		W
R		U		I		N		E		N		I
E	N	R	I	C	H		S	A	Y	I	N	G

PUZZLE 54

M	O	T	H	E	R		C	R	E	C	H	E
A		R		I		H				E		N
N	O	U	S		N		A		B	R	E	D
U		G	I	N	G	E	R	N	U	T		I
A		G		M		M		M				V
L	U	D	O		I			B	A	S	E
		U	T	E	N	S	I	L			
L	I	A	R		E		E	L	A	L
E		N		N		B				Y
S		N	E	W	S	T	R	E	E	T		C
S	L	A	Y		H	E		E	I	R	E
O		P		I		A			D		U
N	E	E	S	O	N		R	E	D	E	E	M

333

PUZZLE 55

```
  O C S A A A
A P E R I T I F   V A S T
  P E O F I I
V O O D O O   A R A F A T
  N I P B R
D E A T H   P L A Y B O Y
  N S E P
A T T R A C T   R E V U E
    O A S D L
V I G O U R   T R I V E T
  B K P O S N
Y E T I   E N C R O A C H
  X E R K N E
```

PUZZLE 56

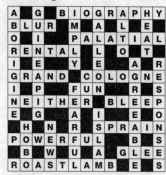

```
A G   B I O G R A P H Y
B L U R   M A L E
O I   P A L A T I A L
R E N T A L   L O T
I E Y E A R
G R A N D   C O L O G N E
I P F U N R S
N E I T H E R   B L E E P
E G A I E O
  H N R   S P R A I N
P O W E R F U L B S
  B W U A   G L E E
R O A S T L A M B E S
```

PUZZLE 57

```
W I G A N   O V E R A C T
E I W M H
S P U D G U N   A B U S E
T N E U I N F
E N T E R   P O L E C A T
N E G O E
D Y N A M O   Z A G R E B
  A N E T A
U M B R A G E   S L A N T
N L S M A I T
F L E S H   B A L A N C E
I E E O R
T R A I N E R   P E N N Y
```

PUZZLE 58

```
J U V E N I L E   G A
O E E O   S T U D S
N O R M A L I T Y   I H
A A T T N   S O D
H A N K   D E M O T E O
  D T R N W
B R A Z E N   P Y T H O N
A R A M O
N   L O M O N D   M U C K
D Y E I O P D E
A M   T E R R O R I S T
G L O B E   A R N C
E N   S K I T T I S H
```

PUZZLE 59

```
R A I S E   C O
O U   A L P H A B E T
A F I R E A O V R
D F L O P   S E I Z E
I T C S E O A
E Y E L I N E R   J U S T
  L D M S
O Y E Z   A N N U A L L Y
A P H A R Y E
S P A D E   S I A M O
I T I A L Y N A M
S C H E D U L E T A
  Y I   A H E R N
```

PUZZLE 60

```
P U M A   A D J O U R N S
O O A I P E U
S T R A U S S   E L A N D
T A L M N L S
M E L O D R A M A T I C
A L Y L S N
R E A G A N   C L U E D O
K R N P H I
  G I N G E R R O G E R S
M Z S O U P I
A G O N Y   S C R O O G E
R N N I S C S
T R A V E S T Y   S H U T
```

SOLUTIONS

PUZZLE 61

B	U	T	L	E	R		G	A	F	F	E	R
Y		O			O		U			L		E
W	I	L	D		A		R		C	A	S	T
O		L	O	R	D	L	U	C	A	N		I
R		C			E		N				R	
D	E	B	T		A			C	O	P	E	
		O	V	E	R	D	U	E				
N	E	A	R		N		L	I	K	E		
E		W		E		L		I				
P	C	H	E	V	R	O	L	E	T		T	
H	A	L	O		E		D		D	A	S	H
E		U		I		D		R		E		
W	E	E	V	I	L		S	U	I	T	O	R

PUZZLE 62

P	L	O	U	G	H		T	E	L	L	E	R
U		S		P		O				E		
R		A	S	P	A	R	A	G	U	S		F
S	L	U	R		E		D	A	D	O		
U		T		S	I	D	L	E		F		R
E	H		I		I		N	E		M		
	D	E	P	T	H	C	H	A	R	G	E	
R		N		A		T		C		U		S
U		T		R	O	A	S	T		A		E
S	P	I	N		B		F	R	E	T		
T		C	O	M	P	L	E	T	E	D		T
I		T		E		R		E				
C	A	M	E	R	A		D	U	N	D	E	E

PUZZLE 63

M	A	U	R	I	T	I	U	S		M		I
	B		O		H		N		T	E	R	M
C	A	L	A	B	R	E	S	E		T		P
	T		C		I		E		E		A	
L	E	T	H	A	L		A	C	R	O	S	S
	U		S	L	O	T	H		R		S	
T	H	R	O	W			A	L	I	K	E	
O		N		A	R	I	E	S		T		
B	U	T	A	N	E		S	E	V	E	R	N
A		A		F		C		O		U		
C		B		P	I	N	O	C	C	H	I	O
C	A	L	L		N		R		A		N	
O		E		F	E	R	T	I	L	I	S	E

PUZZLE 64

A		C		H	O	L	B	Y	C	I	T	Y
P	L	O	P		X		O		O		R	
P		C		F	L	O	U	N	D	E	R	
A	T	H	E	N	A		T		E		X	
L		I		M		L		T		S		
L	I	N	E	N		P	E	N	N	A	N	T
I		E		P	I	G		E		A		
N	E	A	T	E	S	T		J	O	K	E	R
G		L		Y		S		W		B		
	K		A		C		K	O	S	O	V	O
F	E	N	G	S	H	U	I		N		A	
	E		A		I		N		A	D	U	R
I	N	T	R	I	C	A	T	E		O		D

PUZZLE 65

F	O	U	L		G	E	T	C	L	E	A	R
O		N		P		N		H		S		A
O	L	D	M	A	I	D		A	L	T	A	R
T		E		M		E		R		E		E
B	O	R	I	S	K	A	R	L	O	F	F	
A			T		R		I		A		P	
L	E	G	A	C	Y		K	E	N	N	E	L
L		E		L		M		S			A	
	A	N	N	E	H	A	T	H	A	W	A	Y
W		E		M		N		E		E		S
H	O	R	D	E		I	K	E	B	A	N	A
A		I		N		A		N		V		F
T	I	C	K	T	A	C	K		S	E	V	E

PUZZLE 66

M	A	D	A	G	A	S	C	A	R		T	
A		I		I		W		E		R		
J		V		R		O	V	A	T	I	O	N
O		A	B	O	R	T		I		U		
R	A	N		E		A	C	C	E	S	S	
	M		F	A	L	S	E		E		S	
F	A	M	E		I		R		N	E	E	D
	Z		B		S	A	I	N	T		A	
H	E	A	R	T	H		A		B	U	S	
	M		U		B	L	A	I	R		C	
R	E	G	A	T	T	A		I		U		O
	N		R		R		R		I		U	
	T		Y	U	L	B	R	Y	N	N	E	R

PUZZLE 67

```
. F I F E . R A D I A N T
R N . V D U . E . N . R .
S N A K E . B . L O D G E
P . P . R O B . T . R . A
B A T H E . L O A F E R S
. X . S . E . A . . O . .
R E F U T E . N O R M A N
E . S . R . T . . M . . .
C H E E R I O . H A P P Y
Y . Q . I . D I E . I . A
C H U R N . E . L U X O R
L . I . G . N I L . I . N
E X P L O I T . O X E N .
```

PUZZLE 68

```
M A T R O N . G U L L I T
I . O . A . O . . E . . E
S . W O R K F O R C E . A
S P A M . R . . H I S S .
E . S . B U I L T . D . E
D . H . E . C . E . E . R
. B I L L M A Y N A R D .
T . N . O . N . O . D . E
A . G . W A G E R . O . E
R O U T . . R . . A W R Y
I . P O R C E L A I N . O
F . R . . Y . . D . R . .
F I A N C E . S H E L V E
```

PUZZLE 69

```
S P I C E . F E R M E N T
T . . N . E . E . . R . .
R O O S T E R . I G L O O
U . J . R . A G . E . O .
D I S H Y . L A N T E R N
E . I . . H . R . . M . .
L U M L E Y . A U F A I T
. P . . M . B . R . O . .
D E S C E N T . L I V E R
E . O . X . R . A . I . R
M O N E T . A R R A N G E
O . . R . D . G . . N . .
B A N D A G E . E X I S T
```

PUZZLE 70

```
L O A T H I N G . . A . B
O . N . A . I . S O F I A
C A T A L O N I A . I . R
U . O . O . E . M . R A G
M A N X . S T O O G E . A
. Y . P . Y . Y . . I . .
W O M B A T . D E S I G N
E . . R . R . D . R . . .
A . A R A F A T . Y O Y O
T N T . S . T . B . N . X
H . L . O N T H E M O V E
E M A I L . L . T . U . Y
R . S . . R E P A R T E E
```

PUZZLE 71

```
G A L A H A D . A B B E Y
U . E . E . E . N . E . U
A R O M A . P I T F A L L
R . P . V . U . I . N . E
D I A L E C T . G H O U L
. . R . . Y . U . . O . .
P O D I U M . R A G T A G
I . . N . C . . W . . . .
T A S T E . A M B R O S E
I . T . Q . V . I . S . N
F A I L U R E . G R O A T
U . N . A . L . O . M . R
L E G A L . L O T T E R Y
```

PUZZLE 72

```
J U T E . J E A N B O H T
A . W . G . X . E . D . H
M A I G R E T . V O D K A
B . S . E . E . E . B . I
O C T O G E N A R I A N .
R . . O . T . T . L . G .
E N S U R E . P H I L B Y
E . T . F . B . E . . M .
. B O R I S Y E L T S I N
E . P . S . P . E . C . A
D E P T H . A N S W E R S
A . E . E . S . S . N . T
M A R Y R O S E . H E S S
```

PUZZLE 73

PUZZLE 74

PUZZLE 75

PUZZLE 76

PUZZLE 77

PUZZLE 78

SOLUTIONS

PUZZLE 79

D	I	E		T			O		H	O	G
U		V		H	A	V	E	N		A	O
O	P	I	N	E		L		S	H	U	N	T
		T		F	L	A	R	E		N	
D	R	A	F	T		D		T	A	T	T	Y
	O		L		I		P		U
	C	L	A	I	R	V	O	Y	A	N	T
	K		M		O		R		O
D	Y	F	E	D		S		S	T	A	R	K
		A		R	A	T	I	O		U
F	U	N	G	I		O		R	I	D	E	R
A		C		F	A	K	I	R		I	U
N	A	Y		T			Y		T	U	G

PUZZLE 80

T	O	G	G	L	E		O	R	D	A	I	N
A		Y		U		M		O		N		O
R		M	O	R	S	E	C	O	D	E		B
I	L	K		K		R		F		W	E	B
F		H		K		Y		R		L
F	E	A	R	F	U	L		A	G	A	P	E
	N		R			C		C
B	R	A	C	E		A	W	K	W	A	R	D
Y			C		M		D		O
W	Y	E		K		U		P		E	M	U
O		C	O	L	O	S	S	E	U	M		B
R		H		E		E		A		I	L
D	R	O	W	S	Y		C	R	E	C	H	E

PUZZLE 81

S	A	U	C	E	R		F	A	S	T	E	N
E			L		A		A		A		E
A		B	O	D	Y	G	U	A	R	D		A
S	N	A	G			G			K	E	N	T
O		I		M	E	R	I	T		T		L
N		N	U		A	E		O		Y
	I	M	P	R	O	V	E	M	E	N	T
L		A		A		A		P		A		M
O		R		L	O	T	T	O		T		E
I	S	I	S			I			P	E	S	T
T		E	N	A	M	O	U	R	E	D		R
E			U		N			E			I
R	A	B	B	L	E		B	A	L	T	I	C

PUZZLE 82

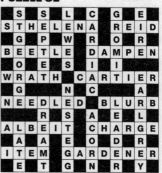

	S		S		L		C		G		E
S	T	H	E	L	E	N	A		R	E	I	D
	G		P		W		R		O		R
B	E	E	T	L	E		D	A	M	P	E	N
O		E		S		I		I
W	R	A	T	H		C	A	R	T	I	E	R
G			N		C		A
N	E	E	D	L	E	D		B	L	U	R	B
		R		S		A		E		L
A	L	B	E	I	T		C	H	A	R	G	E
	A		A		E		O		D		R
I	T	E	M		G	A	R	D	E	N	E	R
	E		T		G		N		R		Y

PUZZLE 83

P		I		H	A	P	H	A	Z	A	R	D
R	U	M	P		L		A		E		U
O		P		L	A	U	D	A	B	L	E
S	W	A	T	H	E		N		L		E
E		T		Y		T		G		D
C	H	I	P	S		B	E	C	A	U	S	E
U		E		S	A	D		E		V
T	O	N	I	G	H	T		N	O	R	S	E
E		T		A		P		R		L
	V		O	K		A	I	K	I	D	O
P	I	O	N	E	E	R	S		L		P
	S		U		U		T		F	L	E	E
M	A	R	S	U	P	I	A	L		A		D

PUZZLE 84

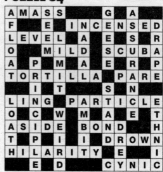

A	M	A	S	S			G		A
F		E		I	N	C	E	N	S	E	D
L	E	V	E	L		A		E		S		R
O		P		M	I	L	D		S	C	U	B	A
A		P		M	A		E		R		P
T	O	R	T	I	L	L	A		P	A	R	E
	I		T			S		N
L	I	N	G		P	A	R	T	I	C	L	E
O		C		W		M		A		E		T
A	S	I	D	E		B	O	N	D		H
T		P		I		I		D	R	O	W	N
H	I	L	A	R	I	T	Y		E		I
	E		D			C	Y	N	I	C

338

SOLUTIONS

PUZZLE 85

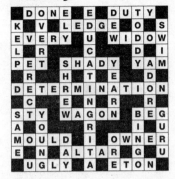

PUZZLE 86

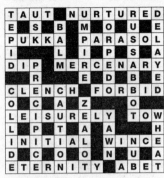

PUZZLE 87

PUZZLE 88

PUZZLE 89

PUZZLE 90

SOLUTIONS

PUZZLE 91

```
 I M P L Y   A L F I E
A O A I E T S
F J O R D N E A R E S T
O S Y G P M E
O V E R L O R D W I P E
T I A J S P
 P O C K E T M O N E Y
S P E I H A
P E E P S T U N N I N G
O N R U B D E
D E A D E N D U N I O N
E I A E L O T
 D R A M A S L U M P
```

PUZZLE 92

```
 P R E V A R I C A T E
P A E A U U H
L I N C T U S F A R C E
U S O H F I I
S H A H F E E L I N G S
H C A R I T
 S K I R L E N J O Y
S G E K R I
L A N G U A G E B I N D
E A M G B F A
P O I S E N O U R I S H
T V N O S C O
 G E T T O G E T H E R
```

PUZZLE 93

```
D A T E L A V I S H
 W V A E O I
C O L A N D E R P U M P
 K C Y M P P
G E N U S P O L Y G O N
 E D U S
A N N E X E T O U P E E
 E T H S
M A N A G E R S E L E S
 R N C O L S
O B A N T R A V E R S E
 Y O O K S A
 C Y P R U S S O Y A
```

PUZZLE 94

```
O R L O P S T A R L E T
F E H B H
F A N F A R E H E N C E
E U C E O E M
N Y M P H P E R F U M E
C B A M R
E N S I G N M O Z A R T
 K O Y L R
P R U D E N T A R G U E
I L T R R I S
Z I L C H E X T R A C T
Z O A I L
A M A S S E D C A U S E
```

PUZZLE 95

```
D A W N F R E N C H P
E U A T O R
B R I C H A R I O T
I S Y L P H R M
T A T I Q U I V E R
 P C Y M R U B N
Y O K E P A L E A K
 L N L A R G E D
C O Y O T E R B E G
 G T L Y C R A U
T I T A N I A O F E
 S P R M T S
 E H A N D L E B A R S
```

PUZZLE 96

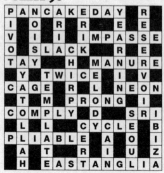

```
P A N C A K E D A Y R
I O R R E E
V I I I M P A S S E
O I S L A C K R E
T A Y H M A N U R E
 Y T W I C E I V
C A G E R L N E O N
 T M P R O N G I
C O M P L Y D S R I
 L L C Y C L E B
P L I A B L E A O I
 A T R I U Z
 H E A S T A N G L I A
```

PUZZLE 97

```
. M A L L . R I C H T E A
F . N . A W E . U . E . L
A N N A N . V . P U P P Y
L . O . O D E . I . E . S
L O Y A L . A D D R E S S
. L . I L . . O . . U .
R E G I N A . B A N T A M
O . N . . S . L . . G .
T W I N K L E . C E D A R
U . D . N . A D O . E . H
N A I V E . N . P E N N Y
D . O . L . C O O . S . L
A A M I L N E . P R E Y
```

PUZZLE 98

```
S E W I N G M A C H I N E
A A . I . U . . . N . . A
M O N O C L E . O A S I S
. D . K . S . X . T . . T
A J A R . P L A Y S A F E
P . . . G . I . G . N . R
P U M M E L . K E T T L E
R . I . O . B . N . . . G
A N D E R S O N . D R U G
I . W . G . T . Z . A .
S K I V E . T E E M I N G
A . F . . L . U . S . . U
L I E C H T E N S T E I N
```

PUZZLE 99

```
S N O O P . O R D E R L Y
E . . R . R . R . . . . U
T U R M O I L . A R T I C
B . E . V . O . W . A . C
A F I R E . P A N A C E A
C . N . R . L . T . . .
K A F T A N . S P R I N G
. . O . L . O . C . . U
S I R L O I N . L O I R E
C . C . A . A . A . A . V
A L E R T . V E R A N D A
N . . E . V . C . . . . R
T R O T S K Y . H Y E N A
```

PUZZLE 100

```
E D E L W E I S S . C . U
. A . O . Y . I . S A C K
I L L A T E A S E . N . U
. L . T . L . T . . D . L
L Y C H E E . E M P I R E
. . E . S T O R E . D . L
W I N G S . . . S L A V E
E . T . A T H O S . T .
B Y E B Y E . L Y C E U M
S . N . . R . D . H . S
I . A . T E L E P A T H Y
T U R F . S . S . S . E
E . Y . S A L T P E T R E
```

PUZZLE 101

```
B A L S A . W A L F O R D
I . . D . I . U . . . . R
C I S T E R N . C O U P E
Y . L . P . C . R . N . A
C L I N T . E M E R A L D
L . N . H . U . N .
E I G H T Y . S T R I N G
. S . . M . E . M . R
M A H J O N G . Q U O T E
U . O . M . U . U . U . N
M E T R E . S W A N S E A
P . . G . T . C . . . . D
S O P R A N O . K E N Y A
```

PUZZLE 102

```
S C O O T E R . S E I Z E
I . M . R . A . T . N . X
D A I S Y . P E R I D O T
L . T . S . I . I . I . R
E N T I T L E . K O A L A
. . E . . R . E . . . . C
M A D C A P . A R T I S T
Y . . T . M . . N .
F I G H T . O R B I S O N
A . A . R . D . L . P . E
N A R R A T E . A B I D E
W . D . C . S . S . R . D
Y E A S T . T H E R E B Y
```

SOLUTIONS

PUZZLE 103

```
O R B I T . . B E N E A T H
F . . I . R . I . . . . A
F I N A N C E . C L I M B
I . E . G . A . H . F . I
C R U D E . M A E W E S T
E . R . D . G . . E . . .
R O A C H E . E M P L O Y
. . L . R . D . F . . . O
A L G A R V E . S W I N G
G . I . U . L . L . N . H
I S A A C . C H A T E A U
L . . H . I . N . . . . R
E G G H E A D . G U I L T
```

PUZZLE 104

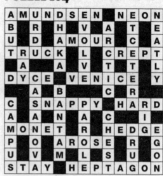

```
A M U N D S E N . N E O N
B . R . H . V . A . T . E
U . D . A M O U R . C . A
T R U C K . L . C R E P T
. A . . A . V . T . T . L
D Y C E . V E N I C E . Y
. A . B . . C . R . . . .
C . S N A P P Y . H A R D
A . A . N . A . C . . I .
M O N E T . R . H E D G E
P . O . A R O S E . R . G
U . V . M . L . S . U . O
S T A Y . H E P T A G O N
```

PUZZLE 105

```
H A N G . T H U R S D A Y
O . I . C . O . E . I . A
T O P S O I L . S T E R N
E . P . N . L . U . H . K
L O Y D G R O S S M A N .
I . . R . W . C . R . K .
E I F F E L . M I D D L E
R . U . G . C . T . . D .
. B R E A T H T A K I N G
C . T . A . T . M . . E .
H E I D I . S L E E P E R
I . V . O . T . D . L . E
C L E A N S E D . R Y D E
```

PUZZLE 106

```
G R E E N F L Y . O G E N
A . M . I . I . . R . I .
I M M I N E N T . T A L C
N . Y . C . I . P . D . K
. . . F O U N D A T I O N
P S . S M . G R E . A .
R E C I P E . B A R N U M
O . U . O . P . M . T . E
M I L E O M E T E R . . .
P . L . P . D . D . R . M
T R E K . P A T I E N C E
L . R . . L . C . I . R .
Y O Y O . P O S S I B L E
```

PUZZLE 107

```
C H I N O S . J E T L A G
R . N . G . U . L . A . A
I . S P L E N D O U R . G
T O O . E . I . N . D O G
I . M . . T . G . . . . L
C E N T U R Y . A D A G E
. . I . N . . T . S . . .
C H A O S . G U E S S E D
O . . P . I . . A . . O .
U F O . O . R . N . S O N
P . M A I N T A I N S . K
O . E . L . H . G . I . E
N I N E T Y . S H A N T Y
```

PUZZLE 108

```
S T R A I N . S A Y I N G
H . E . U . A . . S . A
R O A D . M . U . A P S E
O . L I A B I L I T Y . L
U . S . . N . . T . . I
D U C T . I . . E R I C
. . . O V A T I O N . . .
A F A R . I . . T U C K
R . T . . A . . I . . I
M . M E D A L L I O N . T
A X E D . L . A . N E W T
D . E . L . U . . A . E
A R T E R Y . D R Y R U N
```

SOLUTIONS

PUZZLE 109

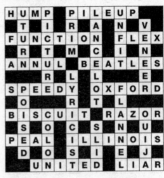

B	E	F	O	R	E		B	U	C	K	E	T
A			P			W			R			H
N		I	A	N	R	A	N	K	I	N		A
T	I	L	L			T			B	E	L	T
E		L		L	E	E	K	S		G		C
R		E		U		R		H		L		H
	A	G	O	R	A	P	H	O	B	I	A	
V		I		I		W		G		D
E		B		D	U	S	T	Y		E		R
R	U	L	E			T			O	N	L	Y
S		E	X	T	R	O	V	E	R	T		R
U			A			L			A			O
S	E	R	M	O	N		A	F	L	O	A	T

PUZZLE 110

H	U	M	P		P	I	L	E	U	P		
	T		I		R		A		N		V
F	U	N	C	T	I	O	N		F	L	E	X
	R		T		M		C		I		N
A	N	N	U	L		B	E	A	T	L	E	S
		R		L		L			E
S	P	E	E	D	Y		O	X	F	O	R	D
	O			R		T		L
B	I	S	C	U	I	T		R	A	Z	O	R
	S		O		C		S		N		U
P	E	A	L		I	L	L	I	N	O	I	S
	D		O		S		I		E		J
		U	N	I	T	E	D		L	I	A	R

PUZZLE 111

F	R	O	C	K		V	I	N	C	E	N	T
U			N		I		A			E
C	O	N	T	A	C	T		S	C	O	P	E
H		E		V		A		T		B		N
S	P	I	K	E		L	O	Y	A	L	T	Y
I		G			S		A			I
A	S	H	O	R	E		T	R	A	V	E	L
	B			A		S			I		E
P	R	O	F	I	T	S		A	R	O	M	A
I		U		C		I		V		U		R
C	O	R	G	I		T	R	E	A	S	O	N
K			N		A		R			E
Y	O	U	N	G	E	R		T	I	G	E	R

PUZZLE 112

B	O	B	M	A	R	L	E	Y		C		R
	M		O		O		N		G	O	B	I
C	A	L	C	U	L	A	T	E		N		C
	H		H		L		I		C		K
G	A	R	A	G	E		C	L	A	I	R	E
		E		A	D	I	E	U		E		T
W	H	A	R	F				P	A	R	K	Y
E		L		F	U	N	G	I		G
S	L	I	V	E	R		U	N	S	E	A	T
T		S			B		T		P		M
E		T		B	A	T	T	A	L	I	O	N
R	U	I	N		N		E		I		U
N		C		T	E	R	R	I	T	O	R	Y

PUZZLE 113

	E	M	E	R	A	L	D	I	S	L	E	
E		A		A		O		B		A		C
D	Y	F	E	D		C		R	O	U	T	E
I		I		I	O	U		O		R		N
T	I	A	R	A		S	E	X	T	A	N	T
H			T		T		I		I		R
C	A	S	K	E	T		R	I	P	P	L	E
A		I			K		N			P
V	E	N	T	U	R	E		M	U	L	T	I
E		U		P		P	E	A		Y		E
L	O	D	G	E		P		T	U	N	I	C
L		G		N		E		E		C		E
	M	E	N	D	E	L	S	S	O	H	N	

PUZZLE 114

M	E	D	A	L			F		S		
A			B		S	O	L	A	R	I	U	M
S	L	E	E	T		P		T		D		E
C			T	U	B	E		W	H	E	E	L
O		V		L		R		A		B		O
T	R	I	N	I	D	A	D		M	O	O	N
		G		P			O		A
M	A	I	N		B	A	L	M	O	R	A	L
A		L		S		B		E		D		O
C	H	A	M	P		A	R	N	E			U
H		N		R		S		S	A	X	O	N
O	U	T	R	A	G	E	D		R			G
		E		T			U	N	I	T	E	

343

SOLUTIONS

PUZZLE 115

S	M	E	L	L		L	E	E	W	A	R	D
E			E		E		L					E
R	E	P	L	A	C	E		A	W	F	U	L
V		U		S		C		N		R		F
A	L	F	I	E		H	Y	D	R	A	N	T
N		F		S		E		T		G		
	T	R	A	G	I	C		A	L	L	E	G	E
		D		A		R		R		R		A
R	U	D	Y	A	R	D		G	E	N	E	S
E		E		D		U		A		A		T
C	I	R	C	A		R	E	V	O	L	V	E
A				P		U		I				N
P	H	A	N	T	O	M		N	O	M	A	D

PUZZLE 116

	F	L	A	B		F		M	A	K	E	
C		U		A	R	I	S	E		E		C
H	E	N	R	Y		L		T	E	N	C	H
I		D			I			D			A	
N	A	Y		M	I	N	O	R		O	F	T
	H		E		G		O			E		
V	E	R	A	D	U	C	K	W	O	R	T	H
	A		I		A		A			C		
O	D	D		C	U	B	A	N		W	H	Y
U		E			I			H			O	
C	A	N	O	N		N		B	R	I	N	K
H		C		O	B	E	S	E		R		E
	C	H	O	W		T		G	A	L	E	

PUZZLE 117

I	C	E	B	E	R	G		J	E	A	N	S
N		M		J		E		O		W		T
G	U	I	L	E		M	A	S	C	A	R	A
L		N		C		I		T		R		T
E	V	E	R	T	O	N		L	E	D	G	E
		N			I		E			L		
O	X	T	A	I	L		I	D	I	O	C	Y
P			K		T		T					
P	O	S	S	E		A	B	R	A	H	A	M
R		H		B		L		E		E		O
E	L	E	V	A	T	E		S	A	L	A	D
S		A		N		N		I		L		E
S	O	F	I	A		T	I	N	F	O	I	L

PUZZLE 118

H	E	S	I	T	A	T	I	O	N		M	
A		P		R		I			E		E	
I		L		I		M	O	L	L	U	S	C
T		A	D	O	R	E			L		S	
I	C	Y			U		N	U	G	G	E	T
	H		S	W	I	N	E		W		N	
R	A	K	E		N		E		Y	O	G	A
	M		L		E	B	D	O	N		E	
A	P	P	E	N	D		L			A	R	C
	A		C		W	E	L	L	S		U	
A	G	I	T	A	T	E		U		W		R
	N		E		A		S		A		R	
	E		D	I	C	K	C	H	E	N	E	Y

PUZZLE 119

	V	I	L	E		B	A	V	A	R	I	A
B		V		V	D	U		I		E		L
A	B	O	V	E		R		S	E	N	S	E
L		R		R	I	G	T		A		R	
M	A	Y	B	E		L	E	A	F	L	E	T
	G		S		E		A			A		E
P	O	L	I	T	E		E	R	R	A	N	D
A		M		V		I			I		O	
T	R	I	P	O	L	I		O	C	H	R	E
I		N		P		S	A	T		I		S
E	X	A	C	T		A		O	W	N	U	P
N		N		I		G	N	U		D		Y
T	R	E	A	C	L	E		S	H	U	N	

PUZZLE 120

S	Y	S	T	E	M		R	A	F	F	L	E
I		O			R			E				R
N		G	U	N	P	O	W	D	E	R		O
G	L	U	T			M		D	E	B	T	
L		I		S	C	A	R	E		D		I
E		N		T		N		B		U		C
	P	E	T	E	R	C	R	O	U	C	H	
P		A		E		A		N		T		A
U		P		D	I	N	K	Y		I		N
T	W	I	G		D			F	O	X	Y	
O		G	E	N	T	L	E	M	A	N		O
F		N		E		E		R				N
F	L	E	E	C	E		G	R	O	O	V	E

344

PUZZLE 121

D	E	P	T	H		S	T	O	M	A	C	H
I			A		P		C					E
S	M	U	G	G	L	E		C	L	E	A	R
T		N		U		N		U		A		O
A	L	I	V	E		D	E	R	I	V	E	D
N		O		G		L		E				
T	I	N	S	E	L		B	E	D	S	I	T
		J		U		A		D		R	
S	W	A	G	G	E	R		P	A	R	K	A
E		C		E		U		R		O		I
P	O	K	E	R		S	N	I	P	P	E	T
I		M			T		S					O
A	M	N	E	S	T	Y		M	O	L	A	R

PUZZLE 122

R	A	B	I	D		G	U	E	S	S	E	D
E			R		R		N					O
P	U	N	J	A	B	I		V	A	L	I	D
U		O		F		L		O		I		G
T	A	R	O	T		L	O	Y	A	L	T	Y
E		W		F		V		Y				
D	I	E	S	E	L		A	N	Y	W	A	Y
		G		E		L		H				A
P	O	I	N	T	E	R		F	E	I	G	N
E		A		I		E		O		T		K
D	E	N	I	M		C	O	R	T	E	G	E
A			I		U		U					E
L	A	U	N	D	E	R		M	I	N	U	S

PUZZLE 123

S	L	U	M	P		L	I	Q	U	E	U	R
U			R		U		U					A
R	U	F	F	I	A	N		O	V	E	R	T
F		L		N		G		T		N		T
A	P	A	R	T		E	X	A	C	T	L	Y
C		S		S		R		O				
E	X	H	O	R	T		A	R	G	U	E	S
		B		U		Y		R		A	
B	Y	A	N	D	B	Y		F	E	A	S	T
A		C		U		E		E		G		I
T	O	K	E	N		A	I	M	L	E	S	S
C			C		T		U					F
H	A	R	N	E	S	S		R	O	W	D	Y

PUZZLE 124

A	C	C	L	A	I	M		C	E	A	S	E
N		R		L		I		O		L		A
D	W	E	L	L		M	E	M	O	I	R	S
R		A		I		O		I		K		I
E	X	T	E	N	D	S		C	R	E	T	E
		O		A		A		A				S
E	N	R	I	C	H		C	L	O	S	E	T
A		O		T		K					
S	A	L	O	N		O	R	A	T	I	O	N
T		O		F		P		M		L		I
E	N	G	L	I	S	H		P	U	L	S	E
R		I		D		A		L		E		C
N	A	C	R	E		T	H	E	A	T	R	E

PUZZLE 125

H	A	V	O	C			J		A			
A			L		C	H	A	I	N	S	A	W
R	E	P	A	Y		A		F		T		H
L			F	E	E	L		F	O	R	T	E
E		F		M		V		Y		O		R
M	U	R	D	E	R	E	R		K	N	E	E
		E		N			S		O			
H	E	E	D		N	E	W	C	O	M	E	R
I		L		S		L		O		Y		U
P	I	A	N	O		F	E	L	L			S
P		N		P		I		D	E	B	U	T
O	C	C	U	P	A	N	T		V			I
		E		Y			C	Y	N	I	C	

PUZZLE 126

H	O	W		T			S		F	E	N
A		I		H	U	M	A	N		A		O
M	I	N	C	E		O		E	B	B	E	D
		D		F	A	U	N	A		L	
C	R	Y	P	T		L		K	N	E	A	D
	A		A		I			E		B	
	D	I	S	T	I	N	G	U	I	S	H
	A		T		R		G		O	
B	R	E	E	D		O		T	H	E	R	M
	R		R	O	U	S	E		R	
S	P	O	K	E		G		R	O	U	G	H
A		D		G	R	E	E	R		P		O
W	O	E		S			Y		T	U	B

SOLUTIONS

PUZZLE 127

```
B E S S   L O P S I D E D
E   I   S   P U   I   E
R U R A L   P A R A S O L
T   O   O   O V   L   A
H E M   T E S T I M O N Y
    R       E V   D   E
V I S I O N   M E R G E D
I   H   C   M       E
B O U L E V A R D   D U B
R   D   A   R   U   R
A R S E N I C   P A N D A
N   O   I   E   E U   W
T E N T A C L E   O B A N
```

PUZZLE 128

```
D I S T R E S S   G L U M
U   O   O U   W E   A
S   D   C O N G A   O   G
T H A N K   D   F U N N Y
  E   Y   A   F   A   A
S W A G   M E L L O R   R
    F   I       E D
O   T U N N E L   B O O M
B E   B   N   S   U
J U R O R   E   H A S T Y
E   A   E E R I E   A   U
C   L   D   G   E   F   L
T O L L   E Y E P I E C E
```

PUZZLE 129

```
C A R A F E   A G E O L D
O   E   A   A R   I   R
U   P A R O C H I A L   O
G O A   M   R   M   Y E W
A   R   I   A       S
R O T A T E D   L O L L Y
    E   A       D   I
Q U E E R   S T I L T O N
U   R   C       I   O
I V Y   A E   D   G E T
V   A R G E N T I N A   I
E   R   O   E   O T   O
R O D E N T   M R B E A N
```

PUZZLE 130

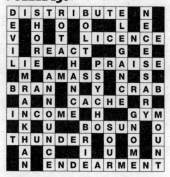

```
D I S T R I B U T E   N
E   H   O   O   L   E
V   O   T   L I C E N C E
I   R   R E A C T   G   E
L I E   H   P R A I S E
M   A M A S S   N   S
B R A N   N   Y   C R A B
A   N   C A C H E   R
I N C O M E   H   G Y M
K   U   B O S U N   O
T H U N D E R   O   O   U
A   C   I   U   M   N
N   E N D E A R M E N T
```

PUZZLE 131

```
D A M P   B E R A T E
  W   E   O   E   A   A
P A R A N O I D   P Y R E
R   S   N   E   E   R
F E R A L   D E T R O I T
    N   S   M       V
S U B T L E   E R A S E D
  N   C   D   M
L I N F O R D   P A R T Y
  T   I   E   B   D   R
V E I L   T A R G E T E D
  S   T   E   A   U   A
  S H O D D Y   S U D S
```

PUZZLE 132

```
  M E L V Y N B R A G G
P   M   E   O   E L   S
A M A T E U R   S T O M P
N   N   R   M   E   V   O
S O A R   S A R A J E V O
Y   T   S   N   R   L
  W E L C H   A C U T E
N   O   D   H   R   B
A U D I T I O N   P A G E
A   R   F   R   T   N   R
F L O U R   S P O N S O R
I   W   E   E   R   I   Y
U N C E R T A I N T Y
```

PUZZLE 133

PUZZLE 134

PUZZLE 135

PUZZLE 136

PUZZLE 137

PUZZLE 138

SOLUTIONS

PUZZLE 139

```
P Y T H A G O R A S   W
L   W   N   M     N   E
A   E   T   E D M O N D S
Z   A L I E N     W   N
A S K     L   M A Y H E M
  T   S H A P E   O   S
I O N A   T   D   W I D E
  R   R   E Q U A L   A
R E P A I D   S     G Y P
  R   J   B A L S A   A
L O Z E N G E   O   V   U
  O   V   A   U   I   S
M   O C C U R R E N C E
```

PUZZLE 140

PUZZLE 141

PUZZLE 142

PUZZLE 143

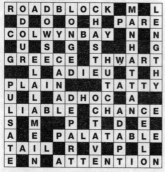

PUZZLE 144

PUZZLE 145

PUZZLE 146

PUZZLE 147

PUZZLE 148

PUZZLE 149

PUZZLE 150

SOLUTIONS

PUZZLE 151

```
O B T A I N . A R T E R Y
S . A . O . V . E . Z . E
T . R E T R I E V E R . A
L A G . A . V . E . A Y R
E . E . . V . I . I . . L
R O T A T E D . L U C K Y
. . E . I . . L . H . . .
A U D I T . O P E R A T E
T . . I . R . . M . . . N
T O P . V . B . L . B E D
A . I N A N I M A T E . U
C . E . T . T . I . . . R
K E R N E L . C R U S O E
```

PUZZLE 152

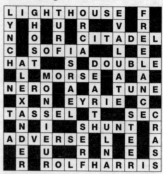

```
L I G H T H O U S E . F .
Y . H . U . R . . V . R .
N . O . R . C I T A D E L
C . S O F I A . . L . E .
H A T . S . D O U B L E .
. L . M O R S E . A . A .
N E R O . A . A . T U N E
. X . N . E Y R I E . C .
T A S S E L . T . . S E C
. N . I . S H U N T . R .
A D V E R S E . L . E . A
. E . U . R . N . E . S .
. R . R O L F H A R R I S
```

PUZZLE 153

```
T A M E . B A L L A D .
. N . N . O . E . P . E
O N T H E D O T . P U N K
. U . A . E . H . A . S
S L I N G . B A I L O U T
. . C . A . R . . R
D E T E C T . G L I D E R
. N . H . Y . C
V A C A T E D . R E N A L
. B . M . R . P . D . D
F L A P . T E L E T H O N
. E . L . O . U . E . R
. . T E N N I S . A X E D
```

PUZZLE 154

```
. G E N G H I S K H A N .
M . X . R . N . O . D . A
O P P R E S S . H U M I D
O . L . W . U . L . I . D
D U A L . F L O R E N C E
Y . I . O . T . A . R
. S N I F F . A B B O T
G . F . S . I . N . S
U P R I S I N G . G A I N
I . A . H . I . D . S . I
D I T T O . P E R U S E D
E . I . O . E . N . I . E
. P O R T E R H O U S E
```

PUZZLE 155

```
M O G U L . D R I F T E R
A . . U . U . N . . O
T H I N N E R . N A N N Y
A . N . D . U . E . O . A
D E C A Y . M A R I T A L
O . E . A . J . O .
R I N S E D . A S T R A Y
. T . E . R . I . E
B E I J I N G . S P O O L
A . V . N . E . I . U . T
K N E A D . N E M E S I S
E . . I . R . O . . I
R I B C A G E . N Y L O N
```

PUZZLE 156

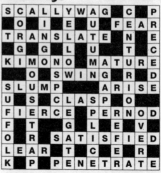

```
S C A L L Y W A G . C . P
. O . I . E . U . F E A R
T R A N S L A T E . N . E
. G . G . L . U . T . C
K I M O N O . M A T U R E
. O . S W I N G . R . D
S L U M P . . A R I S E
U . S . C L A S P . O
F I E R C E . P E R N O D
F . T . G . L . E . V
O . R . S A T I S F I E D
L E A R . T . C . E . R
K . P . P E N E T R A T E
```

SOLUTIONS

PUZZLE 157

	H	A	I	R	D	R	E	S	S	E	R	
A		W		O		O		H		I		U
L	E	A	S	E		T		E	B	D	O	N
T		R		D	N	A		E		E		I
O	B	E	S	E		T	A	N	T	R	U	M
N			A		E		O					P
T	I	R	A	N	A		T	O	M	A	T	O
O		F		O		B						R
W	A	L	T	E	R	S		S	M	E	L	T
E		U		R		W	Y	E		G		A
R	O	T	O	R		A		R	A	Y	O	N
S		O		O		L		V		P		T
	I	N	G	R	E	D	I	E	N	T	S	

PUZZLE 158

A	B	A	S	E			B		M		
B			I		B	I	F	O	C	A	L	S
D	U	S	K	Y		N		O		R		W
U			H	U	N	G		T	W	I	C	E
C		I		C		O		H		J		E
T	E	N	A	C	I	T	Y		Q	U	I	P
		C		A			A		A		
F	O	A	M		S	A	R	D	I	N	I	A
A		P		J		D		L		A		P
B	L	A	M	E		A	D	I	T			P
L		B		R		G		B	O	O	Z	E
E	N	L	A	R	G	E	D		U			A
		E		Y			B	R	A	W	L	

SOLUTIONS

PUZZLE 159

B	O	N	G	O		M	A	G	E	N	T	A
A				P		E		U				E
S	T	A	M	I	N	A		S	T	U	D	S
M		F		N		N		T		P		O
A	L	F	I	E		T	W	O	S	T	E	P
T		I		O		A		O				
I	N	L	A	W	S		L	O	U	N	G	E
		I		L		L		P				V
S	C	A	L	L	O	P		A	W	A	K	E
L		T		O		E		C		R		R
A	L	E	S	I		K	N	U	C	K	L	E
N				R		O		T				S
T	R	A	P	E	Z	E		E	V	I	C	T

PUZZLE 160

T	E	S	T	T	U	B	E			V		S
I		W		A		R		B	L	E	A	K
B	R	A	S	S	I	E	R	E		R		I
E		N		K		T		W		S	E	T
T	U	S	K		B	O	V	I	N	E		T
		E		E		N		T				L
S	T	A	R	C	H		S	C	H	E	M	E
U			L		R		H		X			
C		M	A	I	D	E	N		J	A	M	B
R	U	E		P		N		A		M		L
O		L		S	C	O	T	S	P	I	N	E
S	L	O	P	E		W		I		N		S
E		N		S	N	E	A	K	E	R	S	

PUZZLE 161

W	A	S	H		B	U	N	G	A	L	O	W
A		P		K		N		L		I		E
S	C	A	L	E		E	L	E	V	A	T	E
T		E		V		N		B		K		
E	L	S		P	R	E	S	C	R	I	B	E
	T			N		O		L		N		
G	Y	P	S	U	M		R	E	M	I	N	D
A		A		N		A			T			
L	E	N	I	E	N	T	L	Y		Y	O	B
A		C		Q		T		O			O	
H	E	R	C	U	L	E		L	U	P	I	N
A		A		A		S		K		E		N
D	E	S	O	L	A	T	E		L	A	C	Y

PUZZLE 162

B	A	T	H		C	U	F	F	L	I	N	K
E		I		H		N		O		M		E
A	C	T	I	O	N	S		R	U	P	E	E
U		L		L		E		E		N		
F	I	E	L	D	M	A	R	S	H	A	L	
O			T		T		T		C		I	
R	H	Y	T	H	M		B	O	T	H	E	R
T		E		E		U		F			I	
S	L	I	D	I	N	G	D	O	O	R	S	
S		T		R		I		E		R		H
P	O	S	S	E		T	E	A	R	G	A	S
A		I		A		E		N		A		E
M	I	N	I	M	I	S	E		A	N	N	A

PUZZLE 163

B	A	P		O			A		H	O	D
E		R		B	O	A	R	D		A		O
G	L	I	D	E		D		H	I	N	G	E
	O		S	L	I	G	O			O	
V	E	R	G	E		N		C	R	I	E	R
	J		L		F		I			G	
	E	C	O	F	R	I	E	N	D	L	Y
	C		B		N			G		P	
S	T	E	E	P		I		F	E	L	T	Z
	R		E	X	T	R	A		O	
S	C	U	B	A		U		C	I	R	C	A
U		P		C	Y	M	R	U		D		M
P	A	T		E			P		S	H	Y

PUZZLE 164

V	A	U	D	E	V	I	L	L	E		N
I		S		C		V		X		E
L		U		H		O	N	T	A	R	I	O
L		A	M	O	U	R			M		G
A	I	L		P		Q	U	I	C	H	E
	M		C	O	R	F	U		N		B
X	R	A	Y		O		I		E	G	O	N
	A		C		A	C	R	I	D		U
A	N	G	L	E	R		K			T	R	Y
	K		A		L	Y	N	C	H		E
S	H	A	M	P	O	O		E		Y		A
A		A		E		C		E		M		T
N		N	I	G	H	T	D	R	E	S	S

PUZZLE 165

```
B L I S S F U L   O D D S
O   O   A   L   R   E   U
O   N   D I R G E   M   B
T R A I L   I   F I E N D
I       Y   K U   A   U
K O H L   K A F T A N   E
    Y   O       E   E
R   G I B S O N   E D A M
E   I   E   F   U   N
S N E E R   F   T R A D E
E   N   O V E R T   R   A
N   I   N   N   E   A   S
T I C K   A D O R A B L E
```

PUZZLE 166

```
F L U E N T   A E R I A L
I   T   A   V   R   I
A F A R   I   O   D A R T
N   H A L L O W E E N   T
C   C   C   P   L
E R G O   T   R U S E
    N O T A B L E
R O U T   V   S W A B
A   E   I   S   A
N   B U C C A N E E R   T
S P A R   H   O   D O L T
O   R   E   R   A   L
M I N N O W   M I D D L E
```

PUZZLE 167

```
A S P E C T   L O U V R E
R   I   P   L   T
T   G R E N A D I N E   H
F L E E   R   A N O N
U   R   B R A V E   D   I
L   M   R   T X   R   C
  S I D E T R A C K E D
S   N   E   O E   S   F
H   A   D R O O L   U   E
R I T E   P   S L I T
I   E X U B E R A N T   T
M   I   R   U   L
P A N T R Y   N E G A T E
```

PUZZLE 168

```
T O M A T O K E T C H U P
U   O   I   L   O   U
P E T U N I A   S C U L L
    T   T X   I   D   V
A G O G   C O I N C I D E
L   S   N   B   N   R
L O M O N D   R I M I N I
A   A   A   C   N   S
T H R O T T L E   E L B E
O   T   C   I   W   L
N E I G H   C H I C A G O
C   N   H   S   M   W
E L I Z A B E T H D A W N
```

PUZZLE 169

```
P O U C H   P O I N T E R
R   E   O   B   O
O D D B A L L   R H I N O
R   R   V   K O   C   M
A L I K E   A N X I E T Y
T F   W   E   M
A T T A C H   A V I A R Y
  W   E   R   I   A
P R O M O T E   M I D A S
A   O   R   X O   E   H
N A D A L   A N T O N Y M
D   O   C   I   A
A G A I N S T   F R A N K
```

PUZZLE 170

```
  J O   G   A   H   R
R E D B A R O N   A L S O
  R   T E   S R   V
O R N A T E   W H O O P I
  Y   I   T E   L
S C A N T   T R I D E N T
  A   U   S   O
I N T E R N S   R E L I C
    S   I   E   X   S
S T A T I C   M O H A I R
  R   A   O P   A   E
G I F T   R U T H L E S S
  P   E   N   Y   E   T
```

SOLUTIONS

PUZZLE 171

```
E N I G M A T I C . P . U
. O . W . D . R . T U C K
H O N E Y M O O N . B . U
. S . N . I . N . L . L .
J E S T E R . I N S I D E
. T . M E C C A . C . L .
W E A V E . . . V O I C E
E . G . R E V U E . T . .
B Y E B Y E . P L A Y E R
S . D . Y . K . S . R . .
I . O . J O S E P H I N E
T R O T . R . E . E . I .
E . R . R E S P O N S E S
```

PUZZLE 172

```
S . A . T R O U S S E A U
K I C K . I . P . P . I .
E . C . . P E R S U A D E
D E L U G E . I . D . E .
A . A . N . G . . A . G .
D O I L Y . S H U D D E R
D . M . C O T . . A . E .
L E E W A R D . N I P P Y
E . D . U . A . . T . H .
. N . M . S . D Y N A M O
N A V I G A T E . . B . U
. S . N . D . P . P L A N
M A N I F E S T O . E . D
```

PUZZLE 173

```
W A Y N E . G U L F W A R
A . X . A . A . . . . . H
S C R A P E R . R E P A Y
H . E . E . D . C . S . M
O F F A L . A T H L E T E
U . U . V . U . . U . . .
T I R A D E . N E E D L E
. B . . T . E . . O . X .
S T I L T O N . W A N D A
L . S . Y . A . O . Y . C
A T H O S . P L U M M E T
S . . . O . P . N . . . L
H A C K N E Y . D U M M Y
```

PUZZLE 174

```
F R U I T . V A T I C A N
U . . A . E . R . . . . A
S I M I L A R . A D O R N
S . I . O . V . M . C . N
P Y L O N . E M P A T H Y
O . W . S . U . . O . . .
T E A C U P . T I P P L E
. . U . I . E . . U . . A
I N K L I N G . M I S E R
R . E . N . U . E . S . N
A K E L A . A N A L Y S E
T . . . P . R . T . . . S
E R E C T E D . Y A C H T
```

PUZZLE 175

```
. O P P O R T U N I T Y .
I . A . A . S . R . C . .
L A C K E Y . E T H A N E
U . I . V . . R . D . L .
S . F L E X I T I M E . E
S L Y . R . C . M . R O B
I . . G U I L E . . . R .
O A P . R . N . S . S E A
N . E N E R G E T I C . T
I . T . E . . E . E . I .
S Q U I N T . F R A N C O
T . L . . O . E . . I . N
. M A I N T E N A N C E .
```

PUZZLE 176

```
D R E S S E R . R U R A L
I . V . H . E . E . . . A
S P A D E . C A N V A S S
C . S . E . D . C . T . .
O M I T T E D . E X T O L
. V . . E . L . . . . A .
T H E S I S . S L I P U P
O . . K . P . . I . . . .
M O R S E . E R R A T I C
B . A . B . W . E . I . R
O U T C A S T . B A F T A
L . I . N . E . U . U . Z
A R O M A . R E S O L V E
```

PUZZLE 177

PUZZLE 178

PUZZLE 179

PUZZLE 180

PUZZLE 181

PUZZLE 182

SOLUTIONS

PUZZLE 183

```
. H A R D A N D F A S T .
M . L . R . O . A . U . Z
A B S C O N D . M U R A L
Y . O . P . O . I . G . O
B U R Y . A F F L U E N T
E . A . V . F . I . . . Y
. E N T E R . L A G E R .
H . . N . A . R . A . A .
I N U N D A T E . F R O G
P . B . E . T . L . L . I
P R O S T . I N I T I A L
O . A . T . R . M . E . E
. S T J A M E S P A R K .
```

PUZZLE 184

```
A S S A I L . M O L E S T
R . J . A . O . . . A
C . N A V I G A T O R . C
T I E R . G . . N O W T
I . G . S H R U B . S . I
C . L . W . A . A . C . C
. R E S E R V A T I O N .
T . C L . A . H . M . S
E . T . L I T R E . M . M
A L E C . I . . L O G O
B . D E T E N T I O N . O
A . D . G . N . T
G A Z E B O . W R E A T H
```

PUZZLE 185

```
Y A N K . A G A S S I .
. M . N . G . P . O . D
L I B E R A C E . B R A T
G . A . R . R . E . M .
G O L D A . E T E R N A L
. E . S . U . . . G .
S H O D D Y . R O S T E R
. I . . N . E . U .
S A V E L O Y . P R I N T
. T . M . P . W . P . A
J U T E . S O A K A W A Y
. S . N . I . R . S . F
. E D I S O N . S P I V .
```

PUZZLE 186

```
H I N D U . E G O T I S T
O . . N . T . U . . H
T W E L F T H . G N O M E
L . P . I . E . H . V . F
I D I O T . R E T R E A T
N . C . G . T . R
E X E T E R . C U S T O M
. N . I . H . H . I
R E T S I N A . S I R E N
O . R . D . H . O . O . O
S U E D E . E M P O W E R
E . . A . A . P . . C
S Q U A L I D . Y U C C A
```

PUZZLE 187

```
. A . P . S . A . G . A .
I N V E N T O R . L I D O
N . C . A . S . O . U .
C A P T O R . E M B A R K
. F . I . E . N . A .
B O U N D . D I A L E C T
. R . C . C . . . R .
A D M I R A L . J A C O B
. . B . R . O . N . S .
O R I E N T . F I N E S T
. O . R . O . F . U . B
T A X I . O P E R A T O R
. R . A . N . R . L . W
```

PUZZLE 188

```
. K I N D H E A R T E D .
A . T . E . X . E . P . R
S T A M P . C . F R O T H
S . L . O D E . E . C . O
A B Y S S . P A R C H E D
S . . I . T . . O . E
S V E L T E . M O W G L I
I . E . I . B . . . S
N E S T E G G . L O C A L
A . C . I . U R I . R . A
T I R E D . A . Q U O R N
E . U . E . N . U . W . D
. A B E R G A V E N N Y .
```

SOLUTIONS

PUZZLE 189

```
S P E A R H E A D . L . C
. L . N U T . T I D Y .
M A R G A R I T A . Q . C
. Z E . T . A . U . L
B A R R E L . C A S I N O
. E . L E E K S . D . N
G R I E F . . . L E A S E
A . N . I N G L E . T
R E F I N E . A F R E S H
M . O . B . U . U . O
E . R . C U R R E N T L Y
N E C K . L . I . G . V
T . E . W A T E R S H E D
```

PUZZLE 190

```
O . C . R E S E R V O I R
J O H N . V . D . E . D
S . I . E L I G I B L E
I M P A I R . T . N . E
M . O . Y . I . H . S
P I L A U . C O M B I N E
S . A . P U N . L . R
O U T P O S T . Q U A K E
N . A . Y . A . R . N
. S . G . C . T R Y I N G
B A L L Y H O O . . O . E
. G . U . I . N . L U S T
C O N T A C T E D . S . I
```

PUZZLE 191

```
. B O O S T . A D L I B
A . D . E . C . I . S . A
S L O O P . A S S U R E D
I . U . A . M . C . A . U
D A R K R O O M . Z E A L
E . . A . U . S . L . T
. P O R T O F S P A I N .
C . L . E . L . I . . M
H I D E . C A R L I S L E
E . M . D . G . L . H . T
C H A R A D E . A R O S E
K . I . D . D . N . A . R
. I D I O M . C E L L O
```

PUZZLE 192

```
F E I G N . D Y N A M I C
A . I . I . I . . I . R
C O R O N E T . F O R G O
T . E . T . T . T . E . N
O O M P H . O D Y S S E Y
R . I . T . A . I
Y O N D E R . W I S D O M
. I . U . N . E . O
P A S S A G E . L E N I N
A . C . H . V . O . C . S
S W E D E . O P U L E N T
T . . R . K . I . . E
A R R A N G E . S U P E R
```

PUZZLE 193

```
G R A C E . . S . F
U . L . W I L L I A M S
T O N I C . N . E . N . C
T . . P O O L . P L A T E
E . T . M . E . T . T . N
R O U L E T T E . S I Z E
. . R . T . . G . C
B E N N . R E L E G A T E
I . T . T . L . E . L . G
B E A N O . O A S T . . B
L . B . A . P . E R O D E
E N L I S T E D . O . R
. E . T . . A D M I T
```

PUZZLE 194

```
C I S T E R N . B A R G E
O . L . L . O . A . O . M
C E A S E . T O R T U R E
O . N . C . A . N . G . R
A U D I T O R . O M E G A
. . E . . Y . W . . L
S T R A N D . A L M O N D
T . . A . C . . R
A U G E R . I L L W I L L
G . O . R . N . O . F . I
G A R B A G E . U N I O N
E . A . M . S . C . K
R A N G E . A G E L E S S
```

357

SOLUTIONS

PUZZLE 195

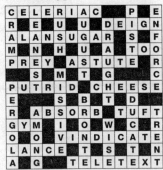

```
C E L E R I A C     P   E
R   E   U   U   D E I G N
A L A N S U G A R   S   F
M   N   H   U   A   T O O
P R E Y   A S T U T E   R
    S   M   T   G       C
P U T R I D   C H E E S E
E       S   B   T   D
R   A B S O R B   T U F T
G Y M   I   O   W   C   R
O   O   V I N D I C A T E
L A N C E   T   S   T   N
A   G   T E L E T E X T
```

PUZZLE 196

```
  F A R E   P   H O B O
C   L   B U R K A   O   E
H B O M B   I   M O U R N
A   U     S     G   V
P A D   P R O V E   H A Y
  B   A   N   N   D
L O R D P R O T E C T O R
  V   A   F   M     R
L E S   L O F T Y   S E W
U   T     I       I   H
D R A W L   C   W E D G E
O   R   O X E Y E   L   N
  D R E W   R   T R E K
```

PUZZLE 197

```
T E M P L A T E   R A S P
A   E   I   A     C   R
C O R V E T T E   H A R E
T   E   U   T   A   D   C
      A T M O S P H E R E
T   U   E   O   P   M   D
R E M A N D   C R U I S E
U   B   A   A   O   C   D
T Y R A N N I C A L
H   E   T   K   C   M   O
F I L M   E I G H T E E N
U   L     D   E   O   L
L E A K   H O L D S W A Y
```

PUZZLE 198

```
S T U B   D R U B B I N G
C   T   C   E   U   N   A
R A U C O U S   R E C A P
A   R   B   I   G   E   E
M I N D B O G G L I N G
B   L   N   A   S   B
L O N G E D   B R E E Z E
E   E   S   I   A   D
  M A R T I N C L U N E S
O   R   O   S   A   O   T
K L E I N   U K R A I N E
R   S   E   R   M   S   A
A R T I S T E S   D Y E D
```

PUZZLE 199

```
  S T A Y   N U L L I F Y
W   O   U F O   E   G   A
A P R I L   R   M I L A N
R   S   E L M   U   O   G
D R O L L   A I R P O R T
  A   O   N   O   O   Z
E N E R G Y   O N E D G E
X   I   S   E   E
P E N D A N T   A P P L Y
L   Y   I   O U T   I   O
A T L A S   C   E N V O Y
I   O   L   K O S   O   O
N U N N E R Y   T O T E
```

PUZZLE 200

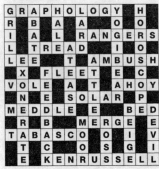

```
G R A P H O L O G Y   H
R   B   A   A     O   O
I   A   L   R A N G E R S
L   T R E A D   I   O
L E E   T   A M B U S H
  X   F L E E T   E   C
V O L E   A   T   A H O Y
  N   E   S O L A R   P
M E D D L E   E   B E D
  R   B   M E R G E   E
T A B A S C O   O   I   V
  T   C   O   S   G   I
  E   K E N R U S S E L L
```

358

SOLUTIONS

PUZZLE 201

PUZZLE 202

PUZZLE 203

PUZZLE 204

PUZZLE 205

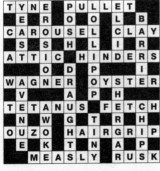

PUZZLE 206

SOLUTIONS

PUZZLE 207

PUZZLE 208

PUZZLE 209

PUZZLE 210

PUZZLE 211

PUZZLE 212

PUZZLE 213

```
C H R O N I C   C L A I M
A   O   S   L   A   B   A
S C O O P   A C R O B A T
T   S   C   U   A   O   E
E N T I C E D   V I T A L
  E     E   A       O
M U R D E R   I N T E N T
E     L   G     M
A W A R D   L I K A B L E
N   G   E   A   N   R   N
D I A G R A M   A D A P T
E   I   L   I   V   C   R
R U N N Y   S C E N E R Y
```

PUZZLE 214

```
W E D D I N G S     L   S
H   E   O   I   D E A L T
A L L O W A N C E   D   U
R   I   A   G   F   L A D
F I L O   S E D U C E   E
  A   P   R   N     N
E X H O R T   A C C E P T
X     I   A   T   L
P   A R M A G H   V E R B
L I D   A   A   T   G   R
O   M   R A T I O N A L E
D A I L Y   H   N   N   A
E   N     T A L E N T E D
```

PUZZLE 215

```
T U R F   H E P T A G O N
U   I   C   U   H   O   I
D E P T H   S H I N D I G
O     I   T   R   F   H
R O W   C R O I S S A N T
    E     N   T   T   I
H E A V E N   L Y C H E E
O   R   D   S     E
I N I T I A T E S   R I B
S   N   F   A   O     I
T S E L I O T   A S W A N
E   S   C   U   K   O   G
D I S P E R S E   W O K E
```

PUZZLE 216

```
J A Y   R       S   G Y P
A   E   A M M A N   E   U
B R A W L   O   O W N U P
  R   P L U T O   I
P I N C H   L   P L E A T
  M   H     I     I   G
  P R E S E N T A B L E
  L   A   R     R   N
N Y M P H   O   D A R T S
  A   A B U S E   U
C R Y P T   G   A L L O W
O   O   C R E P T   E   O
N O R   H     H   R A W
```

PUZZLE 217

```
A V O N   S E E D L I N G
M   C   A   N   O   N   O
B A H A M A S   M I S T Y
U   R   P   U   E   P   A
S H E P H E R D S P I E
H     I   E   D   R   P
E I G H T Y   R A R E L Y
D   O   H   S   Y     R
  I N V E R T E B R A T E
R   D   A   A   O   B   N
A F O O T   P R O V I D E
N   L   R   L   K   D   E
D I A M E T E R   L E S S
```

PUZZLE 218

```
M E T I C U L O U S   I
E   U   O   I     C   B
D   B   L   F E R R O U S
I   B A D G E   U   P
C R Y   U   R E T O R T
  O   S E I Z E   I   O
G O A T   T   M   N A F F
  S   R   A G O N Y   E
D E T O U R   V     C N D
V   N     Z E B R A   E
N E W G A T E   A   R   F
L   E     S   L   O   E
  T   R O T T W E I L E R
```

SOLUTIONS

PUZZLE 219

```
J U M B L E █ L U S T R E
U █ A █ A █ F █ N █ E █ L
N █ C O S T A R I C A █ A
I L K █ S █ U █ C █ M A T
O █ E █ █ L █ Y █ █ █ E █
R A R E B I T █ C L O U D
█ E █ O █ █ █ L █ U █ █ █
D Y L A N █ E L E C T E D
E █ █ H █ M █ █ █ B █ I █
B U S █ O █ I █ G █ U S K
R █ C A M E L H A I R █ T
I █ A █ I █ Y █ T █ S █ A
S I M M E R █ S E P T E T
```

PUZZLE 220

PUZZLE 221

```
D O R S E T █ C U S T E R
E █ I █ H █ H █ O █ █ E █
M O N A █ U █ I █ C R I B
A █ D R A G O N F L Y █ U
N █ B █ D █ D █ O █ █ F █
D E M I █ D █ █ C H E F █
█ █ T H E M A S K █ █ █ █
S O U R █ E █ █ W H I P █
Y █ A █ N █ █ O █ █ U █
S █ S T R A T F O R D █ R
T A T E █ X █ L █ K R I S
E █ I █ E █ A █ U █ U █
M A R A U D █ P R A G U E
```

PUZZLE 222

PUZZLE 223

PUZZLE 224

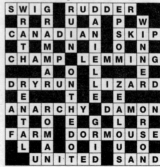

SOLUTIONS

PUZZLE 225

```
N E V E R | C E I L I N G
O     O H | N       R
T A L L Y H O | L E D G E
I   E   A | M   A E   E
C A M E L | P A Y L O A D
E   O   T | I   D
D O N K E Y | R I G O U R
    S   R | Y   R   E
C R O O K E D | S H A W L
O   L   A | E   T N   E
W H E L P | I N E R T I A
E     U   T | P       S
S W A R T H Y | S H A M E
```

PUZZLE 226

```
  C   B H   K   A   R
K O H L R A B I   S L U M
  M   I   R   N   T   T
B A R T E R   G U R K H A
  T   H Y   D   A
C O V E N   P O L Y G O N
  S   M   M       F
L E I P Z I G   Q U I F F
    O   S   S   N   S
A D V I C E   K N I G H T
  R   S   R   U   S   O
M A C E   L A N C E L O T
  W   D Y   K   X   T
```

PUZZLE 227

```
  S W E E N E Y T O D D
S   H   V N   W E   I
T R A C E   I   A L L I N
I   L   R I G   I   I T
C L E F T   M U N D A N E
K   O   A   U       R
I R V I N E   O P E N E R
N   O   H   L       O
S C R U F F Y   U S I N G
E   I   L   B U N   N A
C O N G O   R   D I G I T
T   G   S I   E   O E
  C O N S I D E R A T E
```

PUZZLE 228

```
P H Y S I C I A N   B   S
  E   U   A   P   S A C K
C L A S S R O O M   G   I
  L   H   T   L   A   D
P O L I C E   L A P T O P
    U   A L O O F   E   A
B O X E R       F E L O N
O   U   R A B B I   L
M A R T Y R   E X C E E D
B   I   R   I   O   T
A   O   H I E R A R C H Y
R O U X   V   U   A   O
D   S   F E R T I L I S E
```

PUZZLE 229

```
S   C   S T A B I L I T Y
W R A P   H   A O   A
I   L   A E R O B I C S
S U L T A N   M E   O
S   A   K   A   B   A
R U G B Y   W I T N E S S
O   H   S A D   L   T
L E A T H E R   N I G E R
L   N   L   C   R   O
  S   S L   R E T A I L
P O R T H O L E   V   O
  L   O   U S   K I N G
H O T P O T A T O   A Y
```

PUZZLE 230

```
M I X U P   H O O D L U M
A     A   O   X       I
T O R O N T O   F R O W N
A   E S   C   A   S   O
D O L L Y   H A M S T E R
O   U   P   R   R
R E C I T E   M A N A G E
    T   L   Y   C   X
S C A L P E L   Q U I E T
N   N   E   O   U   S R
A N T I C   D I O C E S E
R   A   G   T       M
L O Z E N G E   A G A P E
```

SOLUTIONS

PUZZLE 231

B	I	Z	E	T		F	O	G	H	O	R	N
L			O		R		R					O
O	F	F	E	N	C	E		A	M	I	G	O
S		L		N		S		V		T		S
S	I	E	G	E		H	A	Y	W	I	R	E
O		D		H		F		N				
M	I	G	H	T	Y		A	N	N	E	X	E
		L		D		R		R		R		X
N	E	I	T	H	E	R		M	E	A	N	T
A		N		E		O		I		R		R
V	I	G	I	L		A	N	A	L	Y	S	E
E				L		L		M				M
L	I	N	F	O	R	D		I	N	G	L	E

PUZZLE 232

B	E	W	I	L	D	E	R			T		R
R		E		A		C		Z	A	I	R	E
A	R	M	A	D	I	L	L	O		P		C
S		B		Y		A		O		S	H	Y
H	E	L	P		M	I	S	L	A	Y		C
		E		A		R		O				L
E	E	Y	O	R	E		I	G	N	I	T	E
T			O		M		Y		M			
I	A	N		S		S		B		E		U
C		E		E	N	T	E	R	T	A	I	N
A	H	E	A	D		E		I		C		G
L		R			B	R	E	E	C	H	E	S

PUZZLE 233

O	A	S	T		A	G	E	G	R	O	U	P
M		A		K		E		A		R		I
E	B	D	O	N		N	A	R	R	A	T	E
G				I		I		B		N		R
A	Y	R		T	R	A	F	A	L	G	A	R
		O				L		G		U		O
L	A	U	R	I	E		S	E	P	T	E	T
E		T		K		S		A				
C	O	L	L	E	C	T	E	D		N	I	B
A		E		B		A		R				L
R	A	D	I	A	N	T		A	D	A	G	E
R		G		N		I		G		S		A
E	L	E	G	A	N	C	E		C	H	I	T

PUZZLE 234

H	O	B		T			T		C	U	R	
U		R		H	U	S	S	Y		R		U
B	O	O	T	Y		Y		S	Q	U	I	B
		A			M	A	C	H	O		D	
J	U	D	G	E		O		N	E	E	D	Y
	P		R		P		N		N		I	
	S	M	A	L	L	H	O	L	D	E	R	
E		Z		A		O			O		G	
S	T	E	E	P		N		S	W	E	E	T
		M		L	I	T	H	E		X		
C	O	B	R	A		I		W	I	T	T	Y
N		E		C	A	C	H	E		O		O
D	U	D		E			R		L	O	B	

PUZZLE 235

R	U	B	Y		V	O	L	A	T	I	L	E
A		A		J		B		T		G		T
D	I	S	T	O	R	T		T	A	N	G	O
I		I		H		U		E		O		N
A	L	L	A	N	D	S	U	N	D	R	Y	
T				A		E		B		E		G
O	C	C	U	L	T		L	O	N	D	O	N
R		U		D		E		R				A
	G	R	E	E	N	G	R	O	C	E	R	S
A		I		R		B		U		R		H
S	N	O	U	T		E	N	G	R	A	V	E
T		U		O		R		H		S		R
I	N	S	A	N	I	T	Y		H	E	S	S

PUZZLE 236

A	P	O	C	A	L	Y	P	S	E		P	
B		U		S		U		M		R		
B		N		I		L	O	G	I	C	A	L
O		C	E	A	S	E		G		G		
T	I	E			T		S	H	R	I	M	P
	N		A	B	I	D	E		A		A	
A	D	U	R		G		C		T	A	T	E
	I		K		M	A	R	I	E		I	
I	G	U	A	N	A		E			I	C	Y
	N		N			S	T	E	E	D		E
W	A	Y	S	I	D	E		L		I		A
	N		A			E		A		O		T
	T		S	T	I	P	U	L	A	T	E	S

PUZZLE 237

```
C U R R A N T S   R O M E
H A   P   I   G   I   I
A V   P A R T Y   N   G
D W E L L   A   P A T C H
  A   Y   D   S   M   T
A X L E   P E R U S E   Y
  A   A       M   N
C   B I G T O P   S T A Y
O   R   R   B   M   N
G R A C E   J   A C U T E
N   D   E M E N D   R   R
A   O   D   C   A   G   N
C E R T   S T A M P E D E
```

PUZZLE 238

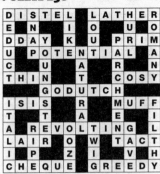

```
D I S T E L   L A T H E R
E   N   I   O   U   O
D D A Y   K   U   P R I M
U   P O T E N T I A L   A
C   U   A   R   N
T H I N   T   C O S Y
    G O D U T C H
I S I S   R   M U F F
T   T   A   E   I
A   R E V O L T I N G   L
L A I R   O   W   T A C T
I   P   Z   I   V   H
C H E Q U E   G R E E D Y
```

PUZZLE 239

```
N I P P E R   R O U B L E
E   O   A   L   X
E   P O R C U P I N E   T
D U E L   S   A L O E
L   T   A Z T E C   E   N
E   R   N   R   A   V   T
  M O U N T A I N E E R
T   L   A   L   O   N   P
H   E   N A I V E   S   A
R O U T   A     P E R T
E   M O M E N T O U S   O
S   R   S   R   I
H O N E S T   I N L A W S
```

PUZZLE 240

```
C R E M E D E M E N T H E
A   N   G   N     W   L
W A R L O R D   G L O A T
  O   N   E   R   S   O
C E L L   M A C A R O O N
A   P   R   H   M   J
M A T R O N   G A Z E B O
P   A   I   K   M   H
A B N O R M A L   P L A N
N   G   O   S   M   L
I N E P T   P R I V A T E
L   N   A   N   M   L
E X T R A O R D I N A R Y
```

PUZZLE 241

```
H A I L E   F I C T I O N
A     J   E   O     A
R O E D E A N   C H A R T
M   S   C   C   O   T   T
O N S E T   E X A C T L Y
N   E   E   R   R
Y O N D E R   A R M A N I
  T   S   Y   C   V
G L I S T E N   P I T T A
L   A   E   O   R   E   N
A L L E N   B R E A D T H
S   C   E   S   O
S A T C H E L   S W I P E
```

PUZZLE 242

```
  A C E   B   I   S
E S P R E S S O   M Y T H
  T   U   S   U   P   A
M O U S S E   D R E D G E
  N   O   X   O   D
R I V E N   P I M E N T O
  S   D   R     E
G H E R K I N   B R E A K
    E   C   K   A   M
Z E A L O T   R O B U S T
  R   A   A   O   I   T
G I F T   T I N K E R E D
  K   E   E   A   S   R
```

SOLUTIONS

PUZZLE 243

```
J A C K S T R A W . P . E
. B . A . O . M . R O U X
S U M P T U O U S . L . T
. S . U . P . S . E . I .
C E N T R E . E L E V E N
. E . H E I D I . A . C .
A L I B I . . . T R U S T
B . G . N I G E R . L . .
S C H O O L . N E C T A R
E . B . K . L . R . R .
N . O . A L L I G A T O R
C L U E . E . S . W . M .
E . R . A Y A T O L L A H
```

PUZZLE 244

```
S . O . A N A L G E S I C
P A S S . A . E . L . V .
O . C . . S T A L L I O N
T H I R S T . F . A . R .
L . L . Y . L . T . K .
I N L A Y . R E S T O R E
G . A . C A T . P . N .
H A T C H E T . M E D I C
T . E . N . B . R . L .
. T . E . T . A L P A C A
B U I L D I N G . . W . R
. B . B . M . E . P E R K
P A N A T E L L A . R . E
```

PUZZLE 245

```
P I V O T . D E S C E N D
R . . R . R . O . . . U
O B T R U D E . F E V E R
R . O . C . A . I . I . U
A D D L E . D I A G R A M
T . D . F . B . T .
A C C U S E . E D M U N D
. A . T . X . A . O
B U R G L A R . C O L O N
U . T . I . I . O . L . O
R A Y O N . N U R E Y E V
M . . E . S . A . . . A
A L G A R V E . L U C A N
```

PUZZLE 246

```
P O W E R . M A H A T M A
I . . E . A . E . . . U
C A V E M A N . D R I E D
A . I . I . I . G . N . I
S C O U T . C R E W C U T
L . L . G . S . R .
O B E R O N . P R I E S T
. N . A . B . A . O
S I T U A T E . M I S E R
O . L . L . M . I . E . R
C L Y D E . A B R I D G E
K . . S . I . T . . . N
S A W M I L L . H E I S T
```

PUZZLE 247

```
. M Y X O M A T O S I S .
S . E . I . O . N . A
P A L M E R . M O S S A D
R . L . F . R . I . M
I . O F F L I M I T S . I
N E W . E . M . G . T N T
G . . C A P R I . . . D
B O A . T . E . N . S E E
O . B R I L L I A N T . F
A . D . V . T . O . E
R O U T E R . F E D O R A
D . C . . I . A . G . T
. S T O C K B R O K E R .
```

PUZZLE 248

```
B A P T I S E . S I R E N
L . R . D . R . E . O . E
O S A K A . A N A E M I A
C . I . H . S . W . E . T
K A R A O K E . A D O R E
. . I . . . R . L . . . S
C A E S A R . A L M O S T
H . . S . C . P .
A W A I T . A U S T E R E
R . B . R . R . H . N . R
I M A G I N E . A D I E U
O . T . D . S . R . N . P
T H E M E . S L E I G H T
```

SOLUTIONS

PUZZLE 249

A	L	L	A	T	S	E	A			A		W
M		I		U		N		E	D	G	A	R
E	M	B	A	R	R	A	S	S		A		A
N		E		N		B		T		T	O	N
D	I	R	K		A	L	L	U	R	E		G
	A		S		E		A					L
S	A	L	U	T	E		C	R	U	I	S	E
P			R		G		Y		D			
O		F	R	O	Z	E	N		D	I	A	L
R	Y	E		K		M		O		O		U
R		L		E	N	I	G	M	A	T	I	C
A	L	O	U	D		N		E		I		R
N		N		P	I	N	N	A	C	L	E	

PUZZLE 250

Z	I	M	B	A	B	W	E		B	A	K	E
O		U		M		A			T		B	
O	P	T	I	M	I	S	T		W	A	D	E
M		E		U		H		S		P		N
		I	N	D	E	F	I	N	I	T	E	
E		M		I		R		L		N		Z
C	R	U	F	T	S		C	L	O	C	H	E
S		S		I		B		Y		H		R
T	A	C	H	O	G	R	A	P	H			
A		U		N		U		O		W		H
T	I	L	T		V	I	C	I	N	I	T	Y
I		A			S		N		N		N	M
C	U	R	E		H	E	P	T	A	G	O	N

PUZZLE 251

A	C	M	E		E	D	U	C	A	T	E	S
P		O		P		I		A		R		E
P	R	U	D	E	N	T		P	R	O	B	E
R		L		N		H		I		L		M
O	L	D	W	I	V	E	S	T	A	L	E	
A			T		R		U		E			P
C	A	R	T	E	L		P	L	A	Y	E	R
H		A		N		T		A				E
	I	N	S	T	R	U	C	T	I	O	N	S
A		C		I		R		I		M		T
V	I	O	L	A		P	U	N	J	A	B	I
O		U		R		I		G		H		G
W	O	R	R	Y	I	N	G		M	A	D	E

PUZZLE 252

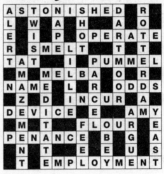

A	S	T	O	N	I	S	H	E	D		R	
L		W		A		H		A		O		
E		I		P		O	P	E	R	A	T	E
R		S	M	E	L	T		T		T		
T	A	T		I		P	U	M	M	E	L	
	M		M	E	L	B	A		O		R	
N	A	M	E		L		R		O	D	D	S
	Z		D		I	N	C	U	R		A	
D	E	V	I	C	E		E			A	M	Y
	M		T			F	L	O	U	R		E
P	E	N	A	N	C	E		B		G		A
N		T			E		E		U		S	
T		E	M	P	L	O	Y	M	E	N	T	

PUZZLE 253

L	I	S	B	O	N		K	O	S	H	E	R
I		W		P		B		N		E		E
Z		A	V	A	L	A	N	C	H	E		C
A	D	D		L		L		E		D	N	A
R		D			S		O				L	
D	I	L	E	M	M	A		V	O	C	A	L
	E		E			E		H				
U	N	D	E	R		S	I	R	L	O	I	N
N		C		N			W			I		
S	O	B		I		A		W		C	O	G
E		R	E	F	U	R	B	I	S	H		G
A		A		U		L		S		O		L
T	I	N	G	L	E		L	E	E	W	A	Y

PUZZLE 254

D	E	P	A	R	T		A	L	P	I	N	E
R		R		H		R		R		R		X
A	J	A	R		U		A		M	A	T	E
P		M	E	L	G	I	B	S	O	N		M
E		C		N			U			U		P
R	E	N	T		T			S	W	O	T	
		A	V	E	R	A	G	E				
S	W	A	N		U			T	O	A	D	
P		G		D			R			E		
R		E	L	E	M	E	N	T	A	L		P
A	C	R	E		I		O		P	O	L	E
W		O		M		U		V		N		
L	U	S	T	R	E		S	C	R	E	E	D

SOLUTIONS

PUZZLE 255

```
. C O R N E R S T O N E .
F B U A E A S
I N S U L A R . A D A P T
L E L E R F A
C O R E . G L O A M I N G
H V S Y W . E
. H E F T Y . F A C U P .
M R E Y N A
A N A C O N D A . J A I L
R U N I K W O
S P R I G . S P I N A C H
H A E O W R A
. F L O R E N T I N E S .
```

PUZZLE 256

```
R H Y T H M . A C T I O N
I W R R E
F . J I M C A R R E Y . T
L I O N . F . K E N T
E A . K N A C K . S L
D N E E R T E
. C O L D B L O O D E D .
B F G N N R A
O A . E V A D E . D V
L A R D . D . C A P E
E . C E R T A I N L Y . N
R M L O G
O U T I N G . R O T A T E
```

PUZZLE 257

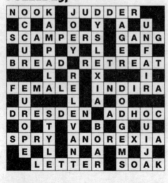

```
N O O K . J U D D E R .
C A O Y A U
S C A M P E R S . G A N G
U P Y L E F
B R E A D . R E T R E A T
L R X I
F E M A L E . I N D I R A
U L A O
D R E S D E N . A D H O C
O T V B G U
S P R Y . A N O R E X I A
E L N A M J
. L E T T E R . S O A K
```

PUZZLE 258

```
A L O F T . E T E R N A L
L A G I E
C E N T U R Y . D E L I A
O O P P E E S
H I N G E . T A R N I S H
O E B W C
L I N G E R . A L B E I T
T A Y S H
E P I S O D E . B A T H E
L T P X L E R
F O Y E R . C H E E R I O
I A E A C
N A R W H A L . K A Y A K
```

PUZZLE 259

```
. S A W T R B .
M E A N D E R S . E A R N
P K E E S A
T A B A R D . L O C K E T
R R Y I U
P A P A W . D O Z E O F F
T D T L
F E R R A R I . G A V I N
A S A F P
A D V I C E . V E R I F Y
I S U O E L
V O T E . S L I P S H O D
R D S D H P
```

PUZZLE 260

```
. D O W N P A Y M E N T .
P R E M O I D
E I G H T . I . V A G U E
R A B U D I H T
C O N G A . S C E P T R E
E L T A R
P U D D L E . S A L A M I
T Y U N O
I L L E G A L . T O P E R
B E O S E A R A
L A P E L . T . C H A N T
E E D E I W E
. A R M A T R A D I N G .
```

PUZZLE 261

R	I	V	E	R	B	A	N	K		C		S
	S		N		O		O		F	O	I	L
B	A	L	A	C	L	A	V	A		M		O
	A		C		E		I		M		W	
S	C	A	T	T	Y		C	O	Y	O	T	E
	M		A	N	G	E	R		D		S	
P	E	P	Y	S			S	H	O	R	T	
A		E		T	R	U	R	O		R		
C	O	R	N	E	A		U	N	R	E	S	T
K		S		V		B		O		P		
A		A		C	A	L	E	D	O	N	I	A
G	O	N	E		G		N		S		L	
E		D		V	E	R	S	A	T	I	L	E

PUZZLE 262

S		L		F	R	A	G	R	A	N	C	E
C	L	A	P		E		O		C		H	
U		S		C	A	R	D	I	G	A	N	
L	A	T	V	I	A		I		D		T	
P		S		P		L		A		B		
T	O	T	E	M		B	L	U	N	D	E	R
U		R		P	E	A		V		I		
R	O	A	S	T	E	D		O	B	E	S	E
E		W		R		S		N			F	
	M		S		H		H	E	C	T	I	C
L	I	T	I	G	A	T	E		U		A	
	D		L		P	E		K	R	I	S	
L	I	M	O	U	S	I	N	E		E		E

PUZZLE 263

	S	Y	L	P	H		P	O	L	A	R	
A		E		L		B		U		I		S
S	A	M	B	A		E	X	C	E	R	P	T
I		E		Y		A		H		M		U
D	I	N	O	S	A	U	R		C	A	I	N
E			A		B		F		I		T	
	C	O	M	F	O	R	T	A	B	L	Y	
A		C		E		I		L		A		
P	I	T	Y		O	D	D	M	E	N	T	S
A		O		L		G		O		I		H
R	I	B	C	A	G	E		U	N	C	L	E
T		E		N		S		T		H		N
	G	R	E	E	D		C	H	I	E	F	

PUZZLE 264

D	E	T	E	R		U	N	L	U	C	K	Y
E			O		P		O				I	
P	R	O	V	O	K	E		S	U	R	G	E
L		V		M		N		E		A		L
E	L	E	G	Y		D	E	R	I	V	E	D
T		R		S		R			I			
E	X	T	O	R	T		G	E	Y	S	E	R
		H		Y		O		H		O		O
T	H	R	I	V	E	S		S	K	I	L	L
R		O		E		H		H		N		L
A	S	W	A	N		A	M	A	L	G	A	M
I			U		F		L			O		
L	A	R	G	E	S	T		E	Q	U	I	P

PUZZLE 265

W	O	R	L	D			S		S			
A		O		C	H	I	C	K	P	E	A	
T	A	L	L	Y		A		A		E		N
S			L	O	N	G		L	U	C	I	D
O		E		U		U		P		U		R
N	I	N	E	T	E	E	N		S	L	O	E
		E		H			S		A			
B	E	R	G		C	A	L	C	U	T	T	A
A		G		B		D		U		E		N
S	M	E	L	L		M	U	L	L			T
I		T		A		I		L	O	A	T	H
C	H	I	P	M	U	N	K		O			E
		C		E			S	P	A	S	M	

PUZZLE 266

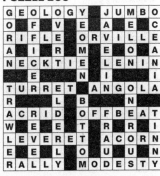

G	E	O	L	O	G	Y		J	U	M	B	O
O		F		V		E		A		E		C
R	I	F	L	E		O	R	V	I	L	L	E
A		I		R		M		E		O		A
N	E	C	K	T	I	E		L	E	N	I	N
		E		N		N		I				I
T	U	R	R	E	T		A	N	G	O	L	A
R			L		B			N				
A	C	R	I	D		O	F	F	B	E	A	T
W		E		E		T		R		R		I
L	E	V	E	R	E	T		A	C	O	R	N
E		E		L		O		U		U		N
R	A	L	L	Y		M	O	D	E	S	T	Y

SOLUTIONS

PUZZLE 267

```
H O L D S W A Y . . V . D
E . E . A . T . S C E N E
R E A L I S T I C . R . S
O . N . D . I . R . S E T
D E E M . T R O U P E . R
. S . B . E . F . . . O .
P A T T E R . E F F I G Y
A . . T . L . Y . M . . .
N . P E R S O N . R I F T
A N Y . O . U . A . T . A
C . L . T O N Y B L A I R
H O O C H . G . E . T . O
E . N . S E A T B E L T .
```

PUZZLE 268

```
I M P R O V E D . N E S T
S . U . R . N . . . V . H
P E N N I N E S . C A K E
Y . K . G . R . A . P . B
. . . G I N G E R B E E R
O . M . N . Y . T . R . O
F R I D A Y . I N B O R N
F . N . L . S . O . N . X
E U C A L Y P T U S . . .
N . E . Y . L . V . L . P
D U P E . L I F E T I M E
E . I . . . C . A . M . A
R E E F . P E T U L A N T
```

PUZZLE 269

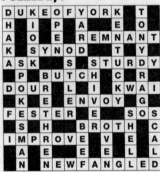

```
L I S P . N U R T U R E D
A . O . T . S . I . E . A
S A L V A G E . C U P I D
T . V . B . F . K . U . O
P O E T L A U R E A T E .
O . . E . L . T . E . C .
S A L O M E . S T U D I O
T . E . A . M . O . . . R
. S T A N B O A R D M A N
H . T . N . H . I . E . E
A Z U R E . A U D I T O R
S . C . R . I . E . R . E
P R E S S U R E . W O R D
```

PUZZLE 270

```
D U K E O F Y O R K . T .
H . I . P . A . . E . O .
A . O . E . R E M N A N T
K . S Y N O D . T . Y . .
A S K . S . S T U R D Y .
. P . B U T C H . C . R .
D O U R . L . I . K W A I
. K . E . E N V O Y . G .
F E S T E R . E . . S O S
. S . H . . B R O T H . C
I M P R O V E . V . E . A
A . E . . E . E . L . L .
N . N E W F A N G L E D .
```

PUZZLE 271

```
P A U P E R . W E L L E S
I . N . X . A . L . O . I
S . S P A S M O D I C . N
T U P . M . B . O . K E G
O . O . . L . R . . L . .
L E I S U R E . A G I L E
. . L . P . . . D . M . .
M E T E R . P R O V I D E
I . . I . R . . . T . N .
L A D . S . I . L . A F T
L . A G I N C O U R T . I
E . L . N . E . N . E . C
T W I N G E . C A D D I E
```

PUZZLE 272

```
F A L C O N . H O L L O W
A . E . U . A . Y . . . E
T H A W . M . R . C O N E
H . P R O B A T I O N . V
E . . E . D . R . . . . I
R I B S . M . . K E E L .
. . . T I D I N G S . . .
S O U L . R . C A R T . .
L . I . E . R . . . . . H
I . I N T E R P R E T . R
C L O G . N . A . W A K E
K . T . V . N . . . I . A
S H A N D Y . G U L L I T
```

PUZZLE 273

```
. I R O N C U R T A I N .
T E . O . P . O . S . M
R E S P O N D . P A L M A
I . U . N . A . H . A . O
B U M P . S T R E A M E R
E . E . B . E . A . . I
. A D U L T . A V E R T .
P . . U . S . Y . E . P
A N T I D O T E . M A L L
N . R . G . U . T . L . A
S H A D E . P I A N I S T
Y . C . O . O . K . S . O
. K E A N U R E E V E S .
```

PUZZLE 274

```
M U T T E R . G Y R A T E
A . R . C . E . . . G
I . S O U T H P O L E . G
M I T T . . I . . Y A R N
E . R . R S P C A . R . O
D . E . U . P . M . N . G
. G E O R G E B A K E R .
T . T . A . N . Z . S . O
H . C . L E D G E . T . R
R O A M . A . . G L E N
I . R E G U L A R L Y . A
V . R . E . E . U . . T
E X C E S S . F U T I L E
```

PUZZLE 275

```
R O A D . D E P L O Y .
. R . U . R . O . R . B
A B A T T O I R . L U L L
. I . I . P . T . O . O
S T I F F . R A M P A N T
. . U . S . B . . . D
C U R L E W . L I M P E T
. P . E . E . A
C R I P P E N . S H U N T
. O . O . T . B . J . O
T A X I . P L A T O N I C
. R . S . E . R . N . S
. B E C A M E . G O Y A
```

PUZZLE 276

```
P O I N T . A U S T R I A
A . . R . N . I . . . S
R E U N I O N . G R A F T
A . N . P . U . H . N . O
S N A R E . L O T H I A N
O . N . R . U . . M
L A I D O N . S A M O S A
. M . L . T . S . W
S C O R P I O . C H I D E
T . U . A . A . O . T . S
O A S I S . T A L L Y H O
O . . T . E . I . . M
L O A F E R S . N U D G E
```

PUZZLE 277

```
. A T . S E A . A . O
A D V A N C E D . B Y R E
. J . T . O . I . S . A
C A S T R O . F E E B L E
. C . O . T . I . I
P E R O N . S C A L P E L
. N . M . E . . N
U T E N S I L . W H I S K
. E . L . F . I . C
T A I P E I . L O T I O N
. H . H . T . O . M . N
C O P E . I N S T A N C E
. Y . W . A . S . N . E
```

PUZZLE 278

```
S . I . I N F I R M A R Y
W A N D . A . N . A . A
I . S . . P A S T R A M I
S L I P U P . T . X . P
S . N . Y . E . . M . R
R O U G H . W A R F A R E
O . A . S O D . C . N
L A T T I C E . K N E A D
L . E . R . L . D . I
. L . D . O . A C C O S T
V I G O R O U S . N . I
. R . L . G . S . L I N O
P A R T H E N O N . A . N
```

SOLUTIONS

PUZZLE 279

```
S C R A G . F I G H T E R
T . . . U . A . R . . . O
R E A D I N G . A X I O M
U . R . L . I . I . C . A
D A T E D . N A N K E E N
E . I . . Z . M . . M . .
L O C A T E . M O R A L E
. . H . A . O . . I . A .
G L O B U L E . A N D E S
A . K . N . L . B . E . I
F R E U D . C A Y E N N E
F . . . U . I . S . . . S
E G G H E A D . S Q U A T
```

PUZZLE 280

```
. D U M A S . T O P A Z .
N . T . R . B . V . P . B
S K U N K . E X A M P L E
P . R . R . I . L . R . V
C O N C O R D E . D O L E
C . . . Y . E . A . V . L
. S T E A M R O L L E R .
S . H . L . B . I . . . C
T A R T . J E W E L L E R
A . I . C . C . N . E . I
S U F F O L K . A B A S E
H . T . W . E . T . V . R
. C Y C L E . T E N E T .
```

PUZZLE 281

```
N O M A D . P Y J A M A S
O . . . R . U . A . . . I
T R I D E N T . P R I Z E
A . N . A . T . A . N . V
B L O O M . Y A N G T Z E
L . C . T . U . U . . . .
E Q U I T Y . R E V I S E
. . L . R . A . T . . . N
S T A G G E R . T R I A D
C . T . E . A . I . O . L
A H E R N . I N T E N S E
N . . . R . S . L . . . S
T R A P E Z E . E T H O S
```

PUZZLE 282

```
M A C A W . . . M . D . .
U . I . A S T E R I S K
M O U R N . I . A . L . N
B . . Y A W N . T W I C E
L . W . D . G . Y . G . E
E Y E L I N E R . N E L L
. D . R . A . N . . .
R U N G . C L I N I C A L
I . E . S . E . V . E . A
V I S I T . A K I N . B
E . D . A . S . L I M B O
R E A L I S E D . G . . U
. Y . N . . C H O I R
```

PUZZLE 283

```
K N U C K L E . R A T E S
A . K . N . X . O . U . T
P L U T O . T A T T L E R
O . L . L E . A . S . A
K R E M L I N . T W A I N
. L . . D . E . . . G
S V E L T E . A D V I S E
U . . R . G . . G
F R A M E . R O D E N T S
F . B . M . A . I . I . A
I N H A B I T . T O T A L
C . O . L . I . T . E . O
E Y R I E . S N O W D O N
```

PUZZLE 284

```
F L E T C H E R . . A . P
O . X . O . X . P I L A U
R A P I D F I R E . I . R
U . U . E . L . N . V I P
M A N E . B E H A V E . O
. . G . I . D . L . . . S
V I E N N A . S T R I P E
E . . T . A . Y . R . .
R . E M E R G E . B O M B
D E N . N . A . D . N . R
I . J . D E S P E R A D O
C L O G S . S . M . G . O
T . Y . L I N O L E U M
```

372

SOLUTIONS

PUZZLE 285

```
J A Z Z   U N F A S T E N
A   E   S   O   I   R   U
C Y N I C   B A R G A I N
O   A   B   L   V   N
B U T   M I L L I P E D E
O   E   N   L   R
H A M M E R   R E A L L Y
O   C   X   F   E
S U R C H A R G E   R O B
T   U   I   I   C   E
A M I A B L E   R A Z O R
G   S   I   N   U   O   R
E V E N T I D E   F O X Y
```

PUZZLE 286

```
M I T E   L A M B C H O P
O   I   W   P   A   Y   A
R E N D E L L   L O G I C
T   G   L   O   A   I   T
G R E A S E M O N K E Y
A   H   B   C   N   B
G L E N D A   R E V E A L
E   A   R   O   S   U
  F R E E O F C H A R G E
A   N   S   F   E   A   B
C H E S S   S P E C T R E
T   S   E   E   T   I   L
S A T U R A T E   H O W L
```

PUZZLE 287

```
P U N I S H M E N T   A
L   A   O   O   R   S
U   N   Y   A G A I N S T
C   C H A I N   C   O
K E Y   N   A C K A C K
  X   C O V E T   E   I
J U D O   A   T   R E A M
  B   N   D O I L Y   T
M E A G R E   L   D E S
  R   R   M A Y B E   P
G A Z E T T E   O   F O
N   S   A   G   E   I
T   S T A N L A U R E L
```

PUZZLE 288

```
B O M B A Y   G O P H E R
R   A   X   S   C   A   A
O   I D E N T I C A L   T
G E L   D   O   U   F B I
U   S   U   P   F
E X H A U S T   A L L E Y
    O   P   N   E
H U T C H   E X T R A C T
O   E   B   R   E
R U M   A   O   N   N U N
R   A D V A N T A G E   D
O   I   A   Y   V   R   O
R A M B L E   L E S S O N
```

PUZZLE 289

```
T A R G E T E D   B E E P
I   A   S   L   D   V   R
F F   S T A K E   E   O
F A T W A   P   V E N O M
  G   Y   S   O   T   P
M O O R   R E B U F F   T
  L   M       T   U
N   D I O N N E   G L O W
I   F   L   O   C   U
M E L E E   B   H A S T Y
B   A   S W O R E   A   O
U   M   T   D   A   N   K
S K E W   E Y E P I E C E
```

PUZZLE 290

```
S I R I U S   G I N G E R
I   I   A   U   R   I
L E N D   K   S   W I M P
V   D E C E P T I O N   P
E   T   O   N   L
R U S E   R   D A Z E
    R A G T I M E
S L I M   R   R A N D
T   I   A   F   O
Y   A N O N Y M O U S   O
L Y R E   I   O   L O A D
U   I   L   S   M   L
S E D U C E   T H I E V E
```

SOLUTIONS

PUZZLE 291

Row 1: LIVINGSTONE
Row 2: W M O H I E G
Row 3: EXPANSE ROWAN
Row 4: N U A T A E A
Row 5: COLA STIMULUS
Row 6: H S E O I H
Row 7: FEAST USUAL
Row 8: D T E U G T
Row 9: REPRIEVE LILO
Row 10: A A M O P T K
Row 11: PANDA LULLABY
Row 12: E I T V E T O
Row 13: ACCELERATES

PUZZLE 292

Row 1: DORRIT CEREAL
Row 2: A I A A A
Row 3: B SLAPSTICK C
Row 4: BYTE S KICK
Row 5: L O SLIME S E
Row 6: E R H G N S Y
Row 7: WEARANDTEAR
Row 8: B R U A R G D
Row 9: I O BATTY R R
Row 10: TOOT I JADE
Row 11: T MAUSOLEUM A
Row 12: E R N S M
Row 13: REDEEM PATENT

PUZZLE 293

Row 1: SUDS STROKE
Row 2: N K W O E C
Row 3: AFFINITY BULK
Row 4: I D G A A U
Row 5: STORM BLUBBER
Row 6: O G B D
Row 7: FLOWER OCELOT
Row 8: O A X Q
Row 9: SUPPOSE MUNCH
Row 10: V A M D A A
Row 11: FROG EXULTANT
Row 12: E A R C O O
Row 13: INFECT RUNT

PUZZLE 294

Row 1: PUSHY FAILING
Row 2: L O I T E
Row 3: ACCRUED ALIEN
Row 4: S H N E L N I
Row 5: THING LAYBARE
Row 6: E E Y V U
Row 7: RUFFLE OREGON
Row 8: T T N U E
Row 9: TRAFFIC BORIS
Row 10: O I L I Y A T
Row 11: NANNY GALILEE
Row 12: G N A A G
Row 13: SEMINAR WRONG

PUZZLE 295

Row 1: B O S S S S
Row 2: BRACELET TUTU
Row 3: E T E A E U
Row 4: GARAGE STRIDE
Row 5: K V T H E
Row 6: HAVEN REMORSE
Row 7: G N D U
Row 8: CERTAIN GORSE
Row 9: R G B R P
Row 10: OFFICE ROARED
Row 11: O L R U C C
Row 12: BLOB INSULATE
Row 13: D Y A H E S

PUZZLE 296

Row 1: FINALDEMAND
Row 2: O B R E E O M
Row 3: DARTS A REVUE
Row 4: D O END R E R
Row 5: SAXON LOYALTY
Row 6: A I Y I L
Row 7: NUANCE MADRAS
Row 8: D E L L T
Row 9: ECSTASY ALDER
Row 10: N T R CUB R E
Row 11: DRAKE H AROSE
Row 12: S R N E M W P
Row 13: GREASEPAINT

SOLUTIONS

PUZZLE 297

```
O . H . V A L E N T I N E
S P A M . M . A . R . O .
T . M . . B A R B E C U E
R U S T L E . H . E . N .
A . T . R . A . . S . M .
C A R R Y . F R E E W A Y
I . I . . C O T . . E S .
S I N C E R E . T R E N T
E . G . U . Q . T . I . .
. L . M . C U N I C E F .
M A G A Z I N E . O . I .
. C . L . A . S . T R U E
L E G I S L A T E . N . D
```

PUZZLE 298

```
D I N A R . F A N A T I C
E . . O . E . A . . . . U
P E R I D O T . D E A L T
O . O . I . C . A . L . T
S W O R N . H O L I D A Y
I . S . . C . L . . E . .
T R E N C H . A S H R A M
. . V . . A . F . . S . A
L E E W A R D . A P H I D
E . L . W . I . L . O . O
M O T I F . S H O R T E N
O . . . U . C . O . . . N
N O V E L L O . F A U N A
```

PUZZLE 299

```
E T H O S . L E E W A R D
S . . H . E . M . . . . O
T A B L O I D . B R A W N
E . L . C . G . E . N . O
F L A N K . E A R L I E R
A . S . B . W . M . . . .
N I P P E R . A N G O L A
. . H . U . Y . S . B . .
E L E V A T E . I B I Z A
N . M . S . I . S . T . N
A D E P T . D E L A Y E D
C . O . E . A . . . O . .
T H I N N E R . M R M E N
```

PUZZLE 300

```
S I L E N C E S . S . L .
N . I . O . L . C Y C L E
A U B E R G I N E . R . V
R . R . M . X . R . A G E
L E A R . V I C T I M . R
. . R . L . R . A . . . E
D R Y R O T . F I D G E T
O . . . Y . B . N . L . .
M . L E A G U E . Z E S T
I C Y . L . T . E . A . R
N . N . T O L E R A N C E
G R A V Y . E . I . E . N
O . M . . P R E C E D E D
```

PUZZLE 301

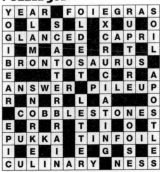

```
Y E A R . F O I E G R A S
O . L . S . L . X . U . O
G L A N C E D . C A P R I
I . M . A . E . R . T . L
B R O N T O S A U R U S .
E . . . T . T . C . R . A
A N S W E R . P I L E U P
R . N . R . L . A . . . O
. C O B B L E S T O N E S
E . R . R . T . I . O . T
P U K K A . T I N F O I L
I . E . I . E . G . S . E
C U L I N A R Y . N E S S
```

PUZZLE 302

```
C H I M P A N Z E E . D .
R . M . U . E . N . A . .
U . P . N . A C A D E M Y
E . L A T E R . A . O . .
T R Y . X . A W N I N G .
. O . M A P L E . G . H .
N A P E . E . R . E R I K
. L . D . C R I E R . L .
A D R I F T . A . S L Y .
. D . C . . C L O U T . U
C A R I B O U . M . E . C
. H . N . R . E . A . C .
. L . E A S T A N G L I A
```

SOLUTIONS

PUZZLE 303

```
F A C E L I F T ■ ■ C U L T
A ■ Y ■ A ■ I ■ U ■ N ■ I
K ■ A ■ B L A I R ■ D ■ T
E R N I E ■ N ■ C O U R T
■ Y ■ L ■ C ■ H ■ L ■ E ■
H E A P ■ R E T I N A ■ R
■ M ■ G ■ ■ ■ N ■ T ■ ■ ■
C ■ B U R E A U ■ R E A P
O ■ R ■ E ■ U ■ A ■ F ■ ■
R H I N E ■ P ■ S L O T H
O ■ D ■ C H A M P ■ V ■ I
N ■ G ■ E ■ I ■ I ■ E ■ N
A B E T ■ A R A C H N I D
```

PUZZLE 304

```
S E E T H E ■ K E R N E L
Y ■ A ■ R ■ I ■ O ■ O ■ ■
M O S S ■ S ■ L ■ P E A T
B ■ E M M E N T H A L ■ I
O ■ A ■ A ■ A ■ C ■ ■ ■ O
L O U R ■ R ■ ■ K E E N ■
■ ■ ■ T S A R I N A ■ ■ ■
S O F A ■ A ■ ■ G I F T ■
T ■ L ■ T ■ I ■ ■ ■ I ■ A
U ■ R E P R E S E N T ■ V
D I S C ■ A ■ E ■ G A P E
I ■ V ■ I ■ E ■ I ■ I ■ R
O R P H A N ■ M U S L I N
```

PUZZLE 305

```
D O P P L E R E F F E C T
O ■ U ■ A ■ E ■ ■ A ■ R ■
T H R I V E S ■ V I S T A
■ S ■ A ■ O ■ A ■ T ■ N ■
K I E V ■ C R A C K E R S
N ■ ■ B ■ T ■ A ■ N ■ I ■
O U T L E T ■ O N E D G E
T ■ E ■ C ■ A ■ T ■ ■ N ■
T O R T O I S E ■ M A R T
Y ■ R ■ M ■ P ■ S ■ L ■ ■
A F I R E ■ I D I O T I C
S ■ E ■ R ■ L ■ E ■ ■ U ■
H E R C U L E P O I R O T
```

PUZZLE 306

```
E X T O L ■ C O M B A T S
M ■ ■ U ■ A ■ O ■ ■ ■ M ■
E X C E R P T ■ G E N R E
R ■ H ■ I ■ C ■ U ■ E ■ L
G U I L D ■ H E L P F U L
E ■ P ■ D ■ C ■ A ■ ■ ■ ■
D I O N N E ■ R E G R E T
■ ■ L ■ A ■ U ■ I ■ A ■ ■
E X A M P L E ■ A D O P T
X ■ T ■ R ■ L ■ D ■ U ■ T
P L A T O ■ C O U N S E L
E ■ ■ S ■ I ■ L ■ ■ ■ E ■
L I M I T E D ■ T O P E R
```

PUZZLE 307

```
■ A ■ S ■ C ■ C ■ A ■ A ■
G L U T T O N Y ■ D R N O
■ C ■ E ■ V ■ C ■ H ■ N ■
N A T I V E ■ L E E W A Y
■ P ■ F ■ R ■ O ■ R ■ ■ ■
C O R F U ■ E N V E L O P
■ N ■ ■ E ■ E ■ ■ ■ P ■ ■
H E R R I N G ■ K A P U T
■ ■ E ■ G ■ S ■ R ■ L ■ ■
V E N D O R ■ P R A Y E R
X ■ S ■ A ■ A ■ F ■ N ■ ■
F A T E ■ V A R I A N C E
■ M ■ A ■ E ■ K ■ T ■ E ■
```

PUZZLE 308

```
A E R O D R O M E ■ R ■ E
■ P ■ W ■ U ■ U ■ D A W N
Y O U N G S T E R ■ P ■ D
■ C ■ U ■ T ■ S ■ ■ I ■ O
C H A P E L ■ L A R D E R
■ ■ V ■ D E V I L ■ F ■ S
S L A N G ■ ■ A G I L E ■
T ■ I ■ A M B E R ■ R ■ ■
A L L U R E ■ I M P E D E
S ■ A ■ N ■ G ■ L ■ A ■ ■
H ■ B ■ F I S H G U A R D
E L L A ■ A ■ T ■ T ■ T ■
D ■ E ■ P L A Y H O U S E
```

PUZZLE 309

```
S . S . S H E F F I E L D
A M O S . A . R . R . A .
T . U . S C E N A R I O .
U N R E S T . E . Q . R .
R . C . E . W . R . D .
A C R I D . S A N J O S E
T . E . K E Y . Q . X .
E L A S T I C . M O U N T
D . M . N . C . E . E .
. T . Z . N . L O A F E R
C R E O S O T E . O . I .
. U . O . C . A . T R O T
L E O M C K E R N . T . Y
```

PUZZLE 310

```
F A R C E . R O T A T E D
O . . . M . H . A . . . I
R I C K E T Y . R A Z O R
S . A . R . M . O . E . G
A L L A Y . E X T R E M E
K . E . W . R . B . . . .
E N D U R E . A C C R U E
. . O . A . Y . U . A .
C O N C E R T . B I G G S
I . I . M . R . A . G . I
G R A D E . A U S T E R E
A . . . N . C . T . . . S
R E S I D U E . E R U P T
```

PUZZLE 311

```
G O U D A . R E S C I N D
A . . . G . A . T . . . I
R E D C O A T . Y E A T S
B . E . N . I . L . L . C
A B B E Y . O R E G A N O
G . A . D . A . . . N . .
E N T I R E . K A N S A S
. . A . A . E . U . A .
O S B O R N E . V I G I L
A . L . S . V . E . A . I
S T E E P . A I N T R E E
I . . . C . D . U . . . N
S A L V A G E . S T U N T
```

PUZZLE 312

```
. R E P L A C E M E N T .
M . S . . . N . R . . E . E
O S T E N D . R E V E A L
T . E . O . . . X . D . A
O . E T T U B R U T E . I
R U M . E . L . B . D A N
R . . . P R O N E . . . E
A S S . A . K . R . E S P
C . T I P P E R A R Y . A
I . A . E . . . N . E . I
N O T A R Y . S T A L A G
G . U . A . O . . . E . E
. J E R E M Y B R E T T .
```

PUZZLE 313

```
F I C T I O N . G E E S E
E . A . N . U . E . M . N
M I N C E . M I N I B U S
U . A . P . B . U . E . N
R O S E T T E . I N D I A
. . T . . . R . N . . . R
G O A L I E . R E P U T E
R . . . N . M . . . S . .
A U D I T . A N C I E N T
P . E . E . N . A . L . O
P I E R R O T . S T E A K
L . D . I . I . T . S . E
E P S O M . S T E T S O N
```

PUZZLE 314

```
E X T E N D E D . . E . S
X . E . I . X . R A J A H
I F E E L F I N E . E . U
S . M . E . L . C . C N D
T W I G . R E V O L T . D
. . N . U . D . V . . . E
L E G E N D . D E T O U R
E . . . U . V . R . P . .
R . W E S S E X . Q U A D
W H O . U . N . P . L . W
I . M . A C E T Y L E N E
C R E E L . E . R . N . L
K . N . . O R I E N T A L
```

SOLUTIONS

PUZZLE 315

```
L A D   S       A   Y O B
A   I   A H E A D   O   E
W O V E N   N   D E U C E
    E   T O T A L   N
K O R M A   E   E A G E R
  R   O   R   S   B
  S T R A I T L A C E D
  O   S   A   O   O
U N D E R   I   S T I N G
    E   A N N O Y   S
H A N O I   E   L L A M A
E   S   S T R I P   A   I
W E E   E       H   C O D
```

PUZZLE 316

```
A R I D   B I F O C A L S
T   N   A   T   L   T   P
A N A E M I A   D E T E R
P   P   A   L   T   A   Y
I N T E L L I G E N C E
N       G   C   S   H   M
C O M B A T   A T H E N A
H   O   M   C   A       G
  E M M A T H O M P S O N
S   B   T   O   E   T   O
M I A M I   R E N D E L L
O   S   O   U   T   P   I
G L A S N O S T   A S I A
```

NOTES

NOTES